Åke Edwardson

Marconi Park

A.W. Bruna Uitgevers

Oorspronkelijke titel
Marconi Park

Published by arrangement with Partners in Stories Stockholm AB, Sweden.
Vertaling
Corry van Bree
Omslagbeeld
Ermin Gutenberger / Getty Images
Omslagontwerp
Riesenkind

ISBN 978 94 005 0480 6
NUR 305

Dit boek is gedrukt op papier dat het keurmerk van de Forest Stewardship Council (FSC®) mag dragen. Bij dit papier is het zeker dat de productie niet tot bosvernietiging heeft geleid. Een flink deel van de grondstof is afkomstig uit bossen en plantages die worden beheerd volgens de regels van FSC. Van het andere deel van de grondstof is vastgesteld dat hiervoor geen houtkap in de laatste resten waardevol bos heeft plaatsgevonden. Daarom mag dit papier het FSC Mixed Sources label dragen. Voor dit boek is het FSC-gecertificeerde Munkenprint gebruikt. Dit papier is 100% chloor- en zwavelvrij gebleekt en wordt geleverd door Arctic Paper Munkedals AB, Zweden.

'Said I loved you... But I lied.'

– Michael Bolton, *Said I Loved You... But I Lied*

Voor Hanna en Kristina

1

Hoofdinspecteur Erik Winter rook de geur van het voorjaar dat eindelijk op gang kwam, halleluja. Hij voelde zich onmiddellijk vrolijk worden, als iemand die had gedacht dat hij het gevoel vergeten was. Hij maakte een paar danspassen over het Kungsplein. Nee, dat deed hij niet, hij wilde het doen, maar iets hield hem tegen. Misschien het pakket onder zijn arm met lamsschouder, een paar blikjes Coburger en een blikje ansjovis. Winter was op weg naar huis, hij zou alleen eten, maar een man achter het fornuis is eigenlijk nooit alleen. Hij zou een glas whisky drinken, niet meer dan één, terwijl hij het lamsvlees inwreef met kruiden en knoflook. Een man met een glas whisky naast zich is ook nooit alleen.

Het was zes uur en het was nog steeds licht. Nog net. Hij dacht aan Angela en Elsa en Lilly. Nog drie maanden voordat het gezin voor altijd bij elkaar zou zijn.

Zijn mobieltje ging over in de borstzak van zijn colbert. Hij haalde hem tevoorschijn, keek naar het nummer op het display en hield hem tegen zijn oor; geen headset voor señor Winter, dat was niet goed voor zijn tinnitus, maar niets was goed voor tinnitus, zelfs geen goed glas whisky, zelfs Coltrane niet.

'*Hola*!' zei hij.

'Je klinkt vrolijk,' zei ze.

'Ik ben vrolijk.'

'Daar ben ik blij om,' zei ze.

'Daar ben ik ook blij om.'

'Het klinkt alsof je buiten bent.'

'Raad eens waar.'

'Het Kungsplein?'

'Inderdaad.'

'Hondstong?'

'Mis.'
'Levertaart?'
'Goede poging, maar mis.'
'Lam.'
'Dat was niet eens een vraag,' zei hij.
'Het regent hier,' zei ze.
'Het is voorjaar in Göteborg.'
'Fijn voor je.'
'Je klinkt niet langer blij,' zei hij.
'Wie heeft gezegd dat ik blij ben?'
'Jijzelf, daarnet.'
'Dat was maar tijdelijk.'
'Wat is er, Angela?'
'Ik weet het niet.'
'We zien elkaar binnenkort.'
'Nog drie maanden,' antwoordde ze.
'We zien elkaar voor die tijd.'
'We zien wel,' zei ze.
'Dat klinkt verontrustend.'
'Er gaat iets gebeuren, en jij zult verdwijnen, Erik,' zei ze.
'Verdwijnen?'
'In jezelf verdwijnen.'

Als het hier gebeurd is, exact op deze plek, is het 's nachts gebeurd. Dat was ongeveer wat forensisch patholoog-anatoom Pia Fröberg tegen Erik Winter zei toen ze vlak voor het aanbreken van de dag tussen de struiken naast het cultureel centrum in Frölunda stonden. Aan de andere kant lag het treinstation, onder het aardoppervlak, in de vorm van een open tunnel. De treinen waren net gaan rijden. Alles om hen heen was van glas en beton, oud beton, nieuw beton.

Winter keek naar de gestalte op de grond. Een slachtoffer. Het was een man, dat was niet moeilijk te zien omdat de broek en onderbroek van het slachtoffer tot onder zijn knieën naar beneden waren getrokken zodat zijn geslacht zichtbaar was. De armen van de dode waren achter zijn rug vastgebonden en zijn enkels werden bijeengehouden met een touw. Een plastic zak was tot zijn nek over zijn hoofd getrokken. Winter bukte zich en keek naar het profiel, wazig achter het blauwe plastic, als een gezicht onder water. Winters hersenen maakten een sprong in de tijd, twee jaar in twee seconden, zijn lichaam dat in het water zonk, het wazige om hem heen terwijl hij naar zijn dood afdaalde. Hij was echter niet doodgegaan, hij stond hier, met een voortdurende ruis in zijn oren als een zee in de storm, ter herinnering aan zijn bijna-doodervaring. De man op de grond voor hem leefde niet meer. 'Trauma,' hoorde hij Pia zeggen, en nog iets wat hij niet verstond, hij kon het bloed achter het plastic zien, het moest bloed zijn, het was eerder zwart dan rood in het vale licht van de vale hemel. Hij keek naar boven, daar was niets, en keek weer naar beneden.

'Was hij bewusteloos toen hij de zak over zijn hoofd kreeg?' vroeg hij.

Fröberg gaf geen antwoord.

'Anders is het lastig om dat te doen,' zei Winter. 'In elk geval als je alleen bent.'

'Bedoel je dat hij het zelf heeft gedaan?' vroeg ze terwijl ze zich naar hem omdraaide. Het leek er niet op dat ze glimlachte. Het was een macabere grap.

'Er is een kleine kans,' zei Winter terwijl hij de snijdende wind voelde die door de tunnel waaide.

Hij keek naar de letter die op de dode lag, een handgeschreven zwarte hoofdletter R, geschreven op een scheef stuk karton met haastig afgescheurde randen, het leek een witte taartdoos, de letter leek in blinde woede met een platte kwast geschreven, de verf was uitgevloeid en leek op het zwart dat het gezicht van de dode bedekte, achter de plastic zak die op een raam leek, een raam waar hij doorheen kon kijken, dacht Winter, als een privilege. Hij had het onaangename vertrouwde gevoel dat hij dat vaker zou doen. De wind in de tunnel draaide, waaide in zijn richting. Hij zou erin verdwijnen.

'De man houdt dus van taart,' zei hoofdinspecteur Fredrik Halders toen de kerngroep van de afdeling Ernstige delicten bij elkaar was gekomen voor de eerste briefing.

'Wie bedoel je?' vroeg hoofdinspecteur Bertil Ringmar.

'Het is niet grappig,' zei rechercheur Aneta Djanali. 'Absoluut niet.'

'Een macabere grap,' zei Halders.

'Het lijkt van een taartdoos afkomstig,' zei Winter. 'Öberg onderzoekt dat nu.'
'Kijk eens aan,' zei Halders.
'Hoeveel zijn er in de stad in omloop?' vroeg rechercheur Gerda Hoffner.
'Net zoveel als er taarten zijn,' antwoordde Halders. 'Mijn vader was trouwens banketbakker.'
'Dan mag jij de banketbakkers ondervragen, Fredrik,' zei Winter.
'Neem je me in de maling?'
'Een macabere grap.'
Hoffner lachte.
'Iemand hier heeft humor,' zei Halders.
'Het is niet grappig,' herhaalde Djanali.
'Nee,' antwoordde Winter. 'Het is absoluut geen grappige moord.'

De hemel achter het raam was blauw, blauw als de zonde en net zo oud. Er waren antwoorden in te vinden, als een eenzame vertwijfelde roep uit het verleden. Het verleden is een lange, helse reis, dacht Winter. Hij draaide zich om toen Ringmar op de open deur klopte.
'*Permesso*?'
'Natuurlijk, kom binnen, Bertil.'
Ringmar liep de kamer in en ging op de stoel voor Winters bureau zitten. Winter bleef bij het raam staan. Hij voelde de zon in zijn rug, net zo koud als de wind was geweest.
'Wat hebben we?' vroeg Ringmar.
'Wraak,' antwoordde Winter.
'Waarvoor?'
Winter gaf geen antwoord. Hij hoorde buiten een geluid en draaide zich om. Drie zwarte vogels vlogen krijsend langs de hemel.
'Wraak waarvoor?' herhaalde Ringmar.
'Het verleden,' zei Winter. Hij was er klaar voor om aan het gesprek te beginnen, hun methode, de vrije gedachten, associaties die voorwaarts konden leiden nadat ze achterwaarts hadden geleid.
'Het verre verleden?' vroeg Ringmar.
'Niet heel ver.'
'Tien jaar?'
'Minder lang,' zei Winter.

'Wraak voor iets wat pasgeleden gebeurd is?'
'Ja.'
'Wraak voor een aanranding?'
'Ja.'
'Op de vrouw van een andere man?'
'Ja.'
'Op de man van een andere man?'
'Nee.'
'Dat zou kunnen.'
'Ja.'
'Het kan iets heel anders zijn.'
'Ja,' zei Winter. 'En het ligt verder terug in de tijd.'
'Tien jaar geleden,' zei Ringmar. 'Wat gebeurde er toen?'
'Iets wat niet vergeten kan worden,' zei Winter.
'De kont van het slachtoffer was ontbloot,' zei Ringmar.
Het slachtoffer heette Robert Hall. Hij was bewusteloos geslagen en daarna was hij in de blauwe plastic zak gestikt. Misschien was het een daad van barmhartigheid.
'Hij is neergeslagen omdat het de enige manier was,' zei Ringmar.
Winter knikte.
'Hall was geen kleine man,' zei Ringmar.
'Zoeken we een kleine man?' vroeg Winter.
'Of een vrouw,' zei Ringmar.
'Nee.'
'Nee?'
'Nee, we zoeken niet naar een vrouw, niet als dader in elk geval.'
'*Cherchez la femme*,' zei Ringmar. 'In dat geval.'
'Ik dacht dat we het geld moeten volgen.'
'Dat ook.'
'Maar het gaat deze keer niet om geld,' zei Winter.
'Het gaat om woede,' zei Ringmar.
'Enorme woede.'
'Waarom daar? Waarom juist daar?'
'Het is de enige plek waar ze niet te zien waren,' zei Winter.
'Was het voorbereid?'
'Het antwoord is ja.'
'Dan woont de dader in de buurt,' zei Ringmar.

'Dat hoeft niet,' zei Winter.
'Hij woont in de buurt,' zei Ringmar.
'We moeten afwachten,' zei Winter.
'Waarop?'
'Het volgende slachtoffer.'

Winter reed door de Marconigatan terug en parkeerde ten zuiden van de spoorlijn. Het schemerde weer, een mat vlies op het beton. Hij stapte uit de auto. Een schoolklas liep de trappen van het cultureel centrum af, kinderen uit de eerste klassen van de middelbare school, ze bleven bij het afzetlint staan en wezen. Winter zag hun gelaatstrekken niet duidelijk, maar hij wist dat de kinderen gefascineerd waren. Dit was geen film, geen politieserie. De leerkracht probeerde ze de trap af te drijven, misschien naar de Frölundaschool. De kinderen bleven kijken naar de in stoer, zwart leer geklede rechercheurs achter het lint. Misschien zou iemand een handtekening willen geven. De technisch rechercheurs hadden een meer bescheiden stijl, zoals ze op de achtergrond als plantsoenwerkers aan het wroeten waren.

Torsten Öberg keek op toen Winter naast hem bleef staan.
'Redelijke afdrukken.'
'Waarvan?' vroeg Winter.
'Schoenen.'
'Aha.'
Öberg ging staan. Hij was onlangs formeel bevorderd tot chef van de technische afdeling, nadat hij die jarenlang informeel had geleid. Het was alsof hij langer was geworden, bijna net zo lang als Winter.
'Hij is een paar meter de struiken in gesleept.'
'Oké.'
'Een klap op zijn achterhoofd.'
'Maar één, zegt Pia.'
'En daarna kreeg hij de zak over zijn hoofd.'
'Nadat Halls broek naar beneden getrokken was?'
'Waarom laat je het zo persoonlijk klinken?'
'Wat bedoel je?'
'Nadat Halls broek naar beneden getrokken was.'

'Nadat de broek van het slachtoffer naar beneden getrokken was,' zei Winter.

'Nee, hij heeft de zak eerst over zijn hoofd getrokken, denk ik. Ik weet het niet. We moeten de situatie reconstrueren. Maar hij wilde er zeker van zijn dat de man dood was.'

Winter zei niets.

'Waar denk je aan, Erik?'

'Aan de waanzin,' antwoordde Winter.

'Het handschrift is agressief,' zei Öberg.

'Wat kunnen we daar nog meer over zeggen?'

'De letter R.'

'Ik ken het alfabet,' zei Winter.

'Krachtige uitvoering,' zei Öberg. 'Dat is waarschijnlijk het enige wat we erover kunnen zeggen.'

'We hebben meer letters nodig,' zei Winter.

'Is dat een wensgedachte?'

'Dat is de waanzin.'

2

Robert Hall had in een appartement in Järnbrott gewoond. Dat was niet ver van de vindplaats, die waarschijnlijk ook de plaats delict was.

Het was een tweekamerappartement. De ramen en glazen deuren in de keuken en de zitkamer lieten veel licht vanuit het noorden binnen. Winter liep het balkon op en zag twee oude tennisbanen, een voetbalveld met grind en gebouwen die eruitzagen als een school. Natuurlijk is het een school, het is de Frölundaschool, ik heb gelezen dat het voetbalveld met grind moet verdwijnen. De omgeving moet verdicht worden, er is hier te veel ruimte en licht en gras, behalve op het voetbalveld.

Robert Hall was gescheiden, zijn vrouw woonde met de kinderen in Borås. Ze is niet ver weg gaan wonen, dacht Winter terwijl hij de lucht vol voorjaar en leven inademde. Linnea Hall had de voogdij over de kinderen, een jongen en een meisje die bijna pubers waren, hij herinnerde zich hun namen op dit moment niet. De volledige voogdij, dat kon natuurlijk iets betekenen. Djanali was onderweg naar Borås. 'Ik ben daar nog nooit geweest,' had ze tijdens de bespreking vanochtend gezegd. 'Jezus,' had Halders gezegd, 'hoe is dat mogelijk? Ze hebben een dierentuin en alles.'

Winter hoorde de schoolbel, een geluid waarvan hij nooit had gehouden. Het stond voor onvrijheid, zoals alles wat met school te maken had. Zelfs als de bel was gegaan, had Winter zich niet vrij gevoeld, ook niet na de laatste bel van de dag, omdat hij wist dat de bel de volgende dag weer zou gaan. Er was geen uitweg, zo zou zijn jeugd en puberteit en leven als volwassene en als oudere eruitzien. De bel om te vertrekken zou soms gaan, maar die verdomde bel zou ook altijd weer gaan om te komen. Misschien was hij bij de politie gegaan omdat hij dan niet binnen vier muren zou belanden.

Er was eigenlijk maar één manier om vrij te zijn, de manier van

Robert Hall. Hall was bovendien leerkracht geweest. Misschien zat daar een symboliek in verborgen, dacht Winter terwijl hij zag hoe de kinderen zo snel mogelijk bij het schoolgebouw vandaan liepen. Ik vloek te veel, dacht hij, maar als je alleen lelijke woorden denkt zijn het misschien geen lelijke woorden. Het blijft tenslotte hier, tussen mij en mij.

Hij hoorde Öbergs technisch rechercheurs in het appartement rondlopen. Ze zochten naar alles en niets, niets kon alles betekenen. Het appartement had er netjes uitgezien toen Winter samen met Ford en Brattling was binnengekomen, schoongemaakt alsof Hall had verwacht dat hij snel thuis zou zijn, maar toch had opgeruimd voor het geval iemand anders er eerder dan hij zou zijn. Niets verdachts, in elk geval nog niet, voordat ze de computer aanzetten bijvoorbeeld, dan kon alle verbazing ophouden. Nonnen die pausenporno hadden gedownload, bisschoppen die nonnenporno hadden gedownload, echte nonnenporno, al het gruwelijke was te vinden: gefilmde volksdansfestivals, praatprogramma's over literatuur. Eén keer had Winter een verzameling met twintig jaar Zweedse songfestivals gevonden, met inbegrip van de voorrondes. Het was een schokkende ervaring geweest.

Winter liep het appartement weer in.

Ringmar kwam de keuken uit.

'Het lijkt erop dat hij netjes was,' zei hij.

'Een leerkracht,' antwoordde Winter.

'Heeft dat met elkaar te maken?'

Winter gaf geen antwoord. Er lag een stapel boeken op de salontafel. Hij liep ernaartoe en bekeek de bovenste. Het was een fotoboek over Göteborg vroeger en nu.

'Ik heb dat boek ook,' zei Ringmar terwijl hij naar de tafel knikte.

'Sta jij er ook in?' vroeg Winter.

'Wat?'

'Sta jij ook in het boek?'

'We zijn nog niet zo ver met de opgravingen,' zei Ringmar.

'Dus er komt meer.'

'Op dit moment houden we ons alleen met de bovenste laag bezig,' zei Ringmar.

'Daar hoor ik thuis,' zei Winter.

'Ben je depressief?'
'Een beetje. Ik ben op het balkon geweest.'
Ringmar keek uit het raam. De zon verblindde hem.
'De school,' zei hij. 'Ik snap het.'
'Misschien voelen alle mensen melancholie als ze een school passeren,' zei Winter. 'Vooral als het hun eigen school is geweest.'
'Nee,' antwoordde Ringmar. 'Dan voelen ze haat.'
'Interessant,' zei Winter.
'Heel normaal,' zei Ringmar.
'Dus iemand haatte Robert Hall.'
'Leerkrachten leven riskant, maar worden zelden vermoord.'
'Er is een reden dat hij vermoord is.'
'De verkeerde man op de verkeerde plek.'
'Nee. Dat was hij niet,' zei Winter. 'Hij was uitgekozen als slachtoffer.'
'Waarom hij?'
'Voor iets wat hij ooit heeft gedaan.'
'Als jongeman?'
'Wanneer ben je een jongeman?'
'Boven de twintig.'
Ringmar liep door de kamer en keek door de glazen deuren naar buiten. Winter volgde zijn blik. Het was daar nu verlaten, alleen grind en gras en school.
'Het voetbalveld moet weg,' zei Ringmar.
'Dat heb ik gehoord.'
'Net als het Marconiplein.'
'Echt?'
'Het Marconiplein is al weg. Ze hebben er een ijshal gebouwd. Dat is hier trouwens niet ver vandaan. Daar, kijk dan! Je kunt hem hiervandaan zien.'
'Ik heb nog op het Marconiplein gespeeld,' zei Winter.
'O ja?'
'Bij Finter BK. Ik deed een laatste poging. Ik was vijfendertig denk ik, zesendertig. Maar mijn knieën konden het niet meer aan.'
'Ik ben er vroeg mee opgehouden,' zei Ringmar. 'Ik besefte dat ik niet voldoende talent had. Ik ben ook niet vaak genoeg geblesseerd geraakt.'

'Dan kun je inderdaad net zo goed stoppen.'
'Waarin gaf Hall les?'
'Gymnastiek. En Zweeds.'
'Dat is alles wat je nodig hebt,' zei Ringmar.
'Het heeft hem niet in leven gehouden. Ik weet niet of ik het aankan om al zijn collega's te ondervragen.'
'Doe het dan niet. Aan de andere kant moet je het loslaten, Erik. Niet alle leerkrachten zijn klootzakken. Je zou daar echt eens met iemand over moeten praten. En over andere dingen.'
'Dat staat helemaal onder aan mijn lijst.'
'Wat staat bovenaan?' vroeg Ringmar.
'Dat wil je niet weten.'
'Je bent niet van plan om ooit naar een sessie te gaan, nietwaar?'
'Jawel.'
'Hoe ga je dat bewijzen?'
'Door mijn gedrag.'
'Het duurt jaren om een ander persoon te worden,' zei Ringmar.
'Door de facturen dan, dat is bewijs genoeg.'
'Het is verdomd duur, dat is waar,' zei Ringmar. 'Duurder dan een uitstekende maltwhisky.'
'Dat kan niet waar zijn.'
'Ik heb met een therapeut gepraat tot ik er geen geld meer voor had. Dat was toen Birgitta ervandoor was gegaan. En Martin vreemd begon te doen. Dat was toen.'
'Het spijt me,' zei Winter.
'Wat spijt je?'
'Dat je geen geld hebt om door te gaan met analyseren.'
'Misschien stonden we vlak voor een doorbraak.'
'Misschien had die al plaatsgevonden.'
Ringmar gaf geen antwoord. Hij draaide zich weg van het raam, naar het appartement toe, naar Winter toe.
'Waarom Hall?' vroeg hij.
'Dat is de belangrijkste vraag,' antwoordde Winter. 'Waar in de volgorde komt hij?'
'Ja.'
'Dat is net als met de letter.'
'Ja.'

'Het heeft geen chronologie.'
'Nee.'
'De mededeling begint niet met een R.'
'Nee.'
'Maar het kan met een R beginnen.'
'Ja.'
'Hall is als eerste vermoord omdat hij de eerste moest zijn. Daar is een reden voor.'
'Ja.'
'Of misschien ook niet.'
'Nee. Daar is geen reden voor.'
'Maar er is wel een reden.'
'Ja.'
'Het heeft met Hall te maken.'
'Ja.'
'Hij is niet de enige. Hoe zeker zijn we daarvan?'
'Zeker. Meer dan vrij zeker.'
'Waarom zijn we daar zeker van?'
'De letter.'
'Die kan van alles betekenen. Die kan van alles zijn.'
'Het is het begin van een mededeling, of het midden of het eind, maar het is een mededeling.'
'De dader wilde niet dat hij zou wegwaaien,' zei Winter. 'Hij had hem met een veiligheidsspeld aan zijn overhemd vastgemaakt.'
'Misschien overdreven,' zei Ringmar.
'Nee. Hij wilde ervoor zorgen dat de letter niet verdween, maar hij wilde niet in de buurt blijven. Hij wilde ver weg zijn.'

Aneta Djanali passeerde de afrit naar luchthaven Landvetter en overwoog een seconde om af te slaan, om rechts in te voegen en de lange bocht naar het rechte stuk naar de terminals te nemen, de auto te parkeren, de vertrekhal binnen te lopen en het eerste het beste ticket naar de eerste de beste bestemming te kopen. Hoeveel mensen hadden dat ooit gedacht? Was het trouwens mogelijk, praktisch gezien? Konden er tickets gekocht worden? Als dat kon, dan lag de hele wereld voor haar open. Afrika bijvoorbeeld. Ze was al jarenlang niet in Ouagadougou geweest. Haar vader woonde daar nog steeds, in het witte huis. Burkina Faso had vorig jaar de finale van de Afrikaanse voetbalkampioenschappen bereikt. Haar vader had beslist geschreeuwd als een gek, met een fles *dôlo* in zijn hand. Fredrik had in elk geval geschreeuwd als een gek toen Burkina Faso in de kwartfinale een doelpunt tegen Togo maakte.

Het was niet waar dat ze nog nooit in Borås was geweest, ze was er vaak doorheen gereden, maar was nooit gestopt. De snelweg doorkliefde de stad als een sabel, iets wat ze zich kon voorstellen in een Afrikaanse stad, maar niet hier, nooit.

Ze stopte bij een benzinestation onder de snelweg en keek op de kaart. Linnea Hall woonde in het zuidelijke deel, Aneta keek op, ze moest door de stad rijden. Ze startte de motor en reed voorzichtig verder. Er konden blinde chauffeurs op de weg zijn, Ray Charles achter het stuur van een bus; met middelgrote Zweedse steden viel niet te spotten, ze voelde zich gedeprimeerd als ze erlangs reed, of erdoorheen zoals nu, neerslachtig, alsof een middelgrote Zweedse stad deed denken aan de dood, aan rondlopen op de aarde zonder reden, in middelmatige buurten. Maar ik ben niet middelmatig, dacht ze, ik ben iets anders. Niemand is middelmatig. Misschien moet ik het vliegtuig naar de grote wereld nemen als ik op weg naar huis ga. Misschien moeten we dat allemaal doen.

Ze parkeerde voor de woning, een villa uit de jaren vijftig, charmant op een middelmatige manier.

Een vrouw opende de voordeur voordat Djanali de trap op was gelopen. Ze droeg een spijkerbroek en een trui die zelfgebreid leek. Ze was blond en bleek als sneeuw in de zon, de zon die nu achter Djanali scheen en veel warmte gaf, het was de warmste dag van het jaar tot nu toe.

'Agneta? Ben jij Agneta?'

'Aneta, ja.'

'Sorry?'

'Eigenlijk heet ik Aneta.'

'O ja?'

'Verkeerd gespeld op de kraamafdeling,' zei Djanali.

Linnea Hall glimlachte niet.

'Mag ik binnenkomen?' vroeg Djanali.

'Hoe is het gebeurd?' vroeg Linnea Hall. Het klonk niet als een vraag, ze keek niet naar de rechercheur, haar blik was op de voetbalarena op de achtergrond gericht. Djanali kon zich niet herinneren hoe het team van Borås heette, Fredrik had het gezegd, ze hadden iets gewonnen.

'Wat heeft hij gedaan?' vroeg Linnea Hall.

Djanali bleef staan.

'Wat bedoel je?'

'Dat wat er met hem gebeurd is. Hij moet iets gedaan hebben om dat te verdienen.'

0

Hij kan de geuren van de schemering niet verdragen, blijft binnen met gesloten ramen, ziet door het raam hoe iedereen beneden van het leven geniet, jongens en meisjes en mannen en vrouwen en katten en honden en vogels. Hij zit binnen met hoofdpijn, het houdt nooit op, nooit. Hij kan het water niet verdragen, het geluid van golven, hij is nooit teruggegaan, nooit. Hij kan de stemmen niet verdragen, hoort ze alsof het gisteren is gebeurd, dronken, hard, gemeen.

Waar ben je?

We hebben hier iets.

Kom hier, dan mag je het zien.

Het was bijna donker geweest en de maan was achter een wolk verdwenen en hij had bij de gevel gestaan, dat was links als je voor de woning stond, telkens als hij eraan dacht moest hij juist daaraan denken en hij dacht er altijd aan, altijd.

Op dat moment had ik hulp nodig, denkt hij terwijl hij een moeder en een kind in de warmtenevel bij het Frölundaplein ziet verdwijnen. Ik kreeg geen hulp, niemand wist het, niemand die lief was wist het.

Hij begint te huilen. Dat gebeurt steeds vaker, hij huilt als een meisje, denkt hij. Niemand ziet me, daar ben ik blij om, niemand heeft uitgelegd wat dat woord betekent, blij. Ik moet blijer worden, denkt hij, het is onderweg, ik voel het, ik weet het, het is er bijna.

Hij knippert met zijn ogen, ziet bijna niets, zijn ogen zitten vol water, het is alsof hij onder water zwemt. Ik probeerde me na afloop te verdrinken, denkt hij.

Nu kan hij weer zien, hij huilt niet meer. Hij gaat zo naar beneden. Het gaat beginnen. Het licht boven het plein is smoezelig, kleverig na een lange dag.

3

Linnea Hall zat in haar lichte zitkamer. Djanali zat tegenover haar, op een veel te diepe fauteuil. De twee kinderen waren op school. Het voorjaar probeerde overal in te breken. Dat was wat Djanali dacht, in te breken. Alsof het een misdaad was. Het licht bracht iets nieuws met zich mee, vooral in deze woning. De man hoorde hier niet thuis. Hij hoorde nergens thuis, behalve aan de andere kant, en er was niemand op aarde die wist waar die andere kant lag. Ik wil het ook niet weten, dacht ze.

Robert Hall had iets gedaan om zijn dood te verdienen. Dat had zijn ex-vrouw gezegd, in principe was dat het eerste wat ze had gezegd. Wat had hij haar aangedaan?

De vrouw had een blik in haar ogen die Djanali nooit bij rouwenden zag. Het was geen verdriet. Ze zou er zo meteen op komen, misschien al tijdens het verhoor. Het was belangrijk. Heel belangrijk.

'Je zei dat hij iets heeft gedaan om zijn dood te verdienen,' zei Djanali.

'Dat moet wel,' zei Linnea Hall.

Haar gezicht verraadde niet wat er achter die verbazingwekkende woorden schuilging.

'Dat moet je uitleggen,' zei Djanali.

'Robert was geen aardige man,' zei Hall.

'Vertel.'

'Waar moet ik beginnen?'

'Waar je maar wilt.'

'Bij zijn geboorte?'

'Is het zo erg?' vroeg Djanali.

'Moet je niet vragen waarom ik met hem getrouwd ben? Waarom we samen kinderen hebben?'

'Je was verliefd,' zei Djanali.

'Is dat een vraag?'
'Wat heeft hij je aangedaan?'
Linnea gaf geen antwoord. Haar blik zwierf naar buiten, naar het licht. Het was ontzettend licht buiten, lichter dan het dit jaar ooit was geweest. Ze keek weer naar Djanali.
'Als de kinderen er niet waren geweest, dan zou ik niet naar de begrafenis gaan.'
'Vertel,' zei Djanali opnieuw. Zo lang mogelijk open vragen stellen.
'Wat moet ik vertellen?'
'Waarom je denkt dat hij zijn dood verdiend heeft?'
'Is dat zo ongewoon?'
Djanali knikte, wat ja of nee of misschien kon betekenen. Maar om je dood te verdienen? Dat was alsof je het niet had verdiend om geboren te worden. Zo was het. Deels was het de bedoeling van het leven om nooit geboren te worden. De schade voor de mensheid werd minder. Miljoenen mensen hadden beter ongeboren kunnen blijven. Niet in het minst als het ging om alle kwaadaardige negers waar zij vandaan kwam, haar vader had dat vaak gezegd en toch was hij teruggegaan. En hier waren de blanken aan de macht en de kwaadaardigheid gloeide en glansde hier net zo mooi.
'Hij moet iets gedaan hebben,' zei Linnea Hall opnieuw.
'Zoals wat?'
'Dat weet ik niet.'
'Wat kan hij gedaan hebben?'
'Iemand beschadigen,' zei Hall.
'Hoe dan?'
Linnea Hall gaf geen antwoord. Ze zag eruit alsof ze nadacht, of herinneringen ophaalde. Iets trok over haar gezicht; het was geen licht.
'Ik moet meer weten,' zei Djanali. 'Begin met jullie huwelijk. Waarom zijn jullie gescheiden?'
'Hij... Robert... was gewelddadig. Hij bedreigde me. Hij bedreigde de kinderen.'
'Op welke manier?'
'Op een gewelddadige manier,' antwoordde Hall.
'Sloeg hij jullie?'
'Nee...'

'Hoe bedreigde hij jullie dan?'
'Het was erger dan dat.'
'Ik geloof niet dat ik het begrijp.'
'Hij sloeg niet... maar hij werd een duivel.' Ze keek naar Djanali. 'Ik weet niet hoe ik het moet uitleggen.'
'Probeer het gewoon.'
'Hij werd... nee, geen ander. Hij werd degene die hij altijd geweest was.'
'Wie was hij altijd geweest?'
'Een duivel.'
'Toen hij jong was?'
'Dat denk ik.'
'Weet je daar meer over?'
'Ik weet er eigenlijk niets over.'
'En toch weet je het?'
'Ik denk dat hij iets gedaan heeft waaraan hij niet kon ontsnappen. Hij had het als het ware binnen in zich. Iets wat hem niet losliet. Wat al het andere overheerste. Ik wist van niets. Niet op dat moment, toen we elkaar ontmoetten. Hij was... charmant, misschien kun je het zo noemen. Zoals alle psychopaten.'
'Zeg je nu dat hij een psychopaat was?'
'Dat is misschien het verkeerde woord, maar het was in elk geval onmogelijk om met hem te leven.'
'Wanneer zijn jullie gescheiden?'
'Vier jaar geleden.'
'Wanneer hebben jullie elkaar voor het laatst gezien?'
'Ik heb hem na de scheiding niet meer gezien.'
'En de kinderen?'
'Eén keer in de afgelopen vier jaar,' zei Hall. Ze vertrok haar mond. Het kon een glimlach zijn, maar het zag eruit als een grimas. 'En toch willen ze naar de begrafenis. Kinderen hebben daar gekke ideeen over.'
Gek, dacht Djanali. Dat is een wonderlijk woord. Het kan in principe van alles betekenen. Er zijn veel wonderlijke woorden. Het is alsof we niet kunnen beslissen wat we willen zeggen.
'Hebben jullie telefonisch contact gehad?'
'Nee.'

'Op welke manier hadden jullie dan contact?'
'Ik zeg toch dat we geen contact hadden!'
Linnea Hall was harder gaan praten. Dat verbaasde Djanali. Ze was kalm, koel en gecontroleerd geweest. Het kon wanhoop zijn, dat kon op veel manieren tot uiting komen. Het kon angst zijn.
Het is angst, dacht Djanali. Dat is het gevoel waar ik eerder op uit was. Angst. Komt voor bij zowel vrouwen als mannen. Angst zit in ons allemaal.
'Wanneer is hij gestopt met werken?'
'Weten jullie dat niet?'
'Weet jij het?'
'Het ging niet,' zei Hall. 'Hij was niet geschikt voor een baan, kon geen baan houden.'
'Jij bent ook leerkracht,' zei Djanali.
'Zo hebben we elkaar ontmoet.'
'O ja?'
'Ik kan er verder niets over zeggen. Hij is ontslagen.'
'Wat is er gebeurd?'
'Dat ben ik nooit te weten gekomen.'
Linnea Hall ging staan. Djanali bleef op de diepe fauteuil zitten. Het was een vergissing geweest om daarop te gaan zitten. Ze voelde zich zwaar, alsof ze niet helder kon denken.
'Ik moet Tyra halen,' zei Linnea Hall. 'Ik haal haar altijd.'
'Kun jij Robert vermoord hebben?' vroeg Djanali.
'Nee.'
'Waarom niet?'
'Ik heb de kracht er niet voor. En ik denk niet op die manier. Ik denk nooit op die manier.'
'Heb je verdriet?'
'Om hem?'
'Ja.'
'Ik heb verdriet omdat het gelopen is zoals het gelopen is. Met hem, met mij, met ons. Met ons gezin. Maar ik mis hem niet. Er was al heel lang niets om te missen.'
'Ging hij met collega's om?'
'Hij wilde met niemand omgaan,' zei ze. 'Hij bleef zo veel mogelijk uit de buurt van andere mensen. Dan kun je niet als leraar werken.

Hij bleef... het was alsof hij bij zichzelf uit de buurt bleef.'
'Bij zichzelf?'
'Bij degene die hij geweest was. Bij degene die hij geworden was.'
Dat zegt genoeg, dacht Djanali. Het heeft hem uiteindelijk ingehaald.
'Hoe... wat is er gebeurd?' vroeg Linnea Hall.
'Wat bedoel je?'
'Hoe is hij... vermoord? Op welke manier?'
'Waarom wil je dat weten?'
'Is dat een vreemde vraag? Ben ik vreemd?'
'Waarom wil je dat weten?' herhaalde Djanali.
'Was het gewelddadig?'
'Ja.'
'Dat zegt het een en ander, of niet soms?'
'Wat bedoel je daarmee?'
'Hoe mensen vermoord worden. Dat zegt toch het een en ander over hoe ze geleefd hebben? Dat moet jullie bij jullie werk helpen, of niet soms? Zodat jullie degene die het gedaan heeft vinden.'

Winter opende de deur van Robert Halls appartement, er lagen kranten en enveloppen op de mat achter de deur, hij raakte niets aan. Dat liet hij aan Öbergs mensen over.
In de zitkamer kon hij door een raam zonder jaloezieën naar buiten kijken. Hij zag een tram, een deel van het cultureel centrum, de enorme parkeerterreinen rond het plein, de nieuwe gebouwen, de oude gebouwen. De struiken voor het cultureel centrum. De plaats delict.
Hoe vaak had Hall hier gestaan en gezien wat Winter nu zag? Iets had ervoor gezorgd dat hij naar die plek was gegaan, de laatste plek.
Winter draaide zich om. Er stonden een goedkope bank en een stoel en een tafel in de kamer. Alles zag eruit alsof het tweedehands was. Het was een armoedige inboedel. Op het versleten parket lag een goedkoop vloerkleed. Op de een of andere manier ergerde hij zich eraan. Hij ergerde zich aan van alles. Zoals waarom Angela hem vanochtend niet had gebeld. Hij had er behoefte aan gehad haar stem te horen, had er behoefte aan gehad de stemmen van de kinderen te horen. Hij had slecht geslapen, had de vorige avond geen whisky ge-

dronken, had met zijn laptop op schoot gezeten en had diagrammen over glas en beton gemaakt. Het was een mooi plaatje geworden. Hij had eindelijk iets gecreëerd.

Het mobieltje in zijn borstzak trilde. Hij bedacht dat het ongewoon koud was in het appartement, alsof de verwarming was afgeslagen nu Hall voor altijd verdwenen was. Hij keek op het display. Eindelijk.

'Hallo,' zei hij.

'Waar ben je, Erik?'

'In het appartement van een moordslachtoffer.'

'Hebben jullie meer ontdekt?'

'We weten nog niets,' zei hij. 'Alleen dat het slachtoffer een eenvoudig en armoedig leven leek te leiden.'

'Zoals de meeste mensen,' zei ze.

'Daar weet je niets van,' antwoordde hij.

'Zal ik de hoorn erop gooien?' vroeg ze.

'Er bestaan geen hoorns meer,' zei hij. 'Dat was een andere tijd.'

Hij hoorde dat ze het gesprek verbrak. Het suisde en ruiste in zijn oor, in de afstand die tussen hen lag, de IJszee aan de ene en de Costa del Sol aan de andere kant. Hij toetste het nummer in, wachtte, luisterde naar de combinatie van tinnitus en atmosferische storingen, het klonk hetzelfde, hij was daarmee een deel van het universum, maar wel een verdomd klein deel.

Uiteindelijk nam ze op.

'Sorry,' zei hij.

'Je weet niet hoe het is,' zei ze.

'Hoe wat is?'

'Zie je, je weet niet eens waar ik het over heb.'

Hij dacht na, dacht echt na.

'Waar heb ik het over, Erik?'

'Jou en mij.'

'Ik heb het over ons gezín.'

'We zijn van de zomer bij elkaar. Voor altijd, tot in alle eeuwigheid.'

'Als je ironisch probeert te zijn, dan gooi ik de zogenaamde hoorn er weer op.'

'Ik ben niet ironisch. Dit gaat voorbij.'

'Vandaag zei Elsa dat ze niet wil verhuizen. Ze wil Siv niet achterlaten, zei ze.'

Siv, zijn moeder, was al langer dan een maand dood. Ze was begraven naast Bengt, op een mooie begraafplaats beschut door de witte bergen, met de zee ervoor, een schittering van goud en zilver. Het was een rijke plek.

'Ik begrijp het,' zei hij.

'Ik ben degene die het begrijpt,' antwoordde ze.

'Wat begrijp je?'

'Ik probeer jou te begrijpen,' zei ze. 'Ik probeer je altijd te begrijpen.'

'Jij bent de enige die me begrijpt,' zei hij.

'Zeg je dat tegen alle vrouwen?'

'Wil je ruzie?' vroeg hij. 'We maken nooit ruzie. We willen geen ruzie. Het is burgerlijk om ruzie met je partner te maken. Zo zijn wij niet. Wij zijn beter dan dat.'

'Je probeert altijd te ontsnappen,' zei ze. 'Maar ik heb dat akelige gevoel weer.'

Hij wist wat ze bedoelde. Het was echt, niet iets wat je kon negeren.

'Ik doe geen stomme dingen meer,' zei hij.

'Dat zeg je elke keer, elk jaar, elke maand.'

'Ik doe geen stomme dingen als ik alleen ben,' zei hij.

'Je bent een maand geleden bijna gestorven,' zei ze. 'Als een van je verdachten er niet geweest was, dan was je doodgegaan.'

'Ik weet het,' zei hij.

'Ik kan je hiervandaan niet in de gaten houden,' zei ze.

'We zijn bijna bij elkaar,' zei hij.

'En als we niet naar huis komen?'

'Dat heb ik niet gehoord, Angela.'

'Je hebt het wel degelijk gehoord.'

Hij moest aan dit gesprek ontsnappen. Hij zou een discussie met Angela nooit winnen. Daarom gebruikten sommige mannen hun vuisten. Het was de uiterste vorm van communicatie als woorden niet voldoende waren, en die waren nooit voldoende.

'Mag ik Elsa aan de telefoon?' vroeg hij.

'Ze is met Maria en Lilly naar de *mercado*.'

'Vanavond dan,' zei hij. 'Ik moet met de meisjes praten.'

'Voordat je whisky gedronken hebt,' zei ze, waarna ze ophing.

Hij keek naar het display alsof dat weer tot leven zou komen, maar de stilte bleef in zijn oren ruisen. Hij stopte zijn iPhone in de binnenzak van zijn colbert en richtte zijn blik weer op de kamer. Een logge televisie stond nors tegen een muur. Op de tafel lag een afstandsbediening. Naast de televisie stond een dvd-speler op de vloer. Verder geen overbodige tafels en kasten. Helemaal geen overbodige spullen. Winter liep naar de slaapkamer. Daar stond een eenpersoonsbed en niet veel meer, hij liep voorzichtig op zijn met plastic overtrokken schoenen, pakte niets vast.

Op een wankel tafeltje naast het bed stond een oude computer.

Stof dwarrelde door de lucht, glinsterende deeltjes in het zonlicht dat door de kale ramen naar binnen stroomde.

De keuken was gedateerd, met een ouderwetse kookplaat, een enorme vriezer en een koelkast. Niemand vulde de vriezer nog, niemand kocht halve koeien en hele varkens en lammeren en maakte ze in en stond met rode wangen van het koken achter het fornuis.

De keukentafel kwam waarschijnlijk van dezelfde bron als het andere meubilair in het appartement, en de stoelen ook. Alles in het appartement had de uitstraling van een leven dat nog niet eens was begonnen voordat het afgelopen was. Het was de gedachte die hij altijd had als hij in deze situatie in een appartement stond.

Zijn mobieltje trilde weer. Hij voelde koud toen hij hem pakte, koud als zijn hand in het koude appartement.

'Ja, Bertil?'

'Waar ben je?'

'In Halls appartement.'

'Het is weer gebeurd,' zei Ringmar.

Er waren vijf dagen verstreken sinds de eerste moord.

4

Hij heette Jonatan Bersér en was eenenveertig jaar. Zijn portefeuille met zijn ID zat nog in de binnenzak van zijn jas. Bersérs schedel was verbrijzeld, hij had een plastic zak over zijn hoofd en zijn broek was naar beneden getrokken. Zijn achterwerk glansde wit in het schaarse licht.

Pia Fröberg kwam overeind en liep naar Winter en Ringmar toe.

'Ergens vannacht,' zei ze. 'Op dit moment kan ik niet meer zeggen, maar waarschijnlijk is het aan het begin van de nacht geweest.'

'Kan hij overleden zijn door de klap op zijn hoofd?' vroeg Winter.

'Daar kan ik nog geen antwoord op geven.'

'Hij kan dus gestikt zijn?'

Fröberg gaf geen antwoord. Winter had hardop nagedacht. Het was onwaarschijnlijk dat dit een nieuwe zaak was met een nieuwe dader op wie ze jacht moesten maken. Bovendien was er een stuk karton op Bersérs rug bevestigd waarop met verf een zwarte O was getekend. Winter dacht aan scrabble, hij had dat vroeger met Angela gespeeld toen ze nog heel jong waren, Angela in elk geval, en heel gelukkig en heel arm, Angela in elk geval; ze waren gestopt met spelen toen ze hem had betrapt op vals spelen.

'Twee letters, twee lijken,' zei Ringmar.

'Twee mannen,' zei Winter.

'Hij is in de veertig, ze waren dus ongeveer even oud.'

'Dat is ook een schakel,' zei Winter.

'Dat is wat we hebben,' zei Ringmar.

'Dat is niet slecht.'

'Dat is heel goed,' zei Ringmar.

Fröberg was weggelopen en praatte met Torsten Öberg. De chef van de technische afdeling knikte in hun richting.

'Torsten is woedend,' zei Ringmar.

'Hij houdt er niet van als mensen een spelletje met ons spelen.'
'En jij?'
'Het is geen spelletje,' zei Winter.
'In elk geval niet voor het slachtoffer,' beaamde Ringmar.
'Hij woont niet ver hiervandaan,' zei Winter.
'Aan het Jungfruplein.'
'Dat is een mooie naam.'
Ze stonden achter het ziekenhuis in Mölndal, ten westen van de gebouwen. Er waren voldoende struiken om Bersérs lichaam te verbergen.
Een vrouw met een hond had het lijk gevonden, of liever gezegd, de hond had dat gedaan. Dat was vaak zo, vrouw met hond. Winter had haar nog niet gesproken. Hij zou eerst met Bersérs gezin gaan praten.
'Kunnen we iets uitrichten met die verdomde letters?' vroeg Ringmar. 'R en O.'
'Nee, maar het karton kan misschien opgespoord worden.'
'Via een banketbakkerij, bedoel je?'
'Alles is mogelijk.'
'Ahlström misschien? Zoveel geld als we daar naartoe gebracht hebben voor tompoezen. Dat zou niet meer dan terecht zijn. Er komt een O voor in tompoes, twee zelfs.'
'Je bent scherp, Bertil.'
'Ik ga met Torsten praten.'
'Waarover?'
'Het karton natuurlijk.'
'Ik hoop dat je geen grapje maakt.'
'Dit is niet de juiste plaats of het juiste tijdstip om grapjes te maken,' zei Ringmar.
'Wat deed Bersér hier?'
'Hij had een afspraak met iemand,' zei Ringmar.
'Ja.'
'Iemand belde.'
'We moeten afwachten.'
'Bersér had geen mobieltje bij zich.'
'Nee.'
'Die heeft de moordenaar.'

'Robert Hall hoefde ook niet ver te lopen naar de plek waar hij vermoord is,' zei Winter.

'De moordenaar geeft de voorkeur aan loopafstand.'

'Voor wie?'

'Goede vraag, Erik.'

'Mölndal ligt een eind bij Frölunda vandaan.'

'Er is een reden.'

'Voor wat?'

'Voor het slachtoffer. Er is een connectie,' zei Ringmar. 'Die moeten we alleen nog vinden. Dat is niet de eerste keer.' Hij maakte een gebaar naar het zuiden en zei: 'Ik haat het verleden,' alsof het verleden uit het zuiden kwam.

'Zijn genitaliën zijn niet beschadigd,' zei Winter. 'Pia kon in elk geval niets zien.'

'Maar de broek van beide slachtoffers was naar beneden getrokken.'

'Dat is een duidelijke mededeling. Twee duidelijke mededelingen.'

'Hij is razend.'

'Het heeft misschien veel tijd gekost.'

'Om razend te worden? Voor sommigen duurt dat lang.'

'Misschien gaan we sympathie voelen,' zei Winter.

'In het beste geval,' zei Ringmar.

'Dat is het beste gevoel voor een jager,' zei Winter.

'Gevoelens zijn iets voor vrouwen,' zei Ringmar.

'Dat is een opmerking voor Halders.'

'Gaat het alleen om mannen?' vroeg Ringmar.

'Dat merken we als we de volgende letter vinden.'

'Zeg dat niet.'

Winter zei niets meer. Hij voelde de wind op zijn gezicht, die was opgestoken terwijl ze daar stonden, het was voorjaar en de wind kwam uit het zuiden.

'We hebben nog nooit met een seriemoordenaar te maken gehad,' zei Ringmar.

'Daar zijn drie moorden voor nodig,' antwoordde Winter.

'Dat zeg ik toch.'

'Maar dit is geen seriemoordenaar, hoeveel slachtoffers hij ook maakt,' zei Winter.

'Spreekt daaruit sympathie voor de moordenaar?'

Winter zag de takken van de twee esdoorns aan de overkant van de straat in de wind bewegen. Na al die jaren had hij geleerd wat voor soort het was, ook zonder bladeren. De bomen zagen er dood uit, maar ze zouden over een maand weer tot leven komen. Hij wilde niet naar het resterende deel van het gezin Bersér. Hij wilde naar het strand in Marbella en de wind uit het zuiden voelen. Hij wilde met een glas drinken in bar Ancha zitten. Hij wilde zijn gezin om zich heen hebben terwijl hij leefde. Dit was geen leven.

'Zullen we gaan?' vroeg Ringmar.

Het resterende deel van het gezin Bersér bestond uit één persoon. Ze heette Amanda Bersér en was achtendertig. Het stel had geen kinderen. Dat was een zegen, dacht hij, het verdriet was net zo groot maar hoefde deze keer niet gedeeld te worden.

En Amanda Bersér wilde alleen zijn met haar verdriet.

Ze hadden verteld wat ze die ochtend hadden aangetroffen, maar niet alles. Het was een verschrikkelijk dramatische mededeling.

'Kun je iemand bellen om te vragen hiernaartoe te komen?' vroeg Ringmar.

'Dat wil ik niet,' zei ze. Ze herhaalde het.

Ze zaten in de keuken waar ze hen mee naartoe had genomen. Ze zagen de gebouwen en struiken buiten, een hemel die geen beslissing kon nemen.

'Waar waren jullie?' vroeg ze met een harde klank in haar stem.

'Sorry?' zei Winter.

'Ik heb de politie vannacht gebeld. Jonatan was niet thuisgekomen.'

Winter keek naar Ringmar. Ze hadden niets gehoord over een telefoontje, maar het was beslist waar. Hij was niet thuisgekomen. Thuis van wat, wie, waar?

'Jezus,' zei ze, en ze boog zich naar voren en verborg haar gezicht in haar handen. Ze huilde niet.

'Wanneer is Jonatan vertrokken?' vroeg Winter.

Ze mompelde iets terwijl ze haar handen voor haar gezicht hield.

'Wat zei je?'

Ze keek op.

'Ik was niet thuis,' zei ze. 'Ik was niet thuis!'

Ze zag eruit alsof ze de schuld van de hele wereld op haar schouders droeg.

Maar niet díé schuld. Ze kon vannacht niet bij het ziekenhuis zijn geweest. Zelfs Winter zou dat niet denken, als hij op dit moment iets dacht. Hij probeerde haar gezichtsuitdrukking, haar gebaren, de blik in haar ogen te duiden, wat zich achter haar woorden bevond. De woorden waren altijd de bovenste laag. Ze waren een bescherming, soms tegen hem.

Hoe lang moesten ze Amanda Bersér kwellen?

'Wat heb je gisteravond gedaan?' vroeg Ringmar.

'Wanneer?'

'Vertel eens over je avond.'

'Ik was... in een café. Met een vriendin.'

Ringmar knikte.

'Tara. In de Linnégatan in de stad.'

'Dat ken ik,' zei Ringmar.

'Daar zijn we geweest.'

'Hoe laat was dat?'

'Dat weet ik niet... van halfacht tot twaalf uur, zoiets. Ik ben vandaag vrij...' zei ze. Haar gezicht vertrok alsof de zenuwen de woorden, nee, de waarheid hadden afgeknepen.

'Wanneer kwam je ongeveer thuis?' vroeg Winter.

'Om kwart voor één. Ik heb op de klok gekeken.'

'Was Jonatan thuis?'

Ze keek met grote ogen naar Winter. Alsof Winter iets belachelijks had gezegd, of iets provocerends.

'Hoe had hij thuis kunnen zijn?'

'Hij was dus niet thuis?' vroeg Ringmar.

'Nee, hij was niet thuis!'

'Was hij thuis toen je vertrok?'

'Ja.' Ze maakte aanstalten om op te staan, maar het bleef bij een beweging. 'Ja!'

'We proberen alleen te begrijpen wat er gebeurd is,' zei Winter. Niet begrijpen, dat was de verkeerde uitdrukking, maar ze leek niet te reageren. 'Uit te zoeken wat er gebeurd is. Daarom zijn we hier. We willen zo snel mogelijk werken. Tijd is belangrijk.'

'Wat zou Jonatan gisteravond gaan doen?' vroeg Ringmar.

'Niets, voor zover ik weet.'
'Heeft hij gezegd wat hij zou gaan doen?'
'Lezen, televisiekijken, ik weet het niet.'
'Ging hij 's avonds vaak weg?' vroeg Winter. 'Een wandeling maken, joggen, iets wat hij regelmatig deed?'
'Hij jogde,' zei ze. 'Hij trainde voor de halve marathon van Göteborg.'
Gisteravond niet. Hij was niet gekleed om te joggen toen hij werd vermoord, hij was nauwelijks gekleed.
'Was hij... had hij...?'
'Wat?' vroeg Winter.
'Was hij aan het trainen?' vroeg ze.
Het klonk hoopvol, alsof het beter was als hij aan het joggen was geweest.
'Gisteravond niet,' zei Winter. 'Hij was er in elk geval niet voor gekleed.'
Ze keek naar Winter alsof hij de moordenaar was.
'Ik heb Jonatan op zijn mobieltje gebeld,' zei ze. 'Hij nam niet op.'
'Stond zijn telefoon uit?'
Het leek alsof ze hem niet begreep.
'Ging hij over?'
'Ja. En daarna kreeg ik zijn voicemail. Ik heb hem een sms gestuurd.'
'Wanneer was dat?'
'Meteen. Toen ik thuiskwam en zag dat hij er niet was. Ik heb een paar keer gebeld.'
Winter knikte opnieuw.
'Jullie mogen mijn mobieltje controleren,' zei ze.
'Wanneer heb je de politie gebeld?' vroeg Ringmar.
'Daarna. Om een uur of twee denk ik. Jullie... Ik kan dat op mijn telefoon controleren. Die heb ik gebruikt.'
'Wat zeiden ze tegen je?' vroeg Ringmar. 'De politie bedoel ik.'
'Ze... nam zijn gegevens op. Het was een vrouw. Ze leek niet geïnteresseerd.'
'Dat spijt me,' zei Winter.
Hij zag dat ze naar het voetpad achter het raam keek, alsof Jonatan zou komen aan rennen en alles zou zijn zoals het altijd was geweest.

Hij keek naar haar. Ze was nog steeds afwezig. Hoe was het geweest toen alles nog normaal was? dacht hij. Er was iets met haar. Er was iets met hem geweest. Winter had voldoende nabestaanden ontmoet om de nuances in de bewegingen en gesprekken te kunnen duiden, voorbij de woorden. Soms was er helemaal niets, alleen duisternis en afgrond. Soms zag hij een koud licht, soms een eeuwige warmte. Hier was niets, in deze keuken, bij haar.

Het was een sterke intuïtie. Het was zijn waarheid.

'Kun je ons helpen met de namen van zijn vrienden en kennissen?' hoorde hij Ringmar aan de weduwe vragen.

Een vrolijke weduwe, dacht hij. Dat was het, ze was vrolijk.

Het leven was een spel aan het Jungfruplein.

Terwijl ze in de auto in noordelijke richting over de Mölndalsvägen reden, begon Ringmar zijn hoofd te schudden.

'Wat is er, Bertil?'

'Wat een afschuwelijke geschiedenis.'

'Deze, of allebei?'

'Allebei. Het is één geschiedenis, of niet soms? Ik heb Aneta's verhoor gelezen.'

'Ja.'

'Robert Hall was niet geliefd. Kreeg jij de indruk dat Jonatan Bersér geliefd was?'

'Ja, als dode,' zei Winter.

'Was het zo erg?'

'Amanda vocht tegen haar verdriet,' zei Winter. 'Of haar blijdschap.'

'Waarom is ze niet gescheiden?'

'Dat is de hamvraag, Bertil.'

'Het is nog steeds legaal om te scheiden.'

Winter gaf geen antwoord. Bertil was formeel gezien niet gescheiden. Zijn vrouw had hem alleen verlaten. Soms leek het alsof hij op een onbewoond eiland woonde, zijn eenzaamheid was langdurig en definitief. Maar Bertil leek het soms te vergeten, alsof hij nog steeds in leven was.

'Wat zeggen de vrouwen ons over de slachtoffers?' vroeg Winter.

'Dat ze misschien op elkaar leken,' antwoordde Ringmar.

'We moeten ervoor zorgen dat we dat bevestigd krijgen.'

Er stond een mededeling van Torsten Öberg op zijn voicemail. Winter ging naar de technische afdeling. Öberg stond bij een van de werkbanken boven een microscoop gebogen.

Winter kuchte discreet. Zijn collega keek op.

'Iets wat ik moet zien?' vroeg Winter.

'Ga je gang.'

Winter keek door de lens. Hij zag wat hij door een microscoop hoorde te zien. Het kon van alles zijn, strepen en punten en bulten.

Hij keek op.

'Ik zie niet wat je wilt dat ik zie, Torsten.'

'Een haartje,' zei Öberg.

'Een haartje?'

Öberg haalde het dunne glaasje eruit en gaf het aan Winter.

'Heb je een leesbril, Torsten?'

'Alleen zo een die je bij het benzinestation kunt kopen.'

'Dat is voldoende.'

Winter kreeg de leesbril. Zijn bril lag in zijn kantoor. Hij had hem altijd bij zich, maar nu begon hij dingen te vergeten. Tinnitus was een voorstadium van alzheimer, dat wist iedereen.

Hij zag het haartje nu, een haar van een heel zwart hoofd.

'Wat is het?'

'Van een kwast,' zei Öberg. 'Hij zat vast in de O. We hebben niets in de R gevonden.'

'Oké. Mooi.'

'Dank je, wat een enthousiasme.'

'Het is fantastisch, Torsten. Een doorbraak. Nu al.'

'Ik weet het.'

'Dus het was echte verf.'

'We zouden de productnaam nu al moeten hebben, maar die komt nog. Gewone verf, daar ben ik zeker van. Amateurverf.'

'Nu hebben we alleen nog een kwast nodig,' zei Winter.

'Dat is jouw werk, Erik.'

Vergelijkingsmateriaal, daar ging het nu om. Een kwast waaraan een haartje ontbrak. Een kwast in een blik in een kelder, een garage, een schuur. Op de bodem van een vuilnisbak. Op de bodem van het Skagerrak.

'Misschien kunnen we achterhalen wat voor soort kwast het is,' zei

Winter. 'Of hij goedkoop of duur is. Informeren bij de groothandelaren binnen de kwastenwereld.'

'Bijvoorbeeld,' zei Öberg.

'Waarom heeft hij echte verf en een kwast gebruikt?' zei Winter.

'Dat is een goede vraag.'

'Een viltstift zou eenvoudiger geweest zijn.'

'Niet voor hem. Of voor haar.'

'Hem.'

'Niet voor hem.'

'Wil hij daar iets mee vertellen?'

'Misschien had hij dat bij de hand. Dichterbij dan een viltstift.'

Zwarte verf, zwarte schutting, dacht Winter terwijl hij de trappen op liep naar zijn eigen afdeling. Had hij ergens een zwarte schutting gezien? Of iemand anders misschien?

5

Het eerste aprillicht scheen in de lichte vergaderkamer naar binnen. April was de tweede maand in de eerste Romeinse kalender en had zijn naam gekregen van *apricus*, wat zonnig betekent, of *aperire*, wat open betekent, misschien beide. Winter had die kennis onthouden, er was ook een mogelijkheid dat de naam afkomstig was van de Etrusken, schokkende begrafenisrituelen, levensgevaarlijk voor de gasten. Hij wilde naar Rome, met het gezin vanaf de Porta Pia over de Via Nomentana wandelen, dat was jaren geleden, decennia, de anderen waren er nog nooit geweest.

Hoofdinspecteur in Rome, uitsluitend verantwoordelijk voor de vermoorde Julius Caesar in het jaar 44 v.Chr., de zaak in kannen en kruiken, Brutus was in oostelijke richting gevlucht, maar hij, Ericus Petrus Hibernum, zou niet populair zijn, absoluut niet, en het zou niet helpen om de schuld te geven aan het feit dat Caesar zijn lijfwachten had weggestuurd, de Praetoriaanse garde die pas zevenennegentig jaar later nuttig zou zijn toen ze de geschifte Caligula vermoordden, maar daar had Hibernum op dat moment niets aan.

'Erik?'

'Hmm?'

'Droom je?'

Djanali keek naar hem, misschien met een geamuseerde blik in haar ogen, maar ze zag er moe uit, met kringen onder haar ogen. Zelfs Aneta wordt ouder, dacht hij, hoe is dat mogelijk?

'Een dagdroom,' zei hij.

'Waarover?'

'Rome. De stad Rome.'

'Heeft deze zaak met Rome te maken?' vroeg Halders, die naast Djanali zat. 'Komt de dader uit Rome?'

'Dat is heel goed mogelijk,' zei Winter terwijl hij opstond. 'Aneta, ga je gang.'

'Zoals ik daarnet al zei,' zei ze terwijl ze naar Winter bleef kijken, 'zegt Robert Halls ex-vrouw dat ze al vier jaar geen contact meer met hem heeft gehad. Hij is blijkbaar in Borås geweest en heeft de kinderen één keer gezien, maar ik heb daar nog geen details van. De kinderen zijn in Göteborg geweest, in het appartement aan de Norra Dragspelsgatan. Tyra is elf en Tobias is dertien. Ik heb een eerste verhoor met ze gehad.'

'Hoe was dat?' vroeg Winter.

'Ik ben voorzichtig geweest.'

'Hoe kwamen ze op je over?'

'Verdrietig. Niet wanhopig. Maar geschokt omdat het moord is.'

'Hoeveel contact hadden ze met hun vader?'

'Niet veel, wat ik tot nu toe begrepen heb.'

'Had hij regelmatig contact met iemand anders?'

'Voor zover ik weet niet.'

'Een eenzaam leven,' zei Ringmar. Winter keek naar hem. Bertil zag er verdrietig uit, alsof hij over zichzelf praatte. Hij praat over zichzelf, ik zal hem vanavond bij mij te eten vragen. Het lukt me nog wel om naar de Saluhallen te gaan, hoop ik.

'En het echtpaar Bersér had geen kinderen, of niet soms?' zei Halders.

'Dat lijkt erop,' zei rechercheur Gerda Hoffner.

'Lijkt erop? Of ze waren kinderloos, of ze waren dat niet.'

Winter zag dat Hoffner rood werd, *rubrica*, dat was de rode kleur in het antieke Rome, een gebruikelijke kleur, het bloed stroomde samen met uitwerpselen en afval en ratten en lijken door de straten.

'Ze hadden geen kinderen.'

'Juist,' zei Halders.

'Amanda Bersér heeft niet gezegd dat ze kinderen uit een eerdere relatie heeft, of dat Jonatan die had,' zei Ringmar.

'Ik dacht alleen hardop,' zei Halders.

'Het is goed, Fredrik.' Ringmar ging staan. 'We moeten alle geheimen die deze mensen hebben of hadden opsporen.'

'Hebben we het ze gevraagd?'

'We moeten alle vragen stellen.'
'Iedereen heeft geheimen,' zei Halders.

Winter hield de Panasonic op de vloer warm met B.B. King.
'Luister je naar blues?' vroeg Ringmar.
'Dat is bijna jazz.'
'Absoluut niet.'
'Het is in elk geval goed. Het zou jazz kunnen zijn.'
'Soms ben je net een kind, Erik.'
'Dat zegt Angela ook.'
'Hoe is het met haar?'
'Dat weet ik eigenlijk niet.'
'Wat bedoel je?'
Ze stonden in Winters kamer en wilden allebei niet gaan zitten, alsof ze op het punt stonden om te vertrekken; voortdurend vertrekken, dacht Winter. We hebben tenslotte banketbakkerij Ahlström als kantoor, we hebben de beste cafés in de stad als kantoor.
'Ze heeft genoeg van onze regeling.'
'Dat jullie een latrelatie hebben en zo ver bij elkaar vandaan wonen, bedoel je?'
'Ja... Op een bepaalde manier. Maar dat is waarschijnlijk niet de echte reden.'
'Wat is de echte reden dan?'
'Het werk,' zei Winter terwijl hij uitkeek over het Fattighuskanaal. Gedurende zijn zestien jaar in dit appartement waren de mensen met geld verhuisd naar de nieuwe woningen aan de andere kant van het water. Misschien was dat een reden dat hij hier niet langer wilde blijven, hij hield niet van mensen met geld, de meesten waren op een oneerlijke manier aan hun centen gekomen en dat gold ook voor hem, eerst was het Sivs oude geld en daarna was het Bengts nieuwe geld en dat betekende dat hij niet van zichzelf hield, maar dat was een gevaarlijke gedachte.
'Wordt het minder moeilijk als jullie dichter bij elkaar wonen?' vroeg Ringmar.
'Is dat niet zo?' zei Winter.
'Het is altijd moeilijk. Kijk naar jezelf.'
'Waarom ben je bij de politie gegaan, Ringmar?'

'Dat ben ik vergeten,' antwoordde hij. 'Misschien herinner ik me dat als we deze klootzak gepakt hebben.'

'Je klinkt boos.'

'Hij moet niet met me fucken.'

'Je ziet te veel Amerikaanse politieseries.'

'Niet één. Geen Zweedse ook. Verdomme.'

'Hij is een van de namen die we tegenkomen in het onderzoek. We zullen heel vaak naar die naam staren zonder het te weten.'

'En daarna weten we het,' zei Ringmar.

'Daarna weten we het.'

Hij wist dat hij niet kon ademen, maar hij was niet onder water. Alles was blauw om hem heen, maar hij was niet in de hemel.

Hij bewoog zijn armen.

Hij kon zijn voeten niet bewegen.

Iets hing voor hem, in de verte, als een eenzame boom aan de horizon. Het zwaaide met een langzame beweging heen en weer.

Nu was het een huis, hij stond voor een huis, of lag hij? Hij wist dat het een droom was en dat maakte alles veel huiveringwekkender, hij kon niet weggaan, niemand had voldoende kracht om uit een droom te komen, dromen waren erger dan het leven.

Er hing iets voor de deur, een lichaam, het bewoog langzaam. Heen en weer, heen en weer, er zat iets wits op het lichaam, een vel papier, zwart op wit, er stond iets op geschreven, het was een woord, hij kon niet lezen wat het was, kon niet alle letters zien, hij hing er nu naast, zwaaide heen en weer, zag het woord, kon het lezen, probeerde het te lezen, ergens in het huis klonk een bel, buiten het huis, aan de horizon, in de hemel, op de bloedrode velden, een bel, een bel.

Het geluid kwam van zijn nachtkastje. Hij legde zijn hand op de wekker, die was het niet, het was de telefoon, de huistelefoon, hij schoof over het bed en zocht aan Angela's kant.

'Ja?'

'Sorry dat ik je wakker maak, Erik.'

'Eh... nee... ja. Hoe laat is het?'

'Halftwee,' zei Ringmar. 'Ik ben net thuis.'

'Thuis waarvan?'

'Het bureau.'

'Wat is er, Bertil?'
'Amanda Bersér heeft een zoon uit een eerdere relatie. Ik vond dat je dat meteen moest weten.'
'Waar is hij?'
'Hier in de stad.'
'Weet je dat zeker?'
'Ik weet het zeker. Ik heb voor morgenochtend tien uur een afspraak voor ons gemaakt.'
'Waar is het?'
'Guldleden. Waarom heeft ze ons niet over die jongen verteld?'

Hij belde 's nachts, de telefoon ging twee, drie keer over.
'Ja?'
'Het spijt me dat ik je wakker maak.'
'Dat hindert niet. Ik sliep toch slecht.'
Hij hoorde de slaap in haar stem, alsof ze praatte terwijl ze droomde.
'Ik ook,' zei hij.
'Is er iets gebeurd?'
'Zal ik alle schijtzooi laten vallen?' vroeg hij.
'Wat bedoel je?'
'Het volgende vliegtuig naar je toe nemen.'
'Maar je hebt je werk.'
'Ik heb schijt aan mijn werk.'
'Spreek ik met Erik Winter?'
'Natuurlijk.'
'Je kunt niet leven zonder je werk.'
'Daar heb ik schijt aan.'
'Dat is een beetje veel schijt in één keer.'
'Jullie zijn het belangrijkst.'
'Het is niet goed voor je om alleen te zijn,' zei ze.
'Dat is verdomd waar.'
'Nu vloek je net als je zus.'
'Mensen liegen zo verdomd.'
'Is dat iets nieuws?'
'Ik zou werk willen hebben waarbij ik mensen kan vertrouwen.'
'Zoals wat?'

'De politiek misschien.'
'Dat is een goed idee. De Spaanse politiek.'
'Dat zeg ik net.'
'We kunnen je niet van je werk losrukken, Erik.'
Hij gaf geen antwoord. Hij kon zichzelf niet losmaken, wilde niet. Hij wilde alleen haar stem horen. Hij was eenzamer dan hij ooit was geweest. Dat was niet goed voor hem.
'Is er vannacht iets gebeurd?' vroeg ze.
'Er gebeurt elke nacht iets,' zei hij. 'Ik droomde vannacht dat ik iemand aan een strop zag hangen. Ik hing ook aan een strop.'
'Jezus.'
'Bertil heeft me gebeld en wakker gemaakt. Gelukkig.'
'Heb je vanavond whisky gedronken?'
'Absoluut niet. Ik heb geen hallucinaties.'
'Ik ga niet zeggen dat je je werk moet vergeten als je slaapt.'
'Het is niet zo dat ik dat niet wil.'
'Ik weet het.'
'Het neemt het over,' zei hij. 'Dat is altijd zo geweest.'
'Dat is tenslotte wat je wilt,' zei ze.
'Meen je dat?'
'Heb ik geen gelijk?'
'Ik ben niet uniek,' zei hij.
'Ik denk dat je dat wel bent,' zei ze. 'Ik weet dat je dat bent.'
'Alle mensen zijn uniek.'
'Alle mensen zijn gelijk, maar sommigen zijn gelijker dan anderen.'
'Zijn wij gelijk, Angela?'
'Wat denk je zelf?'
Hij keek om zich heen in de eenzame kamer, de eenzame muur, het nachtkastje, de stoel in de hoek, de eenzame boeken op de tafel, de verhalen, gelezen of ongelezen, het raam en de valse stad daarachter, leugens en nog meer leugens, de duisternis in het uur voor de zonsopgang. Hij had dit gekozen, alleen hij.
'We zijn niet gelijk,' zei hij.

Ze gingen eerst bij Amanda Bersér langs. Het Jungfruplein was in mist gehuld. Het zou misschien een mooie dag worden.

'Jullie hebben het niet gevraagd,' zei ze toen ze in haar zitkamer zaten. De mist begon op te trekken. Winter zag dat de hemel blauw was. Hij voelde zich kalm. Het gesprek met Angela was zijn therapie voor de nacht geweest.

'Ik dacht dat het er niet toe deed,' ging ze verder. 'Dat het niet belangrijk was.'

'Is het niet belangrijk?' vroeg Winter.

'Ja, dat is het wel. Voor mij.'

'Hoe heet je zoon?' vroeg Ringmar.

'Gustav. Weten jullie dat niet?'

'Waar woont hij?'

'Hij... bij zijn vader.'

'Waar is dat?'

'Guldleden. Dat weten jullie ook wel.'

'Wanneer woont hij hier?' vroeg Winter.

'Hij... woont hier niet.'

'Waarom niet?'

Ze gaf geen antwoord. Winter kon haar gezicht niet zien. Het raam lichtte op als een schijnwerper toen de hemel openbrak en de zon door de wolken drong. Hij kon haar ogen niet zien.

'Waarom woont je zoon niet bij jou?' vroeg Ringmar.

'Dat... is gewoon zo gelopen. Hij woont bij zijn vader.'

'Waarom is het zo gelopen?' vroeg Winter.

'Ik weet niet wat ik daarop moet antwoorden.'

'We gaan met hem praten. We willen eerst horen wat jij te zeggen hebt.'

'We zien elkaar elke week,' zei ze.

'Hier?'

Ze zei niets, maar schudde haar hoofd.

'Had het iets met Jonatan te maken?' vroeg Winter.

'Nee...'

'Niet?'

'Nee.'

'Wat was de reden dan?'

'Ik weet het niet,' zei ze met een harde klank in haar stem.

'Komt hij nu bij jou wonen?' vroeg Ringmar.

'Ben ik te hard tegen haar geweest?'

Ze zaten in Winters Mercedes en reden in westelijke richting. Het was een prachtige dag, de mooiste dag van het jaar. De engelen in de hemel zongen.

'Dat geldt dan ook voor mij,' antwoordde Winter.

'Wat wil ze in vredesnaam verbergen?'

'Wie Jonatan was,' zei Winter. 'Hóé hij was.'

'Hoe was hij, Erik?'

'Misschien veel te lief voor zijn stiefzoon.'

'Zou jij liegen over zoiets? Je partner beschermen?'

'Geen idee,' zei Winter. 'Normaal gesproken is de zoon degene die beschermd moet worden.'

Aneta Djanali parkeerde vijftig meter bij de woning vandaan achter de Guldhedsschool. Een paar meisjes passeerden, schijnbaar op weg naar hun les. Uitgeslapen, dacht ze, ik heb altijd van het woord gehouden. Het klinkt zo rustgevend.

Mårten Lefvander had een indrukwekkende villa die oud geld uitstraalde. Het enige wat ze wist was dat deze man jurist was, dus er was blijkbaar zowel oud geld als nieuw geld. Als politieagent zou ze altijd de mindere zijn van zulke mensen, alleen Erik was gelijk aan hen. Hij was thuis in de hogere kringen. Het had de onderzoeken vaak geholpen als iemand de gedragsregels kon interpreteren. Hij was de enige met de juiste achtergrond. De hogere kringen begingen eveneens vreselijke misdaden. Misschien waren er daarom zo weinig agenten van adel. Ze had nooit iemand gedood. Had Erik dat gedaan? Ze kon het zich niet herinneren. Ze kon het hem niet vragen.

Ze hoorde een kreet, alsof die rechtstreeks uit de blauwe hemel kwam, en zag een jongen de enorme, houten villa uit rennen, de straat op, naar haar toe.

Ze smeet het portier open en sprong uit de auto.

'Staan blijven!' riep ze tegen zijn rug.

Jezus, hij was niet van plan te blijven staan.

Ze draaide haar hoofd, maar er gebeurde niets meer in de villa. Geen geluiden meer, het was maar één kreet geweest, daarna was de jongen naar buiten gerend. Hij was een puber, hooguit zestien jaar, het moest Gustav Lefvander zijn geweest, Amanda's zoon.

Hij was nu vijftig meter weg, wat kon ze doen? Hem in zijn rug schieten? De eerste die ze doodde, daarna zou het gemakkelijker zijn.

Ineens hoorde ze het afschuwelijke geluid van banden die op asfalt slipten, een gil, harder dan ze eerder had gehoord, remgeluiden, een auto die met een ijzingwekkende bocht in de richting van de rennende jongen slingerde, heel dichtbij, de auto was op de kruising van rechts gekomen en ze herkende hem nu, zag het silhouet achter het stuur, Winters Mercedes met Winter achter het stuur, op twee wielen, nog steeds angstaanjagend dicht bij de jongen, hij was nog steeds dicht bij de dood, centimeters ervandaan, dichter dan ze er zelf ooit bij was geweest.

6

Hij zag de jongen als een spook in een droom langsschieten. Winter gaf een ruk aan het stuur, het was een reflex, een zuivere reflex.

'Allejezus...' hoorde hij Bertil roepen.

Daarna stonden ze stil op de kruising, in de Mercedes die nog natrilde. Winter trilde niet, hij stapte uit, zag Aneta midden op straat staan en zag de jongen achter een van de flatgebouwen aan het Doktor Friesplein verdwijnen.

Winter was niet van plan te rennen. Het ging altijd mis als hij rende.

Aneta rende daarentegen wel. Ze bleef voor hem staan met een rode kleur op haar donkere gezicht.

'Hij rende als een gek het huis uit,' zei ze. 'Het huis van Mårten Lefvander.'

'Ben je binnen geweest?'

'Daar ben ik nog niet aan toegekomen.'

'Waar is de vader?'

'Op weg hiernaartoe. Hij komt van zijn werk.'

Winter keek naar het huis, naar Ringmar, naar zijn auto, naar de flatgebouwen rond het Doktor Friesplein.

Een auto kwam uit zuidelijke richting aanrijden en stopte voor het huis, achter Aneta's neutrale dienstauto. Een man stapte uit, hij leek net boven de veertig, zoals alle anderen in het onderzoek, droeg een kostuum, het zou een Bourdí kunnen zijn, maar dat was het waarschijnlijk niet, geen jas, achterovergekamd haar, wat nog steeds het favoriete kapsel van advocaten was. Winter wantrouwde iedereen met achterovergekamd haar, het was een crimineel kapsel. Vooral voor advocaten.

De man keek in hun richting. Ringmar zwaaide.

'Wat doe je?' vroeg Winter.

'Ik wil laten zien dat we vreedzame bedoelingen hebben.'

'We hebben geen vreedzame bedoelingen,' zei Winter en hij begon naar de man en het achterovergekamde huis en de achterovergekamde voordeur te lopen.

'Wat is er aan de hand?' vroeg Lefvander. 'Waar is Gustav?'

'Hij is ervandoor gegaan,' zei Winter.

'Ervandoor gegaan? Hoezo ervandoor gegaan?'

'Hij is een paar minuten geleden weggerend. Ik heb hem bijna aangereden op de kruising.'

'Wat zeg je?'

'Hij had haast.'

'Ik snap het niet.'

'Heb je hem onderweg naar huis gebeld?' vroeg Winter.

'Ja, maar hij was in gesprek.'

Winter knikte.

'Jezus,' zei Lefvander. Hij pakte zijn mobieltje uit de binnenzak van zijn colbert, drukte een sneltoets in en wachtte terwijl hij naar Winter staarde alsof hij een spook zag. Ja. Ik kom uit je dromen. Dat ben ik.

'Hij neemt niet op. Daar rent hij te hard voor.'

'Jezus,' zei Lefvander opnieuw, alsof hij gelovig was. Maar hij misbruikte de naam van de eniggeboren zoon.

'Is er nog iemand thuis?' vroeg Winter terwijl hij naar het huis knikte.

Lefvander draaide zich om, alsof hij de woning voor de eerste keer zag. Hij keek terug naar Winter.

'Nee, nee. We zijn maar met z'n tweeën.' Hij keek opnieuw naar het huis, naar Winter, naar het huis. 'Denk je dat... dat er iemand is?'

'We gaan naar binnen,' zei Winter.

Het was binnen donkerder dan Winter had verwacht. De ramen waren niet zo groot als ze van buitenaf leken. Binnen was het huis somber.

'Iemand moet hem gebeld hebben,' zei Lefvander toen ze in de hal stonden nadat ze twee kamers en de keuken hadden gecontroleerd. Winter was naar de bovenverdieping gegaan en was weer naar beneden gekomen. Het leek er niet op dat er ergens was gevochten.

'Wie heeft hem gebeld?' vroeg Ringmar.
'Hoe moet ik dat weten?'
'Is er een vaste telefoon?'
'Ja...'
'Waar vind ik die?'
'In de keuken.'
Ze liepen naar de keuken terug.
Die moest nodig gerenoveerd worden. Lefvander zag er niet uit alsof hij dat zelf kon, maar wie was Winter om daarover te oordelen? Hij wist niet eens waar hij de hamer de laatste keer had neergelegd, twee tot drie jaar geleden, nadat hij een haak in de muur had geslagen om de ingelijste foto van Katy Anderson op te hangen, van een kind in balletkleding voor een oude piano in een woning in Houston in de VS, *Sparrow Song*. Ze hadden hem voor veel geld in een kleine galerie in Parijs gekocht, in de buurt van La Bastille.
Lefvander pakte de telefoon uit de houder en keek op het scherm. 'Er heeft iemand gebeld,' zei hij.
'Wat is het voor nummer?'
Lefvander gaf geen antwoord. Hij keek ongelovig naar het display, naar Winter, naar Ringmar, opnieuw naar het display.
'Wie heeft er gebeld?' vroeg Winter.
'Jonatan,' antwoordde Lefvander.
'Sorry?'
'Jonatan Bersér. Ik herken het nummer.' Hij keek weer naar Winter. 'Hij is toch vermoord?'

'Dat is verdomme het toppunt,' zei Ringmar.
'Wat wilde die vent van die jongen?' zei Winter.
Ze zaten in Winters auto. Hij was nog niet weggereden. Gustav Lefvander was nog steeds ergens buiten, hopelijk in leven. De moordenaar, of iemand die het mobieltje had gevonden, had contact met de jongen opgenomen. Ze hadden het keer op keer geprobeerd, maar niemand had Bersérs telefoon opgenomen. Kende Gustav degene die had gebeld? De jongen was weggerend, weggestormd zelfs. Was hij gewaarschuwd? Wie was Mårten Lefvander? Wie was Amanda Bersér? Wie was Robert Hall geweest? En Jonatan Bersér?
En alle namen die nog volgen, dacht Winter.

'Was het een waarschuwing?' vroeg Ringmar.
'Ik dacht net hetzelfde.'
'Een waarschuwing dat wij zouden komen?'
'Hij kan zich niet blijven verbergen.'
'Het kan een oud gesprek zijn,' zei Ringmar. 'Een oud nummer. Dat gebeurt mij om de haverklap.'
'Dat is mij nog nooit gebeurd,' antwoordde Winter.
'Het zou kunnen.'
'Het kan van alles zijn.'
'Moeten we de jongen laten opsporen?'
Winter gaf geen antwoord en begon te rijden. Hij passeerde het Doktor Friesplein en Winters tandarts, Dag, het was binnenkort tijd voor de jaarlijkse controle, hij wilde kunnen blijven kauwen, T-bonesteaks, varkensribbetjes, gegrilde zeekreeften, rauwe groenten, kauwen tot op hoge leeftijd. Hij nam de rotonde op het Wavrinskyplein, reed over de Guldhedsvägen langs het Sahlgrenska-ziekenhuis, dacht even aan Angela, als ze thuis was geweest had ze daar waarschijnlijk op dit moment gewerkt. Thúís, dacht hij, dat is misschien niet langer hier, in deze stad, en dat is mijn schuld, en niet alleen omdat ik mijn gezin die eerste keer naar de Costa del Sol heb meegesleept.
'Gustav kan in gevaar zijn,' zei Ringmar.
'Nee.'
'Niet?'
'Hij is op weg naar zijn moeder.'
'Ze neemt niet op.'
'Hij is op weg naar haar toe.'
'Zijn wij ook op weg naar haar toe?'
'Het wordt me net duidelijk dat we dat inderdaad zijn,' zei Winter terwijl hij de doorgetrokken middenstreep passeerde voor een tram bij de Jubileums-kliniek. Hij draaide bij het Pressbyrå, reed de Guldhedsvägen weer in en sloeg na een paar honderd meter af naar Toltorpsdalen.
'Wat zijn dat voor mensen met wie we te maken hebben?' zei Ringmar.
'Wat bedoel je?'
'Is iedereen gestoord?'
'Niet erger dan anders.'

Winter parkeerde bij het winkelcentrum aan het Jungfruplein, dat al was vergeten door God voordat het gebouwd was. Hij kreeg de neiging om te huilen door de deprimerende aanblik van het gebouw van goedkope rode bakstenen van vier verdiepingen en vroeg zich af hoe de mensen in het asgrauw en het vaalrood leefden. De naam was een grap, in elk geval als je bedacht hoe het geworden was, hij wist niet wat er eerst was geweest, de kip of het ei, de duivel of zijn oma, maar er was natuurlijk een pizzeria, die waren overal. Geef me een koolovenschotel, een koninkrijk voor koolrolletjes, gebonden jus, gekookte aardappelen, komkommersalade.

De mist zweefde over het plein. Het was mooie mist die iets met het Jungfruplein deed. Hij bleef in de auto zitten, de mist deed ook iets met hem, het was alsof hij op een andere, betere plek was, een andere planeet. Alsof hij een ander was. Hij keek naar zijn hand, hief hem, de hand was van iemand anders, van een beter mens. Hij kon de rest van zijn lichaam niet bewegen. Iemand had de motor uitgezet, dat moest hij geweest zijn. Ik ben bezig mijn verstand te verliezen. Zo meteen gaat Bertil zich afvragen wat er met me aan de hand is. Dat is maar een kwestie van tijd. Alles is een k-w-e-s-t-i-e v-a-n t-i-j-d. Het is het gebrek aan whisky. Hij gaat vanbinnen dood. Zijn hand beweegt, maar hij is dood.

'Wat is er, Erik?'

'Weltschmerz.'

'Aha.'

'Laten we maar naar binnen gaan.'

De jongen deed de deur open. Hij had hen door het raam gezien, zij hadden hem gezien, een bleke ovaal achter het zwarte raam. Hij had een angstige blik in zijn ogen.

Winter liet zijn legitimatie zien.

'Ik weet wie u bent.'

'Heb je even tijd?'

'Hoe hebben jullie me gevonden?'

'Een gok.'

De jongen knikte, alsof hij gewend was aan gokken.

'Heb je de hele weg hiernaartoe gerend?'

'Ja.'

Dat klopte. Gustav Lefvanders overhemd was nog steeds nat van het zweet. Zijn jas lag op de vloer.

'Mogen we binnenkomen?' vroeg Winter.

De jongen liep achteruit de hal in.

Winter deed de deur achter zich dicht.

'Waarom ben je weggerend, Gustav?'

'Iemand belde.'

'Wie?'

'Dat weet ik niet.'

'Toch werd je bang.'

'Ik zag het nummer.'

'Wat was het voor nummer?'

De jongen gaf geen antwoord.

'Wie was het?' vroeg Ringmar.

'Niemand zei iets.'

'Wat zei jij?' vroeg Winter.

'Niets... ik zei ja... of zoiets, hallo... ik weet het niet meer.'

'We weten dat het iemand was die met Jonatans telefoon belde,' zei Winter. 'We hebben het nummer gezien.'

De jongen keek naar Winter zonder hem te zien. Iemand had iets tegen hem gezegd. Hij wilde het niet zeggen. Hij móchte het niet zeggen.

'Heb je iets gehoord?' vroeg Ringmar.

'Hoezo?'

'Een geluid? Iets anders?'

'Nee...'

'Waarom rende je dan weg?'

'Zoals ik al zei... het nummer.'

Winter knikte.

'Ik wilde daar niet langer zijn.'

'Je wist dat wij onderweg waren.'

'Ik wilde daar niet langer zijn,' herhaalde Gustav. Hij zag er nu heel jong uit, jonger dan vijftien, eerder tien. Dat was twintig jaar voor een jong mens, twintig minuten als je oud was.

'Was je bang voor ons?'

'Nee... ja.'

'Waarom was je bang voor ons?'

De Marconihal was niet het mooiste gebouw ter wereld. Dat was echter niet belangrijk voor een ijshal. Het ijs was belangrijk. En het dak. De hal stond op het oude Marconiplein, waar Winter zijn laatste wedstrijd met Finter BK had gespeeld. De hal was het thuishonk van Bäcken HC, een bijna net zo belachelijke naam als Häcken BK, er was iets met deze stad, zijn stad.

Hij wist niet wanneer de Marconihal uit de grond gestampt was, dat moest pasgeleden geweest zijn. Ze bouwden hier overal, gebouwen met appartementen met redelijke afmetingen, mooier dan aan het Jungfruplein, niet hoger, maar misschien vrolijker, de groep leistenen woningen achter de ijshal stond rond een soort plein en alles werd Marconi Park genoemd, maar er was geen park. Marconiplein was een park geweest, zonder gras, een plein met grind, stenen, krijt, zweet en bloed, zijn bloed, zijn knieën. Zijn jeugd. Die was doorgegaan tot hij zevenendertig was. Toen was hij de jongste hoofdinspecteur van het land geworden. Toen was hij bijna volwassen geworden.

In de hal voelde hij de kou van het ijs. Het gebouw was leeg, er was niemand binnen, maar de deur was open geweest. Er stond GO BÄCKEN op de muur, dat was het eerste wat je zag als je binnenkwam.

Op het ijs stonden geschilderde reclames voor Skanska en Piwa Food, wat was in vredesnaam Piwa Food?

Het was winter daarbinnen. Hij droeg nog steeds een winterjas over zijn kostuum, maar hij had het toch koud, was tot op het bot verkleumd. Het was een spontaan gevoel, eenzaam. Hij huiverde.

Er stond iemand aan de andere kant van de ijsbaan.

Hij zag een silhouet, roerloos, alsof hij ergens op wachtte, alsof iemand naar een wedstrijd op het ijs keek die alleen in zijn fantasie bestond.

Winter begon langs de tribune te lopen, aan de andere kant was geen tribune. De gestalte begon bij Winter weg te lopen, in de andere richting, rond de ijsbaan, een man, geen muts, blond haar, hij zag er niet oud uit, misschien dertig, misschien jonger, hij draaide zijn gezicht in Winters richting, bleef lopen, het kriebelde in Winters maag, een weerzinwekkend gevoel, alsof hij over de boarding zou kotsen, recht op de Piwa Food-reclame. Hij bleef staan, staarde naar de grond en slikte.

Toen hij opkeek was de andere kant van de ijsbaan verlaten. Wat gebeurt er met me? De duivel trekt aan mijn darmen.

Hij kon zich weer bewegen. De misselijkheid verdween langzaam, hij kon weglopen, naar de uitgang die er net zo eenzaam uitzag als alles hierbinnen.

Buiten zag hij de man niet meer, hij was tussen de gebouwen op de zwarte aardkorst verdwenen, graafmachines krioelden als spinnen over de grond.

Aan de andere kant van de Marconivägen zag hij het bord van Ruddalens Pizzeria en daarachter een autowasstraat, Clean Park. Een paar arme mensen huiverden bij de halte op de Musikvägen, als zwarte silhouetten in een treurspel. Sneeuw dwarrelde als as naar de aarde. Alles was nu zwart en grijs. Winter reed na een paar honderd meter de Norra Dragspelsgatan in en stopte voor een van de afschuwelijke flatgebouwen van tien verdiepingen in doodsgrijs, het was een kleur die de idioten van de afdeling stadsplanning met zorg hadden gekozen, de idiote sociaaldemocraten die nog steeds geen schaamte in hun lichaam hadden, de krankzinnige samenzwering van idioten in de jaren zestig, het decennium waarin hij was geboren toen zij ook net waren geboren, nog steeds onschuldig, als een mooi, klein kind dat in een disfunctioneel gezin terechtkomt. En in de jaren zeventig, dacht hij, bleef de misdaad tegen de bewoners van Göteborg doorgaan.

In het appartement van Robert Hall stond de tijd natuurlijk stil, die zou niet meer bewegen voordat er een andere stakker kwam wonen, in verrukking gebracht door het uitzicht over West-Frölunda. Waarom vlogen er geen vliegtuigen in deze wolkenkrabbers? Ze hadden niets met de hemel te maken.

Beneden stonden de struiken rond de plek waar Hall was gestorven. Winter zag dat het afzetlint er nog steeds hing, de enige toef kleur. April was een maand zonder kleur, er was alleen een harde, kleurloze wind en aarde die nog steeds aarzelde of het het waard was om weer wakker te worden. Mensen met een neiging tot depressie ontweken april als de pest, sloegen die maand over, vluchtten naar andere werelden.

Hij liep naar het raam in de zitkamer dat op het oosten uitkeek. Met behulp van zijn fantasie kon hij het Jungfruplein in Mölndal en de struiken naast het ziekenhuis zien. De warmtecentrale waarnaast

Jonatan Bersér had gelegen, koud als ijs. De oude gebouwen waar de personeelswoningen waren geweest, Bersér had schuin tegenover gebouw U1 gelegen. Ooit was daar overal leven geweest, gelach van jonge vrouwen die de mensheid wilden redden. Hij zag ze voor zijn geestesoog in hun witte en blauwe uniformen over het zomergras aan komen lopen, de kleuren van Göteborg. Zijn mobieltje ging over, midden in het warme beeld vol leven en blijdschap. Het was Öberg.

'Ja?'

'We hebben de verf geanalyseerd.'

'Ja?'

'Het is buitenverf. Geproduceerd voor gebruik buitenshuis. Het is Alcro, een dekkende verf voor houten gevels die Bestå heet. Een van meerdere zwarte nuances. Ik herken hem nu ik hem zie, mijn broer heeft hem gebruikt. Hoe dan ook, het is dus Bestå.'

'Als je broer hem gebruikt heeft, is het waarschijnlijk een heel gewone verf, Torsten.'

'Helaas wel.'

'Wie schildert in vredesnaam zijn gevel zwart? Gothics of hoe ze ook heten? Death-metal-fans?'

'Hebben die eigen woningen?'

'Je weet wat ik bedoel, Torsten.'

'Het is waarschijnlijk voor zwarte details. Ik weet het niet.'

'Oké, nog meer?'

'Alleen dat het een duurzame verf is die zijn glans lang houdt.'

'De dader heeft geen risico's genomen,' zei Winter.

'Ha ha.'

Winter was teruggegaan naar het raam dat uitkeek op het Frölundaplein.

'We moeten de verfwinkels in de omgeving controleren,' zei hij in zijn mobieltje. 'Je weet het nooit. Er kan een bon zijn.'

'Je weet het nooit.'

'In het beste geval vinden we een open blik verf voor je, Torsten.'

'Graag.'

'En een kwast.'

'Als je het blik vindt, dan vind je de kwast, Erik.'

'Ik geloof dat me dat gaat lukken.'

'Ik weet dat het je gaat lukken.'

'Ik sta op dit moment in Halls flat.'
'Daar is waarschijnlijk geen blik.'
'Hier is helemaal niets,' zei Winter. 'Er is hier geen gevoel meer.'
'Ik begrijp wat je bedoelt.'
'Het is hier dood,' zei Winter. 'Ik geloof niet dat ik hier nog terugkom.'

Voor de woning toetste hij het mobiele nummer van Jonatan Bersér in. De telefoon ging over. Iemand keek naar zijn mobieltje terwijl hij overging, misschien wist hij dat het Winter was.

Winter belde Robert Halls telefoon. Hij ging niet over, er klonk alleen een gekunstelde vrouwenstem die vertelde dat de abonnee op dit moment niet bereikt kon worden.

Hij stapte in de auto, zette het gitaarspel van Frisell ver boven het tinnitusniveau, wat verschrikkelijk mooi was, en reed over de Dag Hammarskjöldsleden naar de stad zonder de gebruikelijke ruis in zijn oren, alleen galm, decibellen, Frisell Gibsons gejank naar de bestaande hemel, zwart als de gevels van Satans huis.

7

Winter braadde een lamsrack aan in boter en olijfolie, deed er zout en peper op, geen knoflook of kruiden, zette hem daarna dertig minuten op tweehonderd graden in de oven en liet hem vijf minuten rusten op de snijplank.

Winter sneed de lamsrack aan tafel. Een eenvoudige salade erbij, een beetje olijfolie, een paar ansjovisjes en een groot stuk drieëndertig maanden gerijpte *parmigiano reggiano* waar ze plakken van afsneden tijdens de maaltijd.

'Heel lekker,' zei Ringmar na een tijdje zwijgend kauwen.

'Dank je, Bertil.'

'Ik heb al heel lang geen fatsoenlijke maaltijd meer gehad.'

'Ik begrijp het.'

'Is het te merken?'

'Wie niet goed eet wordt ongelukkig.'

'Zie ik er ongelukkig uit?'

'Soms.'

'Jij ziet er verdomd opgewekt uit, Erik.'

'Op dit moment ben ik opgewekt.'

'Je kunt niet elk wakker uur achter een goudbruine lamsrack zitten,' zei Ringmar.

'Meen je dat nou?'

'En wat een aparte tafeldrank.'

'Wat is er mis met Dewar's?'

'Whisky bij het eten. En dan ook nog blended.'

'Je kunt geen malt bij het eten drinken.'

'Maar Delwar's wel?'

'Niet bij alles. Maar Joe Dogs Iannuzzi raadt hem aan bij bepaalde gerechten. Hij heeft in de jaren zeventig en tachtig als kok voor de maffia gewerkt en hij heeft *The Mafia Cookbook* geschreven. Ik heb het hier ergens. Fantastische recepten.'

'Dat geloof ik meteen,' zei Ringmar. 'Die mannen wilden lekker eten omdat elke maaltijd hun laatste kon zijn.'

'Iannuzzi's *ossobuco* is de lekkerste die ik ooit heb gemaakt,' zei Winter.

'Hoort daar ook whisky bij?'

'Nee, maar wel bij zijn varkensrollade in dijonmosterd. Dewar's White Label, on the rocks.'

'In Azië drinken ze whisky bij het eten,' zei Ringmar. 'Johnnie Walker Black Label.'

'Whisky past niet zo goed bij oosters eten,' zei Winter terwijl hij nog een karbonade afsneed. Hij was perfect roze. 'Dat doodt de kruiden, alle kruiden.'

'Het is een statussymbool,' zei Ringmar. 'De nouveaux riches trekken zich niets van smaken aan.'

'Waar heb je dat gehoord?'

'Dat weet je, Erik. Hou op.'

'Waar moet ik mee ophouden?'

'Heb je me daarom uitgenodigd voor het eten? Met whisky?'

'Dat moet je uitleggen, kerel.'

'Er valt niets uit te leggen.'

'Vertel het toch maar.'

Ringmar pakte het brede glas op. Het was leeg. Hij pakte de fles, schonk een vingerbreedte in en deed er twee ijsblokjes bij. Hij nam een slok, zette het glas neer en keek naar Winter.

'Martin heeft je verteld over de eetgewoonten van Aziatische mensen,' zei Winter terwijl hij naar Ringmar keek. 'Hij heeft dat gedaan omdat hij als kok in hotel Shangri-La in Kuala Lumpur werkt.'

'Chef-kok,' zei Ringmar.

'Chef-kok. Hij heeft veel ervaring.'

Ringmar zei niets meer. Hij keek door het glas naar de whisky. Die was licht, vluchtig, dun, zoals zijn urine op het midden van de dag.

'Op een dag moet je vertellen waarom je geen contact meer met hem hebt, Bertil.'

'Waarom moet ik dat in vredesnaam vertellen?'

'Omdat je dat moet.'

'En als ik het niet weet?'

Winter nam een slok. Hij had maar twee glazen gedronken, dat betekende maar twee vingers, dat was niet meer dan hij voor het avondeten in de badkamer had gedronken.

'En als ik het niet weet?' herhaalde Ringmar. 'Hoe moet ik het dan in vredesnaam kunnen vertellen? Wat moet ik vertellen? Snap je?' Ringmar ging staan. 'Je maakt het me moeilijk, Erik. Begrijp je dat?'

Winter gaf geen antwoord. Hij pakte een karbonade. Er lag nog wat vlees op de snijplank. Het had een prachtige kleur, mooier dan de kleur van de whisky, donkerder.

Ringmar liet zich zwaar op zijn stoel vallen, hij morste een paar druppels whisky uit het glas. Bertil was niet dronken. Hij was niet vrolijk.

'Ik weet niets, Erik. Ik weet het niet.'

'Is dat alles?'

'Is dat alles? Is dit een verhoor?'

'Nee.'

'Het begint op een verhoor te lijken.'

'Het is geen verhoor.'

'Hoe dan ook, ik ben onschuldig,' zei Ringmar.

Winter zei niets. Hij wist niet wat hij moest zeggen.

'Wat zegt de ondervrager daarvan?'

'Bertil...'

'Jij bent begonnen,' zei hij. 'Waar ben je verdomme op uit, baas?'

'Ik ben je baas niet.'

'O nee? Je gedraagt je in elk geval zo. En formeel ben je mijn chef, niet alleen formeel trouwens, verdomde snób.'

'Er is nog eten over, Bertil.'

'Wat?'

'Eet voordat het vlees koud wordt.'

'Ga je nu ook al bepalen wanneer ik moet eten?'

'In mijn keuken ben ik de baas.'

'Ik ben onschuldig,' zei Ringmar. 'Hij wil niets van me weten en ik weet niet waarom.'

'Kun je niet proberen om met Martin te praten?'

'Denk je dat ik dat niet geprobeerd heb?'

'Ik weet het, Bertil. Het spijt me.'

'Hij antwoordt niet op e-mails en neemt de telefoon niet op.'

'Waarom ga je er niet naartoe?'
'Dat durf ik niet.'
'Wat heb je te verliezen?'
Ringmar gaf geen antwoord. Hij prikte een stuk vlees aan zijn vork, maar bracht het niet naar zijn mond. Het vlees was inmiddels koud.
'Je hebt niets te verliezen.'
'Nee, daar heb je gelijk in. Ik heb niets te verliezen.'
'Ga ernaartoe.'
'Dan wil ik dat jij meegaat, Erik.'

Zijn vader stond over hem heen gebogen. Hij wilde iets van hem, maar hij kon het niet zeggen. Hij was een schaduw.
Zijn vader raakte hem aan. Hij schudde hem door elkaar, zoals hij zelf zijn beer soms schudde.
Hij had geslapen.
Papa was zijn kamer binnengekomen.
Hij hoorde mama in de keuken lachen, lachen, lachen.
Iemand anders lachte ook.
Het was een onaangename lach. Hij wilde niet dat ze op die manier lachten.
Hij wilde niet dat het opnieuw gebeurde. Het deed pijn als hij door elkaar werd geschud. Zijn hoofd deed er pijn van, zijn armen deden er pijn van.
Hij was nog maar twee jaar, kon niet ouder zijn geweest dan dat.
Hij wist dat hij twee jaar was en dat hij het zich niet kon herinneren.
Ik zal het me nooit kunnen herinneren, dacht hij toen hij twee jaar was in een eenzaam bed in een eenzame kamer in de stad Göteborg.
De schaduw kwam terug.
De lach ging door, ging door. Hij vulde de hele kamer, zijn kleine bed, de zwarte kamer.
De schaduw raakte hem weer aan, trok aan zijn arm. Het rook naar iets in de kamer waarvan hij niet wist wat het was.
Winter werd met een kreet wakker.
Hij zat rechtop in bed.
Misschien had hij zo de hele tijd gezeten.

Hij probeerde zich te herinneren wie hij was.

Hij moest nooit meer binnendringen in een droom, zich nooit meer laten lokken naar een landschap waar hij niet meer uit kon komen.

Hij sprong uit bed, de plotselinge misselijkheid als een vuist in zijn middenrif, rende door de hal, stootte zijn hoofd tegen de deur van het toilet en braakte hevig.

De tranen sprongen in zijn ogen.

Hij haalde adem als iemand die verdrinkt.

Wie ben ik? dacht hij. Wie ben ik geworden? Zijn de dromen waar? dacht hij.

Hij dacht aan Bertil. Is hij er nog? Ik herinner me niet dat hij naar huis is gegaan. Ik herinner me dat hij meer whisky ging halen.

De wekker op het nachtkastje stond op kwart voor zes. Het werd licht boven Vasastan, Winter zag de koperen daken achter het raam glanzen.

Hij stapte uit bed. Zijn penis sprong omhoog, stond recht vooruit, een fantastische stand om te plassen.

Ringmar zat aangekleed op de Lamino-stoel in de zitkamer. Zijn laptop balanceerde op zijn schoot, het blauwe schijnsel verlichtte zijn gezicht op een beangstigende manier.

'Ik ben zo terug,' zei Winter en hij liep snel door de hal naar het toilet. Hij probeerde zich te herinneren wanneer en hoe en waarom hij naar bed was gegaan. Waren ze blijven praten over vaders en zoons? Waarschijnlijk wel. Hij had de eigenaardige, weerzinwekkende droom gehad.

Ringmar keek op toen Winter terugkwam. 'Ik heb de e-mails van Hall en Bersér van het afgelopen jaar gedownload, om mee te beginnen.'

'Oké.'

'Ik ben al klaar met die van Hall.'

'Is dat zo?'

'Jezus, die vent had niemand om naar te mailen. Hij kreeg alleen reclame.'

'En de kinderen?'

'Hij had geen mailcontact met ze.'

'We moeten de harddisk uitkammen.'

'Jazeker, maar ik geloof niet dat hij veel persoonlijke dingen heeft gewist. Het is meer dan een gevoel.'

'En Bersér?'

'Daar ben ik net aan begonnen. Dat is levendiger. Sportleraar.'

'Directeur. Sportdirecteur.'

'Inderdaad. Jezus, waarom hebben wij dat niet? Politiedirecteur? Directeur Winter,' zei Ringmar terwijl hij op het scherm keek en langs de informatie scrolde, het blauwe schijnsel van het scherm flikkerde. 'Vicedirecteur Ringmar.'

'Zullen we koffie nemen?'

'Zeg jij het maar.'

'Wil jij koffie?'

Ringmar klapte de laptop dicht. Zijn gezicht verdween in de duisternis.

'Ik hoop dat je bent vergeten waarover we vannacht gepraat hebben, Erik.'

'Waar hebben we over gepraat?'

'Ik wil graag koffie.'

Ringmar krabde aan zijn baardstoppels toen ze bij de keukentafel zaten. Hij zag eruit alsof hij met zijn kleren aan had geslapen, maar hij had waarschijnlijk niet geslapen. Een van zijn ogen was bloeddoorlopen. Winter had de lift naar de bakkerij op het Vasaplein genomen en had croissants gekocht die nog steeds warm waren. Hij had koude boter en Schotse marmelade gepakt. De koffie was Vietnamees, de bonen van Buon Ma Thuot, verdomd lekker.

'Daar kunnen we ook naartoe gaan,' zei Ringmar.

'Sorry?'

'Als we naar Maleisië gaan, dan kunnen we ook naar Vietnam. Ik heb dat land al willen zien sinds de slag bij Dien Bien Phu.'

'Ik heb de oorlog van de Amerikanen zo goed als gemist,' zei Winter. 'Ik was nauwelijks een tiener toen het voorbij was.'

'Wees daar maar blij om. Jij hoefde geen demonstranten af te ranselen.'

'Heb jij dat gedaan?'

'Mijn eerste baan, in Stockholm. Maar ik heb het niet gedaan. Ik ben ervandoor gegaan. Ik dacht erover om mijn uniform uit te trekken en me bij de Vietcong aan te melden.'

'Je was toen al uniek, Bertil.'

'Ik hoop dat dat in een bepaald verband wordt opgemerkt,' zei Ringmar terwijl hij boter op een nieuwe croissant smeerde.

'Het wordt nu opgemerkt.'

'Ik ben weer nuchter,' zei Ringmar en hij keek op. 'Misschien moet ik de kans grijpen om ernaartoe te gaan. Martin lijkt hier niet naartoe te komen.'

'Als dit onderzoek klaar is vertrekken we,' zei Winter.

'Dat kan jaren duren.'

'Ik reken op midzomer.'

'Dan al? Omdat je gezin dan komt? Je hoeft dat niet voor me te verzwijgen. Daar kan ik tegen.'

'Omdat ik dit geen fijn onderzoek vind.'

'Ha ha.'

'Het gaat niet alleen om de slachtoffers op de grond.'

'Hoe is het met je, Erik?'

'Het gaat niet goed.'

Het was nog steeds ochtend. Ringmar had niets meer gevraagd. Ze hadden zwijgend ontbeten. De zon drong vanuit het oosten het appartement binnen, het licht glinsterde in de hal.

Winters mobieltje begon op de keukentafel te trillen, knipperde met een rood oog, zeurde, piepte.

'Ja?'

Het was Halders.

'*Here we go again*,' zei hij.

0

Het plein was er nog, het zou er altijd zijn en het zou groter en groter worden tot het heel Frölunda en de honderdduizenden die daar woonden veroverd had. Hij had bij het raam gestaan en had gezien hoe het zich onder hem uitstrekte. Eerst bij het raam in het oude appartement in de Mandolingatan en nu in deze nieuwe flat. Hij hield niet van het nieuwe appartement, hij had het gezegd, maar hij was er natuurlijk toch naartoe verhuisd. Het was een onderdeel van het plan.

Hij las het nog een keer door. Het was een goed plan. Hij keek naar de mobieltjes op de salontafel en het vel papier dat erbij lag.

Het zonlicht scheen in de sneeuwlucht en een regenboog strekte zich als een brug langs de hemel. Niemand liep ernaartoe en dat was slim omdat er in deze tijd van het jaar geen regenbogen waren.

Hij herinnerde zich er een toen ze naar de zee gingen. Het had geregend en de regenboog bedekte de hele hemel en de hele zee. Iedereen was blij. Het was het eerste sportkamp voor iedereen geweest.

Je kunt er gewoon in springen!

We houden straks een wedstrijd!

Gekleed zwemmen!

Tijd voor een drankje!

Hij pakte het vel papier van de tafel. Hij las de naam. Er stonden meer namen onder, maar deze was aan de beurt. Nummer drie op de lijst als je het als een lijst beschouwde.

Hij las haar naam opnieuw.

8

Het rook naar gras en vocht in het Trädgårdsföreningens-park. Winter was er gedurende de jaren een paar keer geweest, maar veel te weinig. Het was een gedachte die altijd bij hem opkwam als hij daar was. Het palmhuis. De rozen. De schaduwen onder de eiken op een warme dag. Het water dat langzaam door Vallgraven stroomde. De rust. De stad eromheen, de stilte midden in het gebruis. Hij was maar één keer in het park geweest nadat hij tinnitus had gekregen. De stilte had zijn tinnitus versterkt.

Nu was hij terug.

De vrouw lag onder een esdoorn bij het kanaal. Ze was vanaf de andere kant niet zichtbaar geweest. Een plantsoenwerker had haar om halfacht 's ochtends gevonden. Toen was ze al minstens vijf of zes uur dood geweest, volgens Pia Fröberg.

De technisch rechercheurs werkten in stilte. Ze hadden Winter toestemming gegeven om de plek te betreden.

De dode vrouw had een blauwe plastic zak over haar hoofd.

Haar armen waren op haar rug vastgebonden.

Ze had haar onderlichaam nog, als je het zo kon uitdrukken, dacht Winter. Niemand leek haar onderlichaam aangeraakt te hebben, het was niet ontbloot.

Matilda Cors. Een gemaakte glimlach op haar rijbewijs. Winter keek een hele tijd naar het gezicht, alsof het bekend was. Het kon bekend zijn.

Een stuk karton was met een veiligheidsspeld vastgemaakt op haar jas, een I, als een zwart uitroepteken in zwarte verf, waarschijnlijk Beståå en geschikt voor gebruik buitenshuis.

Matilda Cors bestond niet meer.

Winter dacht aan wat hij had gelezen op een antieke grafsteen in Rome, uit de tijd waarin de oude goden belangrijk waren: 'Ik bestond niet, ik bestond, ik besta niet, het kan me niet schelen.'

Geen eeuwig leven in het oude Rome.

Droomde Matilda Cors over het eeuwige leven?

Het zag eruit alsof er een gevecht had plaatsgevonden op de zwarte aarde.

'Geen klap op het hoofd,' had Pia daarnet gezegd.

Winter had de gruwelijke scène voor zijn geestesoog gezien. Het gevecht van de vrouw op de grond. De benen en voeten die rond, rond, rond hadden gedraaid, het lichaam als een carrousel, de laarzen die tegen het dode gras sloegen. De moordenaar ernaast, observerend, zwijgend.

Het was erger dan een klap op het achterhoofd met de daaropvolgende barmhartige bewusteloosheid. Dit móést erger zijn, ze moest harder gestraft worden, broek of geen broek was niet relevant, de boodschap was overgekomen, die bleef overkomen.

Winter keek naar de boodschap. Ze hadden de R, ze hadden de O, ze hadden de I. Ze hadden nog steeds geen woord, misschien een afkorting.

Zou het een lang woord zijn? dacht hij.

'Ze moest harder gestraft worden,' zei hij tegen Halders, die op zijn hurken naast hem zat en vanuit een andere hoek naar het lichaam keek. 'Ze is een vrouw. Ze had niet mogen doen wat ze gedaan heeft. Het is erger als je een vrouw bent. Dan gebeurt dit. Wat deed ze hier? Hoe is ze binnengekomen? Het park is 's nachts toch gesloten? Iemand heeft haar hier mee naartoe genomen. Heeft haar midden in de nacht mee naar binnen genomen.'

'Ze kende de moordenaar, net als de anderen.'

'Dezelfde leeftijd,' zei Halders. 'Ik denk dat ze mooi was toen ze leefde.'

'Cors. Dat is toch een biermerk?'

'Dat wordt volgens mij met twee o's geschreven.'

'We hebben meer letters nodig.'

'Maar dat betekent meer lijken.'

'We hebben een medeklinker en twee klinkers.'

'Nog een klinker erbij zou het hem doen. Een A bijvoorbeeld.'

'We gaan ervan uit dat we die al hebben. Die komt in alle woorden voor.'

'Oké.'

Winter en Ringmar stonden in Matilda Cors' woning. Ze hadden uitzicht op het Trädgårdsföreningens-park, net als ze vanuit Robert Halls godvergeten appartement in Frölunda het cultureel centrum hadden kunnen zien.

Dit appartement was niet godvergeten, het was een driekamerwoning in een onlangs gerenoveerd gebouw aan de Stora Nygatan. Aan de andere kant van Vallgraven lag de Trädgårdsföreningens.

'Ze woonde zoals een jurist moet wonen,' zei Ringmar.

'Ja.'

'Een fiscaal jurist.'

'Ja.'

'Een eenzame fiscaal jurist.'

'Met een ex.'

'Een ex-vriend.'

'Kun je dat zeggen over iemand van veertig?'

'Ja.'

'Er zijn waarschijnlijk meer exen.'

'We beginnen met de laatste.'

Rupert Montgomery woonde ook in Vallgraven, in de Lilla Kyrkogatan. Hij was thuis toen ze belden. Ze zeiden tegen hem dat hij moest blijven waar hij was.

'Wat is dat voor naam voor een Zweed?' zei Ringmar terwijl Winter foutparkeerde voor het gebouw.

'Er bestaan oude banden tussen de Engelsen en Göteborgers,' zei Winter. 'En de Ieren.'

'Ja, jouw naam is tenslotte ook niet Zweeds.'

'Min of meer.'

'Montgomery klinkt als hogere stand.'

'We zullen zien.'

'Jij moet het gesprek leiden, Erik.'

'Waarom dat?'

'Jij bent hogere stand.'

'We hebben elkaar al een paar maanden niet gezien,' zei Montgomery.

Ringmar had gelijk, de man zag eruit als hogere stand. Het appartement was rommelig en smerig op een manier die alleen de hogere stand zich kon veroorloven, misschien ook de lagere stand. Het waren de twee sociale klassen die het meest op elkaar leken. Het klassensysteem was niet gestopt in Groot-Brittannië en het was in Zweden weer in opkomst. Winter was middenlage hogere stand. Ringmar was lage hogere middenstand.

Rupert Montgomery hoorde bij de *chatting classes* en de *drinking classes*. Zijn gezicht leek vaag bekend, net als het gezicht van zijn exvriendin Winter aan iemand deed denken, of aan iets.

'Hebben we elkaar al eens ontmoet?' vroeg hij.

'Dat hoop ik niet,' antwoordde Montgomery.

'Ik bedoel in sociaal opzicht.'

'Dat bedoel ik ook.'

'Ik denk dat we dit verhoor op het bureau voortzetten,' zei Ringmar.

'Dat kunnen jullie niet maken,' zei Montgomery.

'We kunnen doen wat we willen. We kunnen van alles bedenken.'

'Zoals hiernaartoe komen.'

Het was geen goed begin van het verhoor. Het was gevuld met zwarte humor, zoals zoveel in dit eeuwige leven, dacht Winter.

Montgomery droeg een masker. Daarachter was hij doodsbang.

'Vertel eens over Matilda,' zei Winter. 'Het eerste wat in je hoofd opkomt.'

'Ik ben natuurlijk heel verdrietig over wat er gebeurd is.' Hij zag er nu verdrietig uit. Vertwijfeld.

'Vertel over haar.'

'Ze was een goede jurist.'

Winter knikte bemoedigend.

'Ze had veel vrienden.'

'Mannen?' vroeg Ringmar.

'Is dit *good cop, bad cop*?' vroeg Montgomery.

'We zijn allebei goed,' zei Ringmar. 'Had ze meerdere relaties?'

'Voor zover ik weet niet.'

'Waarom verbraken jullie de relatie?'

'Tja... dat soort dingen gebeurt.'

'Wat voor soort dingen gebeurt?'

'Mensen... tja, uiteindelijk werkt het niet altijd.'

'Niet voor jullie, bedoel je?'
'Nee.'
'Waarom niet?'
'Ik heb toch antwoord gegeven?'
'Kun je iets exacter zijn?'
'Ze... had geen tijd.'
'Tijd waarvoor?'
'Voor mij. Voor onze relatie.'
'Hoe lang zijn jullie samen geweest?'
'Een halfjaar ongeveer.'
'Voelde ze zich bedreigd?'
'Waardoor?'
'Door wat dan ook,' zei Ringmar.
'Nee, dat heb ik niet gemerkt.'
'Hoeveel werkte ze?'
'Altijd, zou ik willen zeggen.'
'Wat voor werk doe jij?'
'Niets.'
'Waarom niet?'
'Ik hoef niet te werken.'
'Is dat niet saai?'
'Jazeker.'
'Is het niet eenzaam?'
'Jazeker.' Montgomery zag eruit alsof hij in huilen zou uitbarsten, een burgerlijk gevoel dat hij niet kon verbergen. 'Ik leid een eenzaam leven. Vooral nu. Ik heb geen... vriendin gehad na Matilda.'
Je hebt ons, dacht Winter.
'Ben je familie van de generaal?' vroeg Ringmar. 'Monty?'
'Dat vraagt iedereen.'
'Wat antwoord jij dan?'
'Ik antwoord ja. Maar dat is een leugen.'

Winter en Ringmar gingen naar Ahlström, dat niet ver bij Montgomery's appartement vandaan lag. Hun tafel was leeg, ze hoefden geen gepensioneerden weg te sturen. Ze bestelden allebei een tompoes, daar was het een dag voor.
'Dat maakt het allemaal nog ingewikkelder,' zei Ringmar toen ze

achter hun koffie met gebak zaten. 'Een vrouw onder de slachtoffers.'
'Of juist niet,' zei Winter.
'Ik zie geen opening.'
'We hebben er een letter bij.'
'Dat kan een dwaalspoor zijn.'
'Nee.'
'Is het dodelijke ernst? Dat geklieder op karton?'
'Absoluut.'
'Waarom zou je de moeite doen?'
'Hoe bedoel je?'
'Om te schilderen.'
'Het is net zo belangrijk als de moorden. Het hoort erbij.'
'Om het verhaal te vertellen?' vroeg Ringmar.
'Om het volledige verhaal te vertellen. Maar niet in één keer.'
Een paar oudere vrouwen keken in hun richting. Winter knikte vriendelijk. Ze knikten terug en bleven kijken.
'We zijn beroemd,' zei Ringmar.
'Waarom?'
'We zijn handig in puzzelen.'
'Als het een puzzel is.'
'Twee mannen en een vrouw,' zei Ringmar.
'Minstens.'
'Was het een ontmoeting? Was het een bijeenkomst?' zei Ringmar. 'Lang geleden. Er waren volwassenen en kinderen bij aanwezig.'
'Ja.'
'Een kamp.'
'Een soort kamp, ja.'
'Een scoutingkamp?'
'Hoop niet te veel, Bertil.'
'Ik haat scouts.'
'Nog steeds?'
'Het zou verboden moeten worden.'
'Zoals alle kampen,' zei Winter.
'De wereld heeft genoeg van kampen,' zei Ringmar. 'Daar kan nooit iets goeds van komen. Als er voldoende mensen bij elkaar zijn gaat alles mis.'

'Drie is een volksverzameling,' zei Winter.
'Wie heeft dat gezegd?'
'Mussolini misschien?'
'Was het Hitler niet?'
'Hij hield van kampen.'
'Daar heb je gelijk in.'
'We zoeken een gemeenschappelijke noemer voor deze drie dode mensen en daar hebben we hem misschien,' zei Winter. 'Ze zijn naar een kamp geweest.'
'Of misschien waren ze gewoon pedofiel,' zei Ringmar. 'Actief op internet, we hoeven alleen het bewijs te vinden.'
Winter zei niets.
'Misschien kende Matilda Cors een van de mannen,' zei Ringmar. 'Dat hebben we nog niet kunnen nagaan.'
'Ze kende hen, maar er is niets om dat te bewijzen,' zei Winter. 'Het is op een zorgvuldige manier verborgen. Dat is waar het om gaat. We zullen geen mails of brieven of mobiele gesprekken of sms'jes vinden die hen aan elkaar linken. In dat geval zouden ze een fout gemaakt hebben en ze hebben al die jaren geen fouten gemaakt.'
'Al die jaren?'
'Omdat er geen duidelijk verband tussen hen is speculeren we dat er jaren geleden iets tussen hen gebeurd is, of niet soms?'
'Dus hoe is het dan gegaan?'
'Als we dat weten, dan weten we alles.'
'Je lijkt niet veel vertrouwen in het technische bewijs te hebben.'
Winter gaf geen antwoord. Een gezin passeerde in de Korsgatan. Ze zagen er Duits uit. De Stena-veerboot uit Kiel had een paar uur geleden aangelegd. Winter was daar een keer geweest, toen Angela en hij verloofd waren en ze besloten hadden om in de Mercedes door Europa te rijden. De wereld was destijds nog nieuw geweest. Ze reden van Marseille naar Nice langs de Rivièra. *Socca* en *pissaladière* in Nice, om niet te praten over *estoficada*, dat was een reis waard. Het restaurant in Rue Hotel de Ville dat De Stokvis heette, L'Estoficada, waar ze de eerste keer een heerlijke stokvisschotel hadden gegeten. Het restaurant was er nog, met een vrouwelijke kok. Hij was er meerdere keren terug geweest. De wijn was afkomstig van een kleine wijngaard in de bergen binnen de stadsgrenzen, bleek als

de bakstenen die van voor de geboorte van Christus door de zon werden beschenen. Toen was Nice Romeins geweest. Nizza. Afgelopen herfst hadden ze als gezin de trein vanaf de Costa del Sol langs de Middellandse Zee genomen. Dat was waar beschaafde mensen zich mee moesten bezighouden in plaats van met burgerlijk werk. De Duitsers achter het raam waren niet in Nice geweest, dat kon hij zien aan de manier waarop ze liepen. Ze gingen naar het noorden, naar Göteborg, en dat was de verkeerde richting. Hier werden mensen vermoord. Wraak is een gerecht dat ijskoud moet worden geserveerd. Of het moest warm geserveerd en koud verteerd worden. Misschien verschilde dat van persoon tot persoon, daad tot daad, herinnering tot herinnering.

'Ik heb alle vertrouwen in het technische bewijs,' zei Winter bij wijze van antwoord op Ringmars vraag.

'Dat hebben we allemaal. Het was geen vraag.'

'Wat was de vraag dan?'

'Ik heb hem nog niet bedacht.'

'De vraag is hoe lang we door kunnen gaan voordat de frustratie kwellend wordt.'

'Het is nog maar net begonnen,' zei Ringmar. 'Dat heb je daarnet zelf gezegd.'

'Een kamp,' zei Winter. 'Moeten we daar beginnen?'

'Waar ligt het?'

'In Groot-Göteborg.'

'Een padvinderskamp?'

'Nu doe je het weer, Bertil.'

'Een sportkamp?'

'Misschien.'

'Een sportclub?'

'Een soort.'

'Hall en Bersér en Cors waren lid van dezelfde sportclub?'

'Dat klinkt waarschijnlijk, of niet soms?'

'Bersér was de enige die aan lichaamsbeweging deed, of hij lid van een club was weten we tot nu toe niet.'

'We weten nog niets.'

'Clubs hebben ledenlijsten. Sommige, in elk geval.'

'Dat is een begin.'

'Dat is een begin zonder eind, Erik. Dat is gekkenwerk.'
'Dan moeten we er gekken op zetten.'
'Dat betekent het hele korps.'
'Ik dacht niet dat je cynisch zou worden, Bertil.'
'Sorry.'
De oude vrouwen waren weggegaan. Het Duitse gezin was binnengekomen en ging bij een tafel zitten. Ze klonken alsof ze uit Beieren afkomstig waren, maar dat kon niet kloppen. Het waren voornamelijk Noord-Duitsers die voor een minivakantie met de veerboot naar Göteborg gingen, eenvoudige alledaagse mensen die iets leuks wilden doen wat niet te veel kostte. Ze waren gelukkiger dan hij ooit zou worden. Hij voelde altijd sympathie voor eenvoudige zielen, hij probeerde vanbinnen te worden zoals zij omdat hij wist dat ze zich nooit zo zouden voelen als hij.
Ringmar leek nog steeds te piekeren over zijn cynisme. Het was het ergste wat een politieagent kon gebeuren. Als je cynisch werd kon je alleen de handdoek nog in de ring gooien.
'Waarom heeft de eerste moord in Frölunda plaatsgevonden?' zei Winter.
'Dat kwam de moordenaar goed uit.'
'Maar waarom?'
'Er is een plan. Er is een volgorde.'
'Ze zijn in de buurt van hun woning vermoord.'
'Dat is niet het belangrijkste, dat is meer een praktisch detail.'
'Denk je?'
'Het wordt bepaald door waar ze wonen. Maar Frölunda... dat is iets anders.'
'Praat je intuïtie nu?'
'Natuurlijk. Die probeer ik in de logica te forceren.'
'Dat moet je misschien doen. Forceren, dus.'
Winter gaf geen antwoord. De Duitsers praatten in hun dialect. Hij hoorde het nu, ze waren afkomstig uit het voormalige Oost-Duitsland, Leipzig misschien. Angela kwam uit Leipzig, een lang en gevaarlijk avontuur vanaf Leipzig, een vlucht naar de vrijheid met haar vader, die dokter was, achter het stuur. Deze Duitsers hoefden alleen de veerboot naar het paradijs te nemen, hoefden geen valse paspoorten te tonen, helemaal geen paspoorten zelfs. Geen bewa-

pende wachters, geen muur, geen doodgeschoten tieners in de gedemilitariseerde zone of in het Kattegat.

'Frölunda is de sleutelscène,' zei Winter terwijl hij opstond.

9

Winter liep het portiek in de Bellmansgatan in. Hij had tweeduizend keer door dit stukje straat gelopen, aan de overkant lag de Sigrid Rudebeckschool. Hij was daar als middelbareschoolleerling aan het eind van de jaren zeventig een jazzclub begonnen, het was een andere wereld geweest. Bruce Springsteen was toen een nagenoeg onbekende grootheid voor hem.

Angela had hem een beetje over rockmuziek geleerd, maar hij had het moeilijk gevonden om eraan te wennen. Was hij al een oude man geweest toen hij geboren was? Nee, alleen anders, iemand moest anders zijn.

De ouders van Matilda Cors openden de deur samen, alsof ze in de hal op hem hadden gewacht.

Ze namen hem mee naar een kamer met uitzicht op de school. De ramen waren vrij klein, maar toch was de kamer heel licht.

De personen die voor hem stonden waren zestigers. Ze zagen er nog ouder uit, maar Winter wist dat ze gedurende het afgelopen etmaal tien jaar ouder waren geworden. De ouders heetten Bengt en Siv, zoals zijn Bengt en Siv. Dat was heel eigenaardig.

Er klonk muziek in de kamer, maar hij zag niet waar het vandaan kwam. Hij zag alleen een elizabethaanse eettafel met zes stoelen en een kristallen kroonluchter boven de tafel. Alles was wit, alsof ze zich al op het verdriet hadden voorbereid.

Ze zagen dat hij naar de muziek luisterde.

'Bach,' zei de man.

Winter knikte.

'Het enige wat we nu kunnen verdragen.'

'Het spijt me,' zei Winter.

'Ze was een fijne meid.'

Djanali en Halders stonden midden in Marconi Park. Er was niemand, omdat er geen park was.

'Waarom wordt het een park genoemd?' vroeg Halders. 'Marconi Park?'

'Omdat het goed klinkt,' zei Djanali.

'Er moet verdomme toch een park zijn als het een park wordt genoemd?'

'Is dat iets om verontwaardigd over te zijn, Fredrik?'

'Die Marconi-vent hield zich bezig met langegolfradio. Ik geloof dat zijn apparatuur op de *Titanic* geïnstalleerd was. Daar hebben ze verdomd veel plezier van gehad.'

'Waarom vloek je vandaag zoveel?'

'Omdat ik die verdomde schilder vervloek.'

'Vloeken helpt niet.'

'Hij neemt ons in de maling, die klootzak.'

'Ik denk dat het serieuzer dan dat is.'

'Het heeft geen zin om langs de deuren te gaan. Niemand heeft iets gezien of gehoord. Het is iemand uit de getto's in Angered.'

'Je weet dat dit niet zinloos is.'

Ze liepen langs de nieuwe ijshal.

'Hier speelde ik voetbal als kind. Op het veld waar nu die rothal staat.'

'Speelde is waarschijnlijk niet het juiste woord.'

'Wat bedoel je daar verdomme mee?'

'Je werd altijd het veld uitgestuurd als ik het goed begrepen heb.'

Halders gaf geen antwoord.

'We gaan naar binnen,' zei ze.

Binnen werden ze verwelkomd met GO BÄCKEN!

'Wat een vervloekt kloteteam,' zei Halders. 'Jezus, dat ze nog niet zijn geroyeerd. Uffe Sterner, ha ha ha.'

Ze stonden in de hal. Het ijs was leeg.

'Heb je die vervloekte reclame op het ijs gezien?! Door zulke troep kijk ik niet meer naar ijshockey op de televisie.'

'Je hebt gisteravond nog gekeken.'

'Ik stop vandaag. Het is zinloos.'

'Wat is er níét zinloos, Fredrik?'

'Koffie en een kaneelbroodje.'

Aan de andere kant van de ijsbaan stond een man. Hij zag er vrij jong uit, maximaal dertig jaar. Hij leek geen bewaker. Hij stond stil, maar kwam in beweging toen ze binnenkwamen. 'Wie is dat verdomme?' zei Halders. 'Zag je dat hij ervandoor ging toen wij binnenkwamen?'

'Hij is er nog. Kalm aan.'

'Hij gaat naar buiten.'

Halders begon te lopen.

'Wat ga je doen?'

'We zijn hier om vragen te stellen, of niet soms?'

'Hij loopt nu naar buiten.'

Halders liep naar de uitgang van de hal, hij rende niet, maar plotseling wilde hij rennen, hij rende, rende.

Er was buiten niemand.

'Hallo? Hallo!'

De man was verdwenen.

Hij heeft ons gezien. Hij wilde niet met ons praten. Hij was bang. Nee, hij was niet bang.

Halders rende naar de deuren.

Dat is hem. Dat is hem! Hij is hier.

Halders voelde dat het dons op zijn hoofd rechtop ging staan.

Er was niemand buiten toen hij de ijshal uit stormde.

Hij rende naar rechts, naar Marconi Park, zag niemand, geen levende ziel, hij bleef rond de ijshal lopen, geen mens bewoog zich tussen de hal en de weg, hij was terug bij de ingang, niets, geen auto's die verplaatst waren op het parkeerterrein, hij keek naar de tramhalte aan de andere kant, de Musikvägen, daar stond niemand, hij zag die klootzak niet, tramlijn 8 uit Angered kwam aanrijden, van getto naar getto, stopte, iemand stapte in, iemand stapte ín, er had verdomme niemand bij de halte gestaan, hij moest zich verstopt hebben achter een reclamebord, Halders zag een gestalte in de wagon, dat wás hem, de tram begon te rijden, Halders begon te rennen, Djanali kwam naar buiten, ze riep iets maar hij verstond het niet, hij rende tien stappen en begreep dat hij de auto moest halen, rende terug naar het parkeerterrein, 'geef gas verdomme', sprong achter het stuur, Aneta ging naast hem zitten, hij reed de Marconigatan in en sloeg naar rechts af, naar de halte bij het Frölundaplein, en zag lijn 8 daar al stilstaan, het was niet ver van de Musikvägen, zo ontzettend stom, de mensen die uit wilden stappen waren al uitgestapt, hij reed bijna tegen de achterkant van de tram aan, sprong uit de auto, rende langs de tram, er zaten een paar jonge meisjes op een bank, hij zag een paar ruggen op weg naar het winkelcentrum, die verdomde kooptempel die een miljoen koopzieke mensen in één hap verslond.

Hij hoorde Aneta achter zich.

'Hij is binnen!' riep hij terwijl hij de trappen bij ingang C1 op rende, langs Subway, langs alle starende idioten die in de weg stonden, hij was nu binnen, er waren miljoenen mensen binnen, honderdduizend mannen van vijfentwintig tot dertig, het ene lege gezicht na het andere werd naar hem toegedraaid, verkeerde gezichten, hij draaide rond, rond, die klootzak was weg, het had geen zin.

'Een fijne meid,' zei Bengt Cors.

'Het is zo zinloos,' zei zijn vrouw.

'Nee,' zei de man.

'Wat bedoel je?' vroeg ze.

'Het was geen verkeersongeluk. Er was een reden.'

'Hemel,' zei ze.

'Welke reden?' vroeg Winter. 'Wat bedoel je?'

'Het was moord. Dat is een zinloze daad, maar het heeft een reden.'

'Soms,' zei Winter.

Halders besefte dat het zinloos was om naar de moordenaar te blijven zoeken. Natuurlijk was hij het. Wie anders rent weg voor Fredrik Halders? Maar de klootzak was in de mensenmassa verdwenen. Mensen staarden naar hem, naar zijn opwinding, zijn bezwete, kale hoofd, zijn tics. De gezichten zagen er bang uit, alsof híj gevaarlijk was, alsof híj iemand had verwond. Dat maakte hem nog razender.

'Zeg geen stomme dingen, zoals dat we het Frölundaplein moeten afzetten,' zei hij tegen Djanali toen ze hem had ingehaald.

Ze zei niets.

'Verdomme, dat was hem. Dat was hem!'

Ze zei nog steeds niets.

'Waarom zeg je niets, Aneta?'

'Wat moet ik zeggen? Ik mag tenslotte geen stomme dingen zeggen.'

'Alles wat intelligent is. Zeg iets intelligents. Wees het met me eens, wees het niet met me eens.'

'Ik heb je nog nooit zo meegemaakt,' zei ze.

'Nee, of wel? Ik begin op Winter te lijken. De intuïtie neemt het over en verspreidt zich door het hele verdomde fucking Frölunda! Is dat de manier om hoofdinspecteur te worden?'

'Ik weet het niet, ik schijn het niet te worden,' zei ze.

'Jij wordt de eerste zwarte hoofdinspecteur van het land,' zei hij terwijl hij om zich heen keek, heen en weer, alsof het pathetische draaien van zijn hoofd zou helpen. Hij zag alleen de massa, grijs als de wereld.

'Nu weet hij het.'

'Wat?'

'Dat we hem gezien hebben,' zei Halders.

'Zou je hem herkennen?'

'Nee. Hij zag eruit als de eerste de beste miezerige klootzak.'

Winter stond op. Hij keek naar de school aan de overkant van de straat en kon door het raam naar binnen kijken. Het klaslokaal was niet veranderd sinds hij daar zelf had gezeten. Het waren alleen nieuwe gezichten, jonge gezichten. Het was niet zo lang geleden. Hij kon het zich zelfs herinneren.

Bengt Cors stond naast hem. Ze waren ongeveer even lang. Siv Cors was ook lang. Hij wist dat Matilda lang was, maar hij had haar nooit zien staan. De ouders hadden haar niet dood op de grond in het Trädgårdsföreningen-park zien liggen.

'Wat deed ze daar?' vroeg Bengt Cors. 'In het park?'

Sterven, dacht Winter, ze stierf.

'Dat weten we niet,' zei hij.

'Hoe kon ze op dat tijdstip binnenkomen?'

'Dat weten we ook niet.'

'Hebben jullie met Rupert gepraat?'

'Ja.'

'Wat zegt hij ervan?'

'Niet veel.'

'Ik heb hem nooit vertrouwd,' zei Cors.
'Waarom niet?'
'Dat kan ik niet uitleggen.'
'Nee,' zei Winter.
'Het lijkt alsof je het begrijpt.'
'Ik begrijp nog niets.'
'Wil je het begrijpen?'
'Wat bedoel je?' vroeg Winter.
'Je ziet zoveel afschuwelijks. Wil je het begrijpen?'
'Ik wil het altijd begrijpen,' zei Winter. 'Dat is mijn probleem.'
'Ik ben psychiater,' zei Cors.
'Ik ben hoofdinspecteur.'
'Ja, dat heb je al gezegd. Maar ik zie dat je je niet zo goed lijkt te voelen.'
'Het is grootmoedig van je om dat te zeggen. Midden in je verdriet.'
'De schok is nog niet weg,' zei Cors. 'Ik probeer te werken, lijkt het.'
'Met mij?'
'Krijgen jullie psychologische hulp bij de politie? Anders kan ik ervoor zorgen dat je een gesprek krijgt,' zei Cors.
'Met wie?'
'Met mij. Of met een collega. Een collega natuurlijk.'
'Helpt dat me om het te begrijpen?'
'Niet meer dan jezelf misschien. Maar het kan een beetje verzachten.'
'Wat verzachten?'
'Dat weet je zelf het best.'
'Ik weet helemaal niets.'
'Je wilt alleen over het werk praten.'
'Je dochter is vermoord,' zei Winter.
'Ik weet het, maar ik begrijp het niet.'
'Ik wil graag een telefoonnummer hebben,' zei Winter.

Halders had gebeld en verteld wat er was gebeurd. Winter was net thuisgekomen.
'Ik heb hem bang gemaakt. Hij was misschien toch gewoon een nul.'
'In dat geval komt hij naar de ijshal terug.'

'Ga je ernaartoe?'
'Morgenochtend.'

Angela belde toen hij de badkuip vol had laten lopen en net in het water wilde stappen. Het was bloedheet. Hij had een glaasje whisky op de badrand staan, twee kindervingers. Het was donker en koud buiten, met vroege aprilwinden die alles op de grond hielden, hem ook, april was niet zijn beste maand, was dat nooit geweest. Neerslachtig, oké. Maar een gesprek met een zielenknijper?

'Het klinkt alsof je je brandt.'

'Alleen mijn ballen,' zei hij.

'Goed zo.'

'Dank je.'

'Hoe gaat het?'

'Geen idee. Tot nu toe weet hij meer dan wij.'

'Ben je ongerust?'

'Nog niet.'

'Ik ben ongerust.'

'Ik weet het.'

10

Hij droomde dat iemand een sprookje vertelde. Hij kon niet zien wie het was en hij verstond de woorden niet, dus hoe kon hij dan weten dat iemand een sprookje vertelde?

Omdat het een droom was.

Hij wist waar het sprookje over ging. Hij had het heel vaak gehoord. Het begon in een klein huisje dat in een tuin stond. Het was een speelhuisje, het was zíjn speelhuisje, hij was nog klein, misschien zat hij net op school, nee, hij zat nog niet op school, maar zou binnenkort gaan.

Het sprookje stopte toen hij wakker werd, dus toen hij wakker werd in de droom. Hij kwam er nooit achter hoe het ging. Hij wist dat hij het nooit mocht weten, als hij het wist zou hij niet meer kunnen leven. Het was een slecht sprookje, het slechtste op de wereld.

Het was geen sprookje. Het was met hem gebeurd, met hém, Erik, het ging om wat er met hém was gebeurd.

Iemand had hem vastgepakt. Hij kwam niet verder in de droom, hij wilde niet! Toen hij twee jaar was, was er iets gebeurd wat hij zich niet kon herinneren, maar wat hem zijn hele leven had achtervolgd. Het gebeurde nu, in de droom, nu hij een paar jaar ouder was, iemand bewoog zich, kwam dichterbij, was het zijn vader? Hij wilde niet dromen dat iemand dichterbij kwam, hij wilde niet dromen, hij wilde niet! Hij wilde niet slapen! Hij durfde niet te slapen.

Winter werd wakker met een stijve nek, alsof hij naar voren en daarna naar achteren en daarna weer naar voren was gegooid, zoals bij een auto-ongeluk, alsof de airbag niet goed had gewerkt.

Hij pakte zijn nek vast, het was niet de eerste keer dat die stijf was. Hij was wakker, hij had het koud, hij was bang.

De gedachte die Winter in zijn hoofd had was: het is zo lang geleden gebeurd.

Het ging om hem, maar ook om iemand anders. Halders had de man in de ijshal ook gezien. Het ging om de man. Winter wist, net als Halders, dat ze de juiste man hadden gezien. Hij zou niet terugkomen. Terugkomen naar wat? Een godvergeten ijshal, koud en grijs. Het was toeval. Het was niet dezelfde man. Iedereen zou wegrennen voor Halders, iedereen met drang tot zelfbehoud, het was een kwestie van overleven. Het was geen toeval. Het was zijn plek. Zijn plek.

Hij stapte uit bed en liep naar het toilet. Zijn urine was donker, een dun straaltje. Misschien was hij ziek, uitgedroogd. Hij dronk te weinig water en andere gezonde drankjes. Hij dronk minder whisky, in elk geval gisteren. Als hij niet dronk was de ruis in zijn oren minder. Een idioot kon dat begrijpen.

Hij trok door en ging terug naar de slaapkamer. De wekker op het nachtkastje stond op vijf uur. Hij zag het briefje op de tafel naast zijn geplette kussen liggen, de afdruk van zijn dierbare hoofd, het briefje met het telefoonnummer van een goede psychiater, opgeschreven in Bengt Cors' krachtige handschrift. Er zou een eind kunnen komen aan Erik Winters levenslange existentiële kwelling. Hij was er bang voor.

Om zeven uur liep hij in de Vasagatan op weg naar Sprängkullen, in sportkleding, op goede schoenen, met een slechte conditie. Politieagenten moesten een goede conditie hebben, ook chefs, er was sporttijd opgenomen in het rooster maar daar had hij nooit tijd voor omdat hij moest werken.

Hij werkte nu ook, het was stom om niet te rennen, in de eerste plaats omdat hij een goede conditie nodig had, maar ook omdat de training zuurstof naar zijn hersenen bracht of wat er ook gebeurde, bloed naar zijn hoofd misschien, in dat geval leek het hem beter als hij vijf kilometer rende, het liefst tien, de gedachten renden als het ware mee, die kregen ook conditie, in het verleden was hij vaak gaan rennen met een probleem en was hij thuisgekomen met een oplossing, of in elk geval een begin van een oplossing, waarna hij transpirerend als Torgny Mogren de ideeën die hij tijdens het lopen had gekregen in de keuken had opgeschreven. Hij wilde niets inspreken terwijl hij rende, dat ontnam zijn hersenen kracht. Hij had papier en pen op tafel liggen voor het geval dat, het werd vochtig en vlekkerig als hij schreef, soms door tranen, dat was hetzelfde zout.

Nu liep hij door de Sprängkullsgatan, sloeg af naar Övre Husar en naar Slottsskogen, hij was op heilige loopgrond, de laatste kilometer van de halve marathon Göteborgsvarvet, als de energie grotendeels op was, dat was hem overkomen, ter hoogte van de botanische tuin was hij ingehaald door melaatsen, rottende lichamen die zich over het asfalt voortsleepten, of honderdjarige Stockholmers die langskropen op pure kwaadaardigheid, terwijl hij zijn uiterste best had gedaan met de dood in zijn longen en leegte in zijn hersenen. Andere keren was hij langs gazellen uit Kenia die hiernaartoe waren gekomen om te winnen gevlogen. In zijn dagdromen kon hij nog steeds winnen. Nu rende hij in het park, langs de minigolfbaan, over het wandelpad, langs het gras dat op nieuw leven wachtte, langs dode bomen die zouden herrijzen, langs jonge vrouwen met kinderwagens, die met elkaar praatten en er heel gelukkig uitzagen, langs fietsers die om de een of andere reden waren gestopt, één droeg een helm die eruitzag als een nazihelm, was dat toegestaan? Hij liep verder naar Villa Belparc, dat ook naar het voorjaar verlangde, als het goed weer was gingen er hele gezinnen naartoe om gegrild vlees te eten en iets lekkers te drinken.

Hij ademde nog steeds. Hij had een betere conditie dan hij had gedacht. Het was niet koud, hij rilde niet. De zon kwam al op, het zou een mooie dag worden. Het was een perfect begin. Hij voelde zich sterk. Hij dacht aan de vermoorde mensen, nu begon het, hij dacht aan de plekken waar ze waren vermoord, hij zag ze voor zijn geestesoog, de een na de ander, perfect, ze werden allemaal belicht door de zon, ook al waren ze dat niet geweest toen hij ze voor het eerst had gezien, en vooral niet toen ze waren vermoord, het was nacht geweest, ze waren er 's nachts naartoe gelokt. Overgehaald, ze moesten iets doen, ze konden niet weigeren, het was onmogelijk geweest om te weigeren, ze waren bang geweest maar ze durfden niet thuis te blijven, het zou erger zijn geweest om thuis te blijven, waarom zou het erger zijn geweest om thuis te blijven, thuis, hij dacht aan thuis, hij dacht aan de afstand naar de plaats delict terwijl hij de heuvel op rende naar de zeehondenvijver, hij zag geen zeehonden, ze zagen hem niet, hij begon de spanning in zijn dijbenen te voelen, zijn hart voelde goed, zijn longen voelden goed, hij was bijna op de top, het

geluid van het mobieltje in zijn borstzak overstemde zijn hartslag, hij had de oordopjes al in.
'Ja?'
'Hallo baas, ik heb je toch niet wakker gemaakt?'
'Ik ben aan het rennen, Fredrik.'
'Joggen?'
'Dat woord neem ik niet in mijn mond,' zei Winter.
'Jezus. Ik sla een kruisje.'
'Wat wil je?'
'Die jongen, Gustav, is vannacht niet thuisgekomen.'
'Waar thuis?'
'Bij zijn moeder. Hij zou daar nu moeten zijn.'
'En hij is niet bij zijn vader? Lefvander?'
'Nee.'
'Hij kan bij onze dader zijn.'
'Ik dacht hetzelfde.'
Winter dacht na. Hij wilde niet stoppen met hardlopen. Dan zou alles voor niets zijn. Hij draaide zich om en rende de heuvel af.
'Wanneer ben je dit te weten gekomen?'
'Zijn moeder heeft een halfuur geleden gebeld. Amanda Bersér dus.'
'Maar de jongen is de hele nacht weggeweest, verdomme!'
'Ze dacht dat hij bij zijn vader was. Hij had gezegd dat hij daar zou slapen.'
'Jezus.'
'Ja.'
'Hoe is ze erachter gekomen dat hij daar niet was?'
'Zijn vader belde en wilde de jongen spreken. Het ging om iets wat ze afgesproken hadden.'
Winter was nu beneden. Hij rende naar de Linnéplatsen.
'Het is bijna altijd leuk,' zei Halders. 'Het is fantastisch om met mensen te werken. Vooral met dit soort types.'
'Heb je de jongen als vermist opgegeven?'
'Dat wilde ik eerst met jou overleggen, baas.'
'Ik ben over een halfuur op het bureau,' zei Winter.
'Neem eerst een douche.'
'Ga in de woningen van de slachtoffers op zoek naar videofilms,'

zei Winter. ‘Neem alles mee, oude VHS-banden, cd’s, het hele zootje.’
‘Oké.’
‘En bij de familieleden, de vrouw in Borås, Amanda in Mölndal, Lefvander, alles, allemaal.’
‘Heb je dat net bedacht?’
‘Ik bedenk altijd iets tijdens het rennen.’
‘Dat klinkt verdomd aanmatigend. Hoe vaak ren je?’
‘Ik kan niet meer met je praten, Fredrik. Ik moet nadenken.’
‘Over rennen gesproken, we hebben weer een uitnodiging gekregen om aan het Korpen-toernooi mee te doen,’ zei Halders. ‘Onze misdaad is verjaard.’
‘Jóúw misdaad.’
‘Het zal wel.’
‘Over mijn lijk.’

Hij wilde ernaartoe voordat hij naar het politiebureau ging. Het zou een verklaring achteraf vereisen, maar vooraf werd niets verklaard.
Hier had Jonatan Bersérs lichaam gelegen, in de schaduw van de warmtecentrale, geen warmte nu, een wind als ijs door het lichaam, zijn lichaam.
Winter trok de sjaal dichter rond zijn hals, hij bewoog zijn voeten, liep tussen de plek waar het lichaam was gevonden en de verlaten personeelswoningen. Gebouw U1, het klonk als een deel van de puzzel waaraan ze werkten, nog geen U, was hij nieuwsgierig naar de volgende letter? Zou dat verschil maken? De puzzel zou misschien duidelijker worden, helderder, maar hij vroeg zich af of het iets betekende, of ze het antwoord niet al wisten, er al waren geweest, híér waren geweest. Hij keek weer om zich heen, hij was alleen, het was ochtend maar hij was de enige die buiten was, hij liep in noordelijke richting door de Häradsgatan, het was niet ver. Zo meteen was hij bij het bizar kleine centrum waar hij tien, twaalf jaar geleden gedurende korte tijd zo vaak was geweest, toen hij aan een zaak werkte waarbij mensen in ernstige problemen waren gekomen, zoals in een van de hoge gebouwen die hij links zag – de woningen... toen ze binnenkwamen... de hoofden van de slachtoffers... de ontzetting, de ongekende ontzetting, hij had de geur ervan kunnen ruiken, de onuitwisbare stank hing er nog, hij kon het ruiken toen hij langs ban-

ketbakkerij Brogyllen liep, die was er toen al geweest, het was bijna de enige die er nog was, en de EVA-kapsalon in de verte. Hij herinnerde zich Manhattan Livs, de winkel bevond zich nog steeds op de hoek van de Hagåkersgatan.

Alles hier hoorde bij het verleden en tegelijkertijd bij het heden. Hij was hier weer omdat de gewelddadige dood naar deze buurt was teruggekomen, die kwam altijd terug.

Gustav Lefvander was niet teruggekomen. Mårten Lefvander was in het appartement aan het Jungfruplein. De ex-echtgenoten hielden elkaars hand vast, alsof ze iets gemeen hadden wat niet alleen met de ramp te maken had. Maar rampen brachten mensen bij elkaar, Winter had dat vaak meegemaakt. Rampen waren wat de mensheid nodig had om bij elkaar te blijven.

'Wat gebeurt er in jezusnaam?' zei Lefvander.

Winter en Djanali gaven geen antwoord, het was geen vraag. Winter had Aneta op weg naar het Jungfruplein gebeld. Ze had videobanden en een paar cd's uit Halls appartement in Frölunda gehaald. Het was niet veel.

'Waarom belt hij niet?' vroeg Bersér.

Ja, waarom niet? Winter keek naar Djanali. Waar is hij? Wie zegt tegen hem dat hij niet moet bellen?

'Kun je geen plek bedenken waar hij kan zijn?' vroeg Djanali. Het was de tweede keer.

De vader van de jongen maakte een gebaar. Overal in de heerlijke zon.

'Misschien wil hij... alleen zijn,' zei de moeder van de jongen.

Winter knikte, Djanali vroeg: 'Waarom dat?' Good cop, bad cop.

'Is dat zo vreemd?' vroeg Bersér.

'Jezus,' zei Lefvander.

'Hebben jullie zijn vrienden gebeld?'

'Hebben jullie dat niet gedaan?'

'Ik vraag het aan jou,' zei Winter zo vriendelijk mogelijk.

'We hebben alles geprobeerd.'

'Er is nog niet zoveel tijd verstreken,' zei zijn ex-vrouw.

'Wat bedoel je daar in vredesnaam mee?'

'Kalm blijven.'

'Kalm blijven? Blijf ik niet kalm?' Hij keek naar Winter alsof hij steun zocht. 'Allemachtig.'

Winter keek naar Amanda Bersér. Wat weet zij dat wij niet weten? Ze keek nergens in het bijzonder naar, naar het heerlijke zonlicht achter het raam, naar iemand die misschien in leven was.

Wat weet zij dat niemand anders mag weten? dacht hij. Welke kennis probeert ze te verbergen?

'Konden Gustav en Jonatan goed met elkaar overweg?' vroeg hij.

Haar blik werd stabieler. 'Waarom zouden ze dat niet kunnen?'

'Wat is dat voor een vraag?' zei Lefvander.

Het is een vraag waar jullie allejezus bang voor zijn, dacht Winter. Allebei. Hebben jullie daarover gepraat?

'Hadden ze een gecompliceerde relatie?'

'Nee.' Dat was zij. 'Ze konden goed met elkaar overweg.'

'Gustav woonde hier niet.'

'Dat was een regeling die we vanaf het begin hebben gehad.'

'Welk begin?'

'Vanaf de scheiding natuurlijk.'

Winter keek naar Lefvander. Hij keek weg.

'Was Gustav bang voor Jonatan?' vroeg Winter.

'Waarom zou hij dat zijn?' vroeg Bersér.

'Ik weet niet waarom,' zei Winter.

'Waarom vraag je het dan?'

Het was ingewikkeld. Het was verwarrend. Het was gevoelig.

'Is er iets gebeurd?'

'Wat zou er gebeurd moeten zijn?' vroeg ze.

'Je beantwoordt elke vraag met een tegenvraag,' zei Winter.

'Wat moet ik dan antwoorden?'

'Geef antwoord op de vraag hoe de relatie tussen je zoon en je man was.'

'Goed,' antwoordde ze. 'Misschien wil je een ander antwoord hebben, maar dat heb ik niet.' Ze keek naar haar ex-man. Hij knikte, maar niet om haar woorden. Winter was ervan overtuigd dat het niet om haar woorden was.

'Denk je dat Bersér zijn stiefzoon seksueel misbruikte?' vroeg Djanali toen ze op het parkeerterrein in Winters Mercedes zaten.

‘Was het zo duidelijk?’
‘Denk je dat?’ vroeg ze opnieuw.
‘Het is in elk geval niet onwaarschijnlijk,’ zei Winter.
‘Een bonuskind,’ zei Djanali.
‘Ik heb nooit van dat woord gehouden.’
‘Misschien is er iets gebeurd,’ zei Djanali.
‘Ze weten het allebei.’
‘Iets wat te maken heeft met de moord op Bersér.’
‘Dat kan inderdaad zo zijn.’
‘Zijn ze het samen? Of alleen Lefvander?’
‘Maar waarom?’
‘Wraak om wat hij met de jongen heeft gedaan. Met Gustav.’
‘En de andere moorden dan?’
‘Hmm,’ zei ze. ‘Dat maakt de zaak ingewikkeld, of niet soms?’
‘Een extreem vals spoor,’ zei Winter.
‘Daar geloven we niet in,’ zei Djanali.
‘Maar er is iets,’ zei Winter. ‘Iets duisters. We moeten afwachten wat het ons brengt. Kun je proberen meer uit Gustavs vrienden te krijgen?’
‘Jazeker.’
‘Waar is die knul verdomme?’ zei Winter terwijl hij de motor startte.

Hij schreef op het scherm, streepte door, schreef opnieuw. Op de achtergrond klonk *Ballads* van Coltrane. Later zou hij misschien het zwaardere Coltrane-werk opzetten, als hij de energie had om verder af te dalen, als daar tenminste een mogelijkheid voor was.

De trams reden zachtjes ruisend over het Vasaplein, of misschien zat het geruis tussen zijn arme oren. Hij dronk vanavond geen whisky, niet omdat hij het niet nodig had, maar omdat hij het niet wilde. Als hij zou beslissen dat hij een vinger whisky nodig had, dan zou hij dat doen, alles was op die manier puur en eenvoudig en vanzelfsprekend.

Hij schreef: Robert Hall. Jonatan Bersér. Matilda Cors. Hij schreef: *tres amigos*. Hij schreef: verenigd door de vereniging. Hij schreef: vereniging? Hij schreef: Bäcken HC. Hij schreef: Marconiplein. Hij schreef: RNI, INR, NIR, NRI. Hij schreef: rijksvereniging voor de irrelevantie van onnuchterheid. Hij zag dat hij Bersérs O tegen een N had verwisseld. Hij schreef: ROI, IOR, OIR, ORI. Hij schreef: rijksvereniging voor de irrelevantie van onnuchterheid.

Daarna schonk hij een heel klein beetje Dallas Dhu in, een kindervinger op de bodem van een heel groot glas.

11

Het speelhuisje zag eruit zoals het altijd had gedaan, in al zijn herinneringen. Dingen uit de herinneringen van de jeugd waren altijd groter dan wanneer je er op volwassen leeftijd mee werd geconfronteerd, maar het was anders met het speelhuisje uit zijn jeugd.

'Erik?'

Hij hoorde de stem van zijn zus achter zich en draaide zich om.

'Ik zag je door het raam,' zei ze. 'Je stapte uit de auto en liep langs het huis rechtstreeks hiernaartoe. Is alles goed, Erik?'

'Wat bedoel je?'

'Je ziet er...' Ze stopte.

'Ik heb geen kater,' zei hij.

'Nee, nee, ik... Waarom sta je hier? Bij het speelhuisje?'

'Ik weet het niet,' zei hij.

Lotta Winter zat tegenover haar broer aan de keukentafel. Een vogel vloog tegen het raam en was verdwenen voordat hij had kunnen zien wat voor soort het was. Hij zou dat waarschijnlijk toch niet kunnen zeggen, maar een goudvink herkende hij, aan zijn rode borst.

'Misschien ben je te snel aan het werk gegaan,' zei ze.

'Twee jaar verlof is een hele tijd,' zei hij.

'Soms is het helemaal niets,' zei ze.

'Ik had er genoeg van om verlof te hebben,' zei hij.

'En hoe gaat het nu? Heb je het naar je zin op het werk?'

'Het is niet zo prettig sinds ik tinnitus heb gekregen,' zei hij.

'Dat zal niet verdwijnen zolang je doet wat je doet.'

'Ik kan ermee leven.'

'Kunnen anderen dat ook?'

'Wat bedoel je?'

‘Hoe lang kunnen anderen met je leven?’ vroeg ze. ‘Je bent veranderd.’

Hij gaf geen antwoord, keek uit het raam, zag het kleine huisje in de tuin.

‘Ik ben hiernaartoe gekomen voor het speelhuisje,’ zei hij na een tijdje.

‘Ik zag je.’

‘Ik probeer me iets te herinneren.’

‘Heeft dat met het speelhuisje te maken?’

‘Ik denk het. Ik droom erover.’

‘Heb je enig idee waar het over gaat?’

‘Nee.’ Hij keek haar aan. ‘Of misschien wel. Ik hoop het niet. Maar in dat geval is er iets met me gebeurd. Iets wat papa heeft gedaan.’

‘Wanneer?’

‘Toen ik klein was natuurlijk. Toen jij ook klein was.’

‘Niet zo klein als jij.’

‘Nee, ik ben altijd de kleinste geweest,’ zei hij.

‘Je hebt hier vroeger nooit over gepraat.’

‘Dat heeft misschien met het nieuwe onderzoek te maken,’ zei hij.

‘Ik zei toch dat je te snel aan het werk gegaan bent.’

‘Misschien is het goed,’ zei hij. ‘Misschien moet ik het te weten komen, uiteindelijk. Weten of het om... papa gaat. Of hij degene is over wie ik droom. Het lijkt erop.’

‘Je wilt weten wat er gebeurd is,’ zei ze.

‘Ja, wat er met mij gebeurd is.’

‘Als er iets gebeurd is,’ zei ze.

Hij gaf geen antwoord. De vogel was terug, met een vriendje. Het is niet goed om alleen te zijn. Alleen is zwak.

‘Aanranding,’ zei hij terwijl hij naar haar keek. ‘Het nieuwe onderzoek gaat misschien over aanranding.’

‘Ik wil het niet weten,’ zei ze.

‘Het speelhuisje,’ zei hij. ‘En mijn jongenskamer.’

Ze keek naar hem. Het is alsof ze me voor de eerste keer ziet, dacht hij. Alsof ik een monster ben, ineens een monster ben geworden.

‘Nee, nee, nee, nee,’ zei ze.

‘Ga je me nu vragen om te vertrekken?’

‘Nee, nee, nee, nee, Erik.’

Ze was overeind gekomen.

'Heb jij nooit iets vermoed?' vroeg hij.

'Hou je bek!'

'Ik denk dat er iets gebeurd is, maar ik herinner me niet wat het is,' zei hij. 'Iets gewelddadigs. Ik weet het niet zeker.'

'Kom maar terug als je het wel zeker weet!'

'Wil je dat echt?'

'Dat hangt ervan af!' riep ze, schreeuwde ze.

Hij ging staan.

'Je bent verdomme echt ziek,' zei ze. 'Hoe kun je dat zelfs maar denken, Erik?'

'Ik denk het niet. Ik droom het.'

'Zie je een gezicht in je droom?'

'Ik geloof dat het papa is. Maar het is voornamelijk de kamer, misschien het speelhuisje. En er komt iemand.'

'Wees verdomd voorzichtig met wat je denkt,' zei ze.

'Dat is alsof je zegt dat iemand voorzichtig moet zijn met wat hij droomt,' zei hij.

'Of waar je aan werkt. Voorzichtig met wat je doet met je leven,' zei ze.

'Uit de droom en in het leven,' zei hij. 'Dat is een zin uit een lied.'

'Een lied? Jij luistert toch niet naar liedjes? Jij luistert alleen naar jazzsolo's die dertig minuten duren.'

'Ik heb vorige week een cd gekocht,' zei hij. 'Een verzamelalbum.'

Ze waren weer gaan zitten. Hij zag nu drie vogels achter het raam, het gerucht had zich verspreid. Ze hadden verschillende kleuren, het waren verschillende soorten of hoe dat in vredesnaam heette, een andere verentooi, het kalmeerde hem.

'Ik geloof dat hij Michael Bolton heet. Heb je weleens van hem gehoord?'

'Michael Bolton?!'

'Ja. Ik heb een paar nummers op de radio gehoord toen ik naar ons strand reed. Voor één keer iets goeds binnen de popmuziek.'

'Maar jezus, Erik. Michael Bolton?'

'Goede stem, goede nummers, ziet er goed uit op de foto's. Sympathieke teksten, hij lijkt sympathiek. Wat is er mis mee? Is hij op dit moment niet in? Daar let ik niet op zoals je weet, het kan me niet schelen.'

Ze gaf geen antwoord. De vogels achter het raam waren weer weggevlogen. Ze keek naar hem. 'Weet Angela dit?' vroeg ze.

'Je klinkt alsof ik een misdrijf heb gepleegd.'

'Michael Bolton is nooit in geweest.'

'Mooi,' zei hij.

'Je bent uniek, Erik.'

'Dat is zijn tekst. Uit de droom en in het leven.'

Toen hij op het punt stond om in zijn auto te stappen zag hij aan de overkant van de straat een vrouw met een kinderwagen passeren. Hij wist niet of ze hem had gezien of deed alsof ze hem niet zag. Hij volgde de vrouw met zijn ogen terwijl ze de tuin van een van de villa's een eind verder in de straat in liep. Hij kende de naam van het kind, hij zou nooit kunnen ontsnappen aan de herinneringen, niet zolang hij terugkwam naar het huis van zijn zus, naar het huis van zijn jeugd, zolang ze hem toestond om terug te komen.

Terwijl hij langs de Hagenschool reed schoof hij Michael Bolton in de cd-speler, *Soul Provider*, de leverancier van de ziel, wat was daar mis mee, het was sympathiek. Hij zette het volume harder, als dit pop was, dan mochten alle popluisteraars gefeliciteerd worden, het was perfecte automuziek die hem de hele rit begeleidde, over de Oskarsleden en door de tunnel langs het centraal station naar het politiebureau, hij probeerde zijn hoofd met muziek te reinigen, een idioot volgens zijn zus, dat mocht.

Ik zei dat ik van je hield maar ik loog, zong Michael Bolton, het is meer dan liefde wat ik voel, ik zei dat ik van je hield maar ik loog, *said I loved you but I was wrong, love can never ever feel so strong*, wat was daar mis mee?

12

Winter had Mårten Lefvander gevraagd om 's ochtends thuis te blijven en Lefvander had daar gehoor aan gegeven. Hij stond in de deuropening te wachten toen Winter parkeerde, alsof hij daar de hele ochtend had gestaan.

'Het is verschrikkelijk,' zei Lefvander.

Het was niet zo'n koude ochtend. Er hing definitief voorjaar in de lucht, misschien iets meer, een belofte. Winter bedacht hoe het moest zijn om de nacht buitenshuis door te brengen, het was een koude nacht geweest. De jongen zou dat niet redden, niet als hij geen bescherming had. Maar waarom zou hij de nacht buitenshuis doorbrengen?

'Verschrikkelijk,' herhaalde Lefvander.

'Kunnen we naar binnen gaan?'

Binnen had Lefvander de jaloezieën niet opgehaald of opengedraaid. De zon probeerde toch door de kieren naar binnen te dringen, die was sterker dan tot nu toe in het jaar, krachtig, onkwetsbaar.

Winter zat op een leren stoel. Het rook naar geld in de kamer. Dat hielp de man tegenover hem op dit moment niet. Geld hielp nooit. Stel je voor dat mensen dat wisten. Gokbedrijven zouden over de kop gaan, net als de staatsloterijen. Criminelen zouden het goede pad op gaan.

'Waar kan hij zijn?' zei Lefvander.

'Dat weet jij waarschijnlijk beter dan wij,' zei Winter.

'Hebben jullie met zijn vrienden gepraat?'

'Degenen die we te pakken gekregen hebben. Degenen die we kennen.'

'Ik heb alles verteld wat ik weet,' zei Lefvander.

'Heb je alles over Bersér verteld?'

'Wat bedoel je daarmee?'

'Wie was Bersér?'
Lefvander gaf niet onmiddellijk antwoord, dat zou onmogelijk zijn, verdacht zelfs. Hoe vatte je een leven samen?
'Onmogelijk om hoogte van te krijgen,' zei de man na een tijdje.
Winter knikte bemoedigend, zo ongeveer als een interviewer, een journalist. Dit had echter niets met journalistiek te maken, dit ging om de waarheid.
'Ik snap niet... wat ze in hem zag.'
'Dat denken misschien alle mannen die afgedankt zijn,' zei Winter.
'Afgedankt? Wat is dat voor vreselijke uitdrukking?'
'Een oude,' zei Winter. 'Ik ben tien jaar ouder dan jij.'
'Afgedankt,' herhaalde Lefvander tegen zichzelf, waarna hij weer naar Winter keek. 'Je hebt het mis. Amanda ontmoette die vent nadat we gescheiden waren.' Hij verschoof op de bank alsof het leer brandde.
'Was je verrast?'
'Waardoor?'
'Bersér. Dat ze hem had ontmoet. Zo'n type.'
'Een type, ja. Hij was inderdaad een type.'
'Op welke manier?'
'Het is lastig om daar antwoord op te geven.'
'Geef me een voorbeeld.'
'Hij leek eigenlijk niet bijzonder geïnteresseerd in Amanda.'
'Was jij in staat om dat te bepalen?'
'Probeer je me te provoceren, hoofdinspecteur?'
'Is dat nodig?'
'Ze leek niet gelukkig, als ik het zo mag zeggen. We moesten elkaar tenslotte zien omdat we Gustav samen hebben.'
'Niet gelukkig?' vroeg Winter. 'Vertelde ze dat?'
'Niet tegen mij in elk geval.'
'Aan wie kan ze het verteld hebben?'
'Een van haar vriendinnen misschien. Hebben jullie met ze gepraat?'
'Daar zijn we mee bezig.'
'Wat een hoop gepraat, zo'n politiebaan,' zei Lefvander. 'Al die vragen.'
'Net als het advocatenberoep, neem ik aan.'

‘Vragen en antwoorden,’ zei Lefvander.
‘Niet zoveel antwoorden.’
‘Nee.’
‘Vandaag ook niet,’ zei Winter.
Lefvander keek naar Winter, de ogen van de man waren groen in het buitengesloten licht, als de ogen van een slang.
‘Ik heb ergens aan gedacht,’ zei Lefvander uiteindelijk. ‘Of eigenlijk níét aan gedacht. Niet aan willen denken.’
‘Heeft Gustav iets gezegd?’ vroeg Winter.
‘Weet je het?’ zei Lefvander.
‘Ja.’
‘Hoe kun je dat weten?’
‘Fantasie,’ zei Winter. ‘Intuïtie.’
Lefvander keek met zijn advocatenogen naar Winter. ‘Nee,’ zei hij. ‘Je fantaseert niet. Er zit iets anders achter.’

0

Ze hadden op de grasvelden en paden tussen de gebouwen gespeeld. De oudjes mopperden, maar daar trokken ze zich niets van aan. Het was leuk, hoewel het geen echt veld was. Het grote veld was altijd bezet, ook als er niemand speelde was het verboden om daar te komen.

Op een dag was er iemand gekomen die had verteld dat ze op het veld mochten, dat ze er mochten trainen. Een paar ouderen regelden de training, soms ook een volwassene, ze speelden voornamelijk met twee teams, maar het was grappig om op een echt veld met echte doelen te spelen.

Hij was goed, misschien was hij de beste. Dit was net een echte club, hij was nog nooit lid geweest van een echte club, dat gold voor iedereen daar. Degenen die de training verzorgden wisten dat niemand lid was van een echte club en dat ze daarom iets anders nodig hadden.

Pass de bal!

Schiet!

Goed zo!

Goed zo!

Het was voorjaar, aan het eind van april, en het was mooi weer, warm. Hij speelde in een korte broek, het grind schuurde zijn knieen stuk als hij probeerde te tackelen maar zijn trainer verzorgde ze, veegde het bloed weg. Er was ook een vrouw die hielp. Hij zag haar nooit tegen een bal schoppen.

Soms hield ze de hand van de man vast.

13

'De jongen was bang voor Bersér,' zei Winter terwijl hij bij de vergadertafel ging zitten. De kerngroep was verzameld, ook al zaten ze niet in een kring. We zouden een ronde tafel moeten hebben, dacht Winter, die ga ik bestellen. Het wordt gezelliger, zoals bij een Chinees restaurant, we kunnen een draaischijf in het midden zetten met foto's van degenen die vermoord zijn.

'Wat zegt zijn moeder ervan?' vroeg Halders.

'Niets.'

'Totale verdringing.'

'Je stopt nooit met je te verbazen,' zei Ringmar.

'Kalm maar,' zei Djanali.

'We zijn kalm,' zei Halders.

'Lefvander had vermoedens, maar hij wist het niet zeker,' zei Winter.

'Vermoedens zijn meestal voldoende.'

'Het kan levensgevaarlijk zijn,' zei Djanali.

'Zoals in deze zaak,' zei Halders.

'Wiens vermoedens zijn gevaarlijk?' vroeg Winter.

'Goede vraag.'

'Kent de jongen de moordenaar?'

'Is de jongen de moordenaar?' zei Halders.

'Een doodsbange jongen is op de vlucht,' zei Winter.

'Als hij nog leeft. Misschien is hij het vierde slachtoffer.'

'Het past niet in het patroon,' zei Ringmar.

'Er komt altijd een punt waarop iemand van het patroon afwijkt,' zei Halders.

'Is dat een metafoor?' vroeg Djanali.

'Nee.'

'Er is een patroon,' zei Winter. 'Misschien past de jongen niet in de plannen van de dader. In dat geval kan hij een probleem worden.'

'Waarom zou de dader zich daar iets van aantrekken?' vroeg Halders. 'Hij weet waarschijnlijk niet eens dat de jongen van huis is weggelopen.'

'Hij kent het gezin Bersér,' zei Winter.

'Jonatan Bersér, de bonusvader,' zei Halders. 'Welkom in de nieuwe familiehel, zoon van me.'

'Je oordeelt al,' zei Djanali.

'Is dat iets nieuws?'

'Waar is Gerda trouwens?' vroeg Ringmar.

'Op zoek naar informatie over gebaksdozen,' zei Winter.

Winter had de taartdozen serieus genomen. De technische afdeling had de grootste producenten vergeleken en de doos waarop de dader zijn letters had geschilderd behoorde tot een van de ongewonere alternatieven die werden geproduceerd door Paul Hall AB in Jönköping. Iets steviger, iets dikker, iets duurder, geschikt voor de klassieke banketbakkerijen in de stad, waar de klanten iets meer konden betalen. Zoals Winter.

Maar hoe moest iemand achter de toonbank zich dat in vredesnaam herinneren? Er kwamen honderden klanten per dag, alleen al in het centrum. De enige manier om hún klant te vinden was als hij naakt was geweest, of gekleed alsof hij van Mars kwam, of uit Jönköping, maar zelfs dat was niet altijd voldoende om de aandacht te trekken in een levendige, grote stad als Göteborg.

En nu stond Gerda Hoffner in de Korsgatan in banketbakkerij Ahlström anno 1901 en vertelde over het onderzoek aan een vrouw die misschien van haar eigen leeftijd was, aan de verkeerde kant van de dertig maar aan de goede kant van de veertig, de beste jaren voor iedereen die voldoende verstand had om dat te beseffen.

'Wanneer moet dat geweest zijn?' vroeg de vrouw. Ze heette Maja, dat stond op een klein plaatje boven haar linkerborst. 'Wanneer heeft de aankoop plaatsgevonden?'

'Dat is moeilijk te zeggen,' antwoordde Hoffner. 'Het eerste misdrijf heeft twee weken geleden plaatsgevonden.'

'Twee weken geleden,' herhaalde Maja aarzelend.

'Maar de dozen kunnen op elk moment gekocht zijn, het gebak in de dozen dus.'

'Het gebak in de dozen...'

Maja zag eruit alsof ze nadacht, of dat ze helemaal niet nadacht. 'Dozen,' zei ze nu. 'Hij heeft dozen gekocht.'

'Wie heeft dozen gekocht?'

'Hij heeft een taartje gekocht, en meerdere grote dozen,' zei Maja. Ze zag er bang uit, alsof ze de duivel een hand had gegeven, of zijn geld had aangenomen. Ze keek naar haar hand alsof die zwart zou worden.

Het was zo'n moment dat alleen in de realiteit plaatsvindt.

'Dat is misschien een maand geleden,' zei Maja.

'Hoe zag hij eruit?' vroeg Hoffner.

'Waarom is dat belangrijk?' vroeg Amanda Bersér.

Na al die jaren geloof je soms nog steeds je oren niet, dacht Ringmar.

'Het gaat om deze zaak,' zei Winter geduldig. 'Je man.'

'Gustav heeft daar niets mee te maken,' zei ze.

Ze zag er bang uit. Ringmar boog zich voorover, misschien om een beetje dreiging uit te stralen.

'Was Gustav bang voor zijn stiefvader?' vroeg Ringmar.

'Nee, nee, nee.'

Dat was twee keer nee te veel. Ringmar keek naar Winter, Winter keek naar Amanda Bersér, die naar de tafel keek. Er was daar niets te zien, zelfs geen spiegelbeeld. Het was lang geleden dat tafelbladen reflecteerden, dacht Ringmar. Dat was in mijn jeugd.

'Wat deed hij?' zei Ringmar. Zijn stem klonk scherper dan de bedoeling was. Zijn hart sloeg harder dan de bedoeling was, zijn pols versnelde.

Ze zag er nu echt bang uit.

'Bertil...' zei Winter.

'Je weet wat hij deed,' zei Ringmar. 'Waarom zwijg je daar verdomme over?'

'Bertil!' riep Winter.

Ze was gaan staan, haar gezicht was wit als een doek. Het ging om Bertil, niet om haar, niet om haar zoon of de moordenaar van haar man. Bertils nachtmerries zouden haar kunnen breken, ze kon het er niet bij hebben. Ze keek naar Winter.

'Neem ons niet kwalijk,' zei Winter waarna hij Ringmar uit de stoel, over de vloer, door de hal, door de deuropening naar de auto trok.

'Is dit gepland?' zei Ringmar. Hij leek onder invloed van drugs, zijn lichaam was week, geschokt.

'Ga zitten en houd je mond,' zei Winter terwijl hij het portier met zijn linkerhand opende.

De zee was een spiegel. Er lag nog steeds ijs in de baaien, het was ongelofelijk, het was bijna Pasen en de zee was bevroren.

Winter keilde een steentje, een-twee-drie-vier-vijf. De steen vloog als een vogel naar het open water.

Het zand knarste onder hun schoenen. Het strandgras was als gesponnen ijs, met een eigenaardig groene kleur die alleen vandaag uniek was. De stenen waren koud in hun handen. Ringmar gooide onbeholpen, maar dat was altijd zo met de eerste.

Ringmar dacht dat Winter zijn stuk strandgrond zo wilde hebben, precies zo, en misschien het liefst in dit jaargetijde, als alles een belofte inhield van een beter leven, een warmer leven.

Winter gooide een-twee-drie-vier-vijf-zes-zeven-acht-négen.

'Zag je dat, Bertil?'

'Je bent geweldig.'

Winter bukte zich naar een nieuwe steen en kwam weer overeind.

'Hoe voel je je nu?' vroeg hij.

'Dat gaat je geen donder aan.'

'Het heeft ook met mij te maken,' zei Winter.

'Ik weet het.'

'We kunnen niet opgeven.'

'Nee.'

Winter gooide de steen, een mislukte worp, hij verdween halverwege.

'Weet je dat het die steen tien miljoen jaar heeft gekost om het land te bereiken, en jij hebt hem binnen tien seconden weer in het water gegooid,' zei Ringmar.

'Dat is mijn opmerking,' zei Winter.

'Ik kan huilen als ik daaraan denk.'

Winter draaide zich naar Bertil, zijn mentor, zijn vader, zijn collega, zijn kameraad.

'Je bent onschuldig, Bertil.'

'Jonatan Bersér is niet onschuldig.'

'Dat weet iedereen,' zei Winter.

'Waarom zoveel leugens? Waarom wordt er altijd zoveel gelogen?'

'Anders zouden wij werkloos zijn, Bertil.'

Ringmar lachte. Het geluid vloog als een steen over het water. Hij zou niet terugkomen.

'Het zijn de leugens waaraan je uiteindelijk onderdoor gaat,' zei hij. 'Net als de stenen.'

'Het zijn de mensen,' zei Winter. 'Het zijn altijd de mensen, er is niets anders.'

'Zijn die als stenen?'

Winter gaf geen antwoord. Er was geen kant-en-klaarantwoord. Tijdens zijn lange carrière had hij mensen ontmoet met ogen als stukken steenkool. Hij had echter ook mensen ontmoet met diamanten als ogen, stukken steenkool die diamanten waren geworden. Het was fantastisch als dat gebeurde. Dat was alles waard.

'Het voelt alsof we op zijn volgende stap wachten,' zei Ringmar.

'Dan lopen we een stap achter,' zei Winter.

'Nee, nee.'

'Zijn haat zal hem de das omdoen,' zei Winter.

'Misschien hadden Robert en Matilda en Jonatan een connectie in hun jeugd,' zei Ringmar.

'Misschien waren ze er niet allemaal bij betrokken.'

'Op een bepaalde manier waren ze dat wel. Dat denk ik. In elk geval zwegen ze erover, allemaal.'

'Moet je gestraft worden omdat je zwijgt?'

'Dat kan net zo'n grote misdaad zijn.'

'De straf is net zo groot.'

'Ja, net zo streng.'

'Ergens zijn alle antwoorden,' zei Winter.

'Is dat de plek die hij probeert te spellen?'

'Dat weet ik niet zeker, Bertil.'

'Wat heeft die onzin dan voor nut?'

Winter woog een steen in zijn hand. Hij had een perfecte vorm voor een recordworp.

'Die moet ons verder leiden,' zei hij.

'Naar de juiste plek?'

'Ja.'

'En wat gebeurt daar?'

Winter gooide. De steen danste als een vlinder over het koude wateroppervlak, alsof hij op weg was naar een warmer land waar een vlinder kon overleven. De dans ging door boven de baai, ver weg in de zon.

'Jezus,' zei Ringmar. 'Niemand kan die worp herhalen. Geen man die door een vrouw is gebaard.'

'Dat vereist in elk geval een keizersnede,' zei Winter.

'Macbeth,' zei Ringmar.

'Macduff is met een keizersnede geboren,' zei Winter.

'Dat weet ik ook wel, verdomme.'

'Niemand gelooft dat smerissen zo ontwikkeld kunnen zijn als wij,' zei Winter.

'Wat gebeurt er op de plek der plekken, Erik?'

'Ik weet alleen dat ik daar zal zijn,' zei Winter en hij begon over het strand te lopen. Hij wist niet of hij hier terug zou komen. Zijn leven zou weer gevaarlijk worden.

14

Hoffner en Winter verhoorden banketbakkerijverkoopster Maja, wier achternaam Åkesdotter was. Åke is een van de oudste oud-Noorse namen, dat wist hij, misschien de alleroudste, Odens zoon Tor heette eigenlijk Åke-Tor, de naam betekende reiziger, dus een reiziger die reist om de hoofden van priesters in Frankrijk en Ierland af te hakken.

Ze zaten in Winters kantoor. Winter had nog steeds zand aan zijn schoenen. Hij had de geur van de zee mee het kantoor in genomen, maar de twee anderen leken dat niet te ruiken. Hij had een steen in zijn broekzak, hij zou hem ver over het wateroppervlak keilen als hij de volgende keer op het strand was, als hij opnieuw in veiligheid was.

'Ik weet niet waarom hij me opviel,' zei Maja Åkesdotter. 'Dat kwam waarschijnlijk door de dozen.'

'Is het ongewoon dat mensen lege dozen kopen?' vroeg Hoffner.

'Ja... dan moeten ze ze zelf vouwen.'

'Uiteraard,' zei Winter.

'Wat heeft hij gedaan?' vroeg Maja Åkesdotter.

'We weten nog niet wie het is,' zei Winter. 'Jij kunt ons helpen.'

'Ik kan me de taart niet herinneren,' zei ze. 'Ik herinner me de dozen.'

'Dat is goed.'

'Ik herinner me jou ook,' zei ze. 'Je komt altijd koffiedrinken met een oudere man.'

Een oudere man. Hij zou het bandje aan Bertil laten horen, of misschien was dat te gemeen, nee, dat hinderde niet, hij was zelf ook bijna oud.

'We komen er inderdaad vaak,' zei Winter. 'Is de man van de dozen eerder in de bakkerij geweest?'

'Voor zover ik weet niet.'
'Zou je hem herkennen als je hem zag?'
'Misschien...'
'Wat zou je herkennen?'
'Zijn haar. Zijn haar leek op zand,' zei ze.

Winter en Ringmar zaten diezelfde middag bij Ahlström. Ze zagen niemand met zandachtig haar. Maja werkte vandaag niet. Ze had er uitgeput uitgezien na het verhoor, dat deden ze allemaal, ook de eerzame mensen. Ringmar had zand aan zijn schoenen, er lag zand op de vloer rond de tafel, ook onder Winters stoel. Het was particulier zand, niet veel mensen konden daarover opscheppen, het had dit zand maar krap een uur gekost om van de scherenkust naar de Korsgatan te komen, met de snelheid van de natuur zou het vijftig miljoen jaar gekost hebben.
'Is dat onze dader?' vroeg Ringmar.
'Ja.'
'Waarom Ahlström? Toeval?'
'Nee.'
'Heeft hij ons geobserveerd?'
'Ja.'
'Hij wilde dat we het zouden weten.'
'*Absolutamente*.'
'Brutale klootzak.'
'Zowel het een als het ander.'
'Hij wil zich laten zien,' zei Ringmar.
'Hij wil bevestiging.'
'Van ons? Iedere klootzak die een ernstig misdrijf pleegt krijgt bevestiging van ons!'
Winter keek naar zijn tompoes. Hij had hem nog niet aangeraakt, hij zou hem waarschijnlijk niet aanraken, de bestelling was een traditie. Bertil had zijn gebakje ook niet aangeraakt, maar zou dat wel doen. Daarin verschilden ze, ze hadden verschillende temperamenten.
'Hij wil laten zien dat hij geen klootzak is. Hij is een slachtoffer.'
'Dat houdt heel vaak verband met elkaar,' zei Ringmar.
'Hij kan te dichtbij komen,' zei Winter.

'Daar heb ik ook aan gedacht. De definitieve bevestiging.'

'Drie doden, dat is immens. Dat wordt in de leerboeken een seriemoordenaar genoemd.'

Djanali en Halders verhoorden Lasse Butler, een collega van Jonatan Bersér op de Johannebergsschool. Ze hadden inmiddels twee vermoorde leraren. Ze zaten in een café in de buurt, alles kwam van Delicato, niets was *a casa*. Halders at een mergpijp die smaakte naar rum die was uitgepist door een dode slaaf in de Dominicaanse Republiek.

'Had hij veel vrienden?' vroeg Djanali.

'Hij hield zich waarschijnlijk voornamelijk afzijdig.'

'Waarschijnlijk?'

'Ik weet het niet,' zei Butler.

Hij was sportief, zoals Bersér. Halders hield daar niet van. Hij was ook sportief, maar mensen die tien tot vijftien jaar jonger waren zagen er sportiever uit, en dat was niet juist. Halders bleef in beweging, hij was niet van marsepein, zoals de smerige mergpijp die hij half opgegeten had laten liggen op het bord dat zo versleten was dat het eruitzag alsof er door armen aan geknaagd was. Hij moest Winter herinneren aan de voetbalwedstrijd van Korpen, de inschrijftermijn sloot over een paar dagen, maar misschien moest hij het team inschrijven zonder het te overleggen. Butler zag eruit als een middenback, misschien had hij in een lagere klasse gevoetbald, Bersér had misschien ook gevoetbald.

'Voetbalde Bersér?' vroeg Halders.

'Ehh... ja, dat geloof ik wel.'

'Bij welke club?'

'Dat weet ik niet.'

'Praatte hij daarover?'

'Nee.'

'Hoe weet je het dan?'

'Ik geloof dat iemand anders er iets over gezegd heeft.'

'Iemand heeft er iets over gezegd? Wie?'

'Dat... kan ik me op dit moment niet herinneren.'

'Wat zei diegene?'

Butler gaf niet meteen antwoord. Hij staarde naar zijn mergpijp.

Hij was slimmer dan Halders en had hem niet aangeraakt. Hij had ook niet in zijn koffie geroerd, had nauwelijks bewogen.

'Trainde hij een team?' vroeg Halders.

'Tja... misschien was het zoiets.'

'Kom op,' zei Halders. Dit was belangrijk. Hij voelde het aan zijn penis, dat was altijd waar hij het voelde als er iets anders was, iets belangrijks, als een spies van ijs recht door het vlees, hij had nooit geprobeerd het uit te leggen, aan Aneta bijvoorbeeld, en zelfs niet aan een andere man. 'Vooruit,' herhaalde hij.

'Is het belangrijk?' vroeg Butler.

Dat gaat je geen donder aan, verdomde bediende, dacht Halders terwijl hij naar de man staarde en zich naar voren boog. Zie je mijn ogen, mijn armen?

'We weten niet wat belangrijk is,' hoorde hij Aneta pedagogisch zeggen. 'Alles kan belangrijk zijn.' Het was geklets, maar het was goed geklets, nieuw misschien voor meneer de leraar, een levensles.

'Is het geheim?' vroeg Halders. Verdomd pedagogisch, ik weet het, ik was die dag op de politieacademie ziek, ik was altijd ziek als er geen vechtsport op het rooster stond.

'Nee... waarom zou het geheim...'

'Je aarzelt.'

'Ik herinner het me gewoon niet.'

'Wat herinner je je niet?'

Butler keek naar Halders alsof hij niet goed bij zijn hoofd was. Halders probeerde het opnieuw. 'Wie heeft verteld dat Bersér een team trainde?'

'Ik weet niet eens of dat zo was.'

'Wie vertelde het?'

'Dat... herinner ik me op dit moment niet. Als ik mag nadenken...'

'Goed, denk maar na,' zei Halders terwijl hij overeind kwam. 'Wij gaan intussen een stukje lopen.'

De stapel op zijn bureau was niet zo hoog. Hij pakte een van de VHS-banden. Er lagen ook nog vier of vijf cd's op de tafel. Een man van de technische afdeling had de apparatuur in zijn kantoor aangesloten, hij wilde in zijn kantoor zijn.

Zijn mobieltje ging over.

'Hallo, Angela.'
'We verlangen naar je,' zei ze.
'Je gaat recht op je doel af.'
'Geneer je je?'
'Ja, een beetje.'
'Bij ons is het al voorjaar,' zei ze.
'Dat wordt het derde Spaanse voorjaar dat ik meemaak,' zei hij.
'Zeg niet te veel.'
'We hebben hier alles onder controle.'
'Dat klinkt heel slap.'
'Wat kan me ervan weerhouden om te vertrekken?'
'Wat doe je op dit moment?'
'Thuisbioscoop.'
'Thuisbioscoop?'
'We hebben familiefilms van de gezinnen van de slachtoffers verzameld.'
'Oké.'
'Ik moet nog beginnen met kijken.'
'Je krijgt Elsa,' zei ze.
Hij wachtte, hoorde het geruis en gebruis door de Europese lucht, dacht plotseling aan zijn oren, maar hij had er de hele dag nog geen last van gehad, dat was fantastisch.
'Hallo, papa!'
'Dag meisje.'
'Wanneer kom je hiernaartoe?'
'Binnenkort, dat weet je toch?'
'Beloof het!'
'Ik beloof het. Wat doe je vandaag?'
'We hadden vrij!'
'Waarom dat?'
'Ik weet het niet. We gaan naar het strand.'
'Gaan jullie zwemmen?'
'Je bent niet goed bij je hoofd!'
'Keil je een steen voor me?'
Ze was inmiddels meer Spaans dan Zweeds, Angela had verteld dat Elsa en Lilly het liefst Spaans praatten.
'Oké,' zei ze. 'Wat voor kleur?'

‘Wit,’ antwoordde hij.
‘Er zijn geen witte stenen, papa.’
‘Er zijn meer stranden. Jullie moeten allemaal zoeken.’
‘Net als jij doet,’ zei ze. ‘Heb je die gemene man al gevonden?’
‘Er zijn er waarschijnlijk meer, meisje,’ zei hij. Daarna wilde hij er niet meer over praten, niet nu, nooit.

15

Terwijl Lasse Butler nadacht, liepen Halders en Djanali een rondje door Johanneberg, de wijk die deels een oase midden in het centrum was.

'Hier zou je misschien moeten wonen,' zei Djanali.

'Wat is er mis met Lunden?'

'Niets,' zei ze. 'Ik dacht ineens dat...'

'Je dacht ineens dat je een huis wilt hebben dat vanaf het begin ons gezamenlijke huis is,' onderbrak Halders haar. 'Een nieuw huis. Een nieuw leven.'

'Je bent een psycholoog van wereldklasse,' zei ze.

'Ik ben niet dom,' zei hij. 'In tegenstelling tot Butler.'

'Hij is niet dom.'

'Oké, hij probeert zich van de domme te houden.'

'Het ligt gevoelig,' zei ze. 'Het is meer dan herinneren.'

'Zijn vriend Bersér is verdomme dood,' zei hij.

Lasse Butler had geprobeerd na te denken, maar hij herinnerde zich geen naam of gezicht. Hij herinnerde zich iets anders.

'Het was een jeugdteam,' zei hij. 'Of een pupillenteam.'

'Dat is een groot verschil,' zei Halders.

'Wat maakt dat uit?' zei Butler. 'Voor dit?'

'Wat maakt het uit dat de aarde om de zon draait?' zei Halders.

'Wat?'

'Welke club was het?'

'Dat weet ik niet.'

'Wat weet je verdomme wel?'

'Fredrik,' zei Djanali.

'Waar trainde Bersér die pupillen? Op welke plek?'

'Dat... weet ik ook niet.'

'Heb je het uit je duim gezogen, Butler?'

'Nee... iemand zei het... een keer.'

'Je wordt hartelijk bedankt,' zei Halders.

Butler keek met een donkere blik in zijn ogen naar de hoofdinspecteur, maar hij stond niet op om hem een klap in zijn gezicht te geven. Dat zou ik gedaan hebben, dacht Halders. Ik zou dit nooit geaccepteerd hebben. Hij keek naar Aneta. Ze maakte de bijna onmerkbare beweging met haar hoofd die 'nu moet je ophouden' betekende, maar die in andere culturen een bevestiging was, in India meende hij zich te herinneren, Zuid-India, niet omdat hij daar was geweest, maar Aneta had dat een keer verteld toen ze hem opleidde, ze had de beweging gemaakt als een echte Zuid-Indiase, hoewel ze een Burkinese was.

'Met wie kunnen we nog meer praten?' vroeg Djanali.

'Ik weet het niet,' zei Butler.

'Is dat je standaardantwoord aan je leerlingen?' vroeg Halders.

'Ga naar buiten, Fredrik,' zei Djanali.

'*Avec plaisir, mon amour*,' zei Halders, waarna hij de straat op liep en het parfum van Johanneberg inhaleerde van een vuilniswagen die met een stationair draaiende motor voor de banketbakkerij stond. Hij keek op de klok, die klootzak stond hier al minutenlang de lucht te verpesten. Hij kon naar hem toe gaan om hem zijn huid vol te schelden. Dat wilde hij en tegelijkertijd niet. Hij voelde zich goed en tegelijkertijd niet. Hij miste Aneta naast zich, als levensgezel, ha! Misschien had hij een soort medicijn nodig. Hij had lichaamsbeweging nodig, veel lichaamsbeweging, dat was kalmerend. Waarom wilde Winter in vredesnaam niet meedoen aan het voetbaltoernooi? Dat was goed voor iedereen, Erik had het ook nodig, iedereen op deze verdomde aarde die om deze verdomde zon draaide had het nodig. Iedereen zocht zijn oase, het voetbalveld was zijn oase, met het fantastische geluid van kraakbeen tegen been, de heerlijke kameraadschap, de verbondenheid, de euforie als zijn team een doelpunt maakte, iedereen streefde naar dat gevoel.

Aneta kwam de banketbakkerij uit lopen. Misschien zat Butler binnen te huilen.

'Ja?'

'Ik denk dat je met iemand moet praten, Fredrik.'

‘Ik heb net met die vent daarbinnen gepraat.’
‘Dat is het probleem.’
‘Het is een verhoortechniek.’
‘Probeer het niet nog eens.’
‘Heeft hij iets verstandigs gezegd nadat ik hem een beetje had geprovoceerd?’
‘Op een bepaald moment vertelde hij dat Bersér met kinderen werkte, een team trainde, als het een team was.’
‘Als het een team was?’
‘Zoiets was het, zei hij. Misschien waren het alleen een paar kinderen.’
‘Aha.’
‘Hij zei dat hij verbaasd was dat hij zich er iets van herinnerde.’
‘We zijn allemaal verbaasd. De hele wereldbevolking is verbaasd.’
‘Het is belangrijk, Fredrik.’
‘Denk je dat ik dat niet begrijp? Beledig me niet. Dit is waarom ik me zo verdomd betrokken voel. Ik voel het helemaal tot in mijn ballen.’

Winter zag een leven op het scherm, een ander leven, gelukkiger. Het was een huis waar hij nog niet was geweest. Robert en Linnea Hall waren buiten, binnen, samen met hun kinderen Tyra en Tobias, ze waren jonger, ouder, weer jonger, de videobeelden bewogen met de spelers mee, een sprong hiernaartoe, een sprong daar naartoe, een soort stomme film en onbewust grappig, ook al was er niets grappigs aan, alleen verloren jaren, zinloze jaren. Nee, dat was niet waar. Niemand in het gezin op de films wist wat hun te wachten stond, de totale onwetendheid over de toekomst was Gods grote gave aan de mensheid. Als we wisten wat ons te wachten stond, zouden de meesten van ons zich verhangen. Hij aarzelde daar niet over. Hij was snel vertrokken bij de enige waarzegster die zijn hand had geprobeerd vast te pakken.

Hij bekeek de films nog een keer, het waren er niet veel. Er waren gezinnen die alles van elk wakker uur in hun leven vastlegden, en zelfs de slapende uren, hij had door de jaren heen films van de slapende kinderen van mensen gezien, het voelde altijd als een aanranding. Hij had films gezien van dode kinderen, hij zou dat opnieuw doen zolang hij op misdadige mannen en vrouwen jaagde. Hij had whisky nodig als hij zulke beelden zag, hij moest vluchten. Het was niet goed, maar het was noodzakelijk.

Het gezin Hall had zich tevredengesteld met weinig bewegende beelden van hun gezamenlijke leven, alsof ze hadden geweten dat het snel voorbij zou zijn. Er stonden niet veel vrienden op de beelden, een paar oudere mensen van wie Winter vermoedde dat het een opa en oma waren, hij had hun namen in het onderzoeksrapport genoteerd, maar hij zocht naar andere gezichten, van een kind, van een vriend; hij zag er meer en zou het zich herinneren als hij naar andere gezichten in films over het leven van anderen zocht, het was een hels karwei.

In het gezin Winter-Hoffmann was nooit gefilmd, Angela had het begrepen, Elsa en Lilly hadden er niet naar gevraagd. Ze hadden foto's, dat was beter, niets bewoog, de tijd was op een betere manier stil blijven staan, minder gruwelijk, beter voor de herinneringen, misschien ook voor de toekomst.

Er waren films van zijn eigen jeugd, ze lagen ergens in Lotta's woning in Hagen. Hij had ze al dertig jaar of nog langer niet gezien, iets had hem tegengehouden, maar dat iets begon nu naar boven te komen, kroop door zijn keel naar zijn hersenen, nam zijn leven over, verpestte wat er was geweest.

Hij schoof een nieuwe film in het apparaat. Het beeld flikkerde en fladderde alsof de filmer dronken was. De beelden werden helder, maar de kleuren waren versleten, als in de jaren tachtig of negentig, het was een film van het gezin Bersér, het óúde gezin, waarin Jonatan de zoon des huizes was. Daar was hij, net boven de twintig, een knappe jongen, hij speelde op het grasveld voor de villa in Påvelund met een paar jongens van dezelfde leeftijd, hij zag Robert Hall niet, zo eenvoudig was het nooit, en geen vrouwen, geen Matilda Cors. Ze schopten een bal naar elkaar toe. Een paar jonge jongens kwamen achter het huis vandaan rennen met een bal, ze renden langs de groep oudere jongens, pakten hun bal ook af, ze werden opgejaagd, lachten allemaal uitbundig, verdwenen uiteindelijk achter het huis. Winter spoelde de film terug, bestudeerde de gezichten van de tien- tot twaalfjarige jongens, het waren er vijf, wat deden ze daar?

Ringmar en Winter stonden voor de stenen villa in Påvelund, een van de vele die in de jaren veertig waren gebouwd, vier kamers, een garage en een hobbyruimte in de kelder.

'Er waren mensen die de sociaaldemocraten trotseerden,' zei Ringmar. 'Een villa bouwen, dat was contrarevolutionair. Dat is het nog steeds.'

'Ben jij geen sociaaldemocraat, Bertil?'

'Dat heeft er niets mee te maken.'

'Dwaal je af van het marxisme-leninisme?'

'Niet meer dan jij, Erik.'

'Ik was altijd te jong,' zei Winter. 'Ik was te jong voor Le Duc Tho.'

'En ik was te oud.'

'Ik dacht het niet.'

'Ik had zelfs een Vietcong-teken op mijn jas,' zei Ringmar. 'Toen ik niet in dienst was, bedoel ik.'

'Als je dat op je uniform had gehad, dan was je door je eigen troepen in je rug geschoten.'

'Dat ben ik toch.'

'Dat is een van de dingen die ik in je bewonder, Bertil.'

'Dat ik in mijn rug geschoten ben?'

De deur ging open voordat Winter nog iets kon zeggen.

De man in de deuropening was een zeventiger met wit haar, hij leek in een goede conditie te zijn. Zijn stem had vast geklonken toen Winter hem vanaf het bureau had gebeld.

'Zijn jullie de rechercheurs?' vroeg hij.

'Hoofdinspecteur Erik Winter,' zei Winter terwijl hij zijn legitimatie toonde, 'en dit is mijn collega Bertil Ringmar.'

'Kom maar binnen,' zei de man terwijl hij een gebaar naar de hal maakte. 'Ik ben bang dat mijn vrouw er niet is.'

Winter knikte.

'Ze... kon het niet aan,' zei Gunnar Bersér.

'Dat begrijpen we,' zei Winter.

'Hoe kan zoiets gebeuren?' zei Bersér. 'Waarom gebeurt het?'

'Dat vragen wij ons altijd af,' zei Ringmar. 'We proberen antwoorden te vinden.'

'Lukt dat?'

'Niet alle antwoorden. Maar we vinden bijna alle daders.'

Bersér hield de krant omhoog die hij in zijn hand had gehouden toen hij de deur opende. 'Hebben jullie de kranten gezien? Ze schrijven over niets anders. Hebben jullie het gezien?'
'Dat proberen we te vermijden,' zei Winter.
'Hoe kunnen jullie dat vermijden?'
'Zullen we naar binnen gaan?' vroeg Winter.

Gunnar Bersér keek met een gespannen blik in zijn ogen naar de bewegende beelden, alsof hij een film zag over een verleden dat hij voor altijd achter zich had gelaten, en waarvan hij nooit had gedacht dat hij het opnieuw zou moeten beleven; de tijd was niet langer dezelfde, ze waren niet langer gelukkig, onschuldig, vereeuwigd in een betere tijd. De jongen die met zijn vrienden dolde was nog steeds Gunnars zoon, maar alles bevond zich nu in het verleden, en zelfs daar kon hij niet naar terugkeren. Winter had het vaak gezien: de familieleden van geweldslachtoffers hadden geen plek om naar terug te keren omdat het heden voorbij was, het verleden verbrijzeld en de toekomst wanhoop was. De tijd heelde niets en had dat nooit gedaan.
Bersér keek op. 'Ik herinner me daar niet veel van,' zei hij.
'Wie filmde er?' vroeg Winter.
'Dat was ik waarschijnlijk. Marianne filmde nooit.' Hij keek weer naar het scherm. Dat was nu zwart, met een gouden streep van het raam achter de televisie. 'Ze had geen zin om het te leren.'
'Herken je de andere jongens? Degenen van Jonatans leeftijd?'
'Ja... één, denk ik. Peter Mark... Ik heb hem niet meer gezien sinds Jonatan uit huis ging.'
'Weet je waar hij woont?'
'Nee... ja... ik weet waar zijn ouders woonden. Ik geloof dat ze daar nog steeds wonen. We hebben elkaar een keer in de Konsum in Käringberget gezien.'
'Hoe kende Jonatan Peter?' vroeg Ringmar.
'Hoe... tja, ze waren vrienden.'
'Wat deden ze samen?'
Bersér maakte een gebaar naar het dode televisiescherm. De gouden streep was nu ook weg. Het enige wat over was, was het spiegelbeeld van de man, als een bleek spook. Zijn ogen zagen er levenloos

uit toen hij zich naar Winter en Ringmar omdraaide. Het is meer dan verdriet, dacht Winter toen hij de blik van de man ontmoette, het is iets anders, groter en erger.

'Ze voetbalden,' zei Bersér.

'Bij welke club?'

'Jonatan zat niet bij een club,' zei Bersér.

'Is hij bij een club geweest?'

'Nee.'

'Waarom niet?'

'Is dat belangrijk?'

'Is hij als jongen lid van een voetbalvereniging geweest?'

'Nee.'

'Toch hield hij van voetbal.'

'Ja.'

'Mocht hij dat niet?'

'Wat? Van wie niet?'

'Van jullie?'

'Nee, nee. Waarom zou hij dat niet gemogen hebben?'

'Wanneer heb je je zoon voor het laatst gezien?' vroeg Winter.

Bersér gaf niet meteen antwoord. Hij keek weer naar het scherm, alsof de beelden van het verleden met een antwoord zouden komen. Maar Winter wist dat alleen de schaduwen naar de toekomst terugkeerden, verschrikkelijk lange schaduwen.

'Dat... is een tijd geleden,' zei Bersér.

'Wat is er tussen jullie gebeurd?'

'Niets.'

'Wie waren die jongens?' vroeg Ringmar.

'Wat?'

'Die jonge jongens op de film. Wie waren dat?'

'Dat weet ik niet. Ze kwamen waarschijnlijk gewoon ergens vandaan. Er waren destijds veel kinderen in de buurt. Ze renden van de ene tuin naar de andere.'

'Waar kwamen ze vandaan?'

'Dat weet ik niet.'

'Heb je het Jonatan gevraagd?'

'Waarschijnlijk wel.'

'Wat antwoordde hij?'

'Dat weet ik niet meer, dat is zo lang geleden.'
'Denk je dat je het je kunt herinneren?' vroeg Ringmar.
Bersér gaf geen antwoord.
'Wanneer heb je ze voor het eerst gezien?'
'Sorry?'
'De jongens. Het was waarschijnlijk niet de eerste keer dat ze bij jullie waren.'
'Jawel, dat denk ik wel.'
'Hoorden ze bij een vereniging?'
'Dat weet ik niet.'
'Dezelfde vereniging als Jonatan en zijn vrienden?'
'Dat... zou kunnen,' zei Bersér.
'Kan hij bij een vereniging geweest zijn zonder dat je dat wist?'
'Hij was in de twintig,' zei Bersér. 'Hij was volwassen.' Zijn blik gleed weer naar het televisiescherm. Hij bewoog zijn lippen alsof hij iets aan zichzelf uitlegde.
'Waar is je vrouw op dit moment?' vroeg Winter.
'Wat?'
Winter herhaalde de vraag.
'Ik weet het niet,' zei Bersér.
'Blijft ze lang weg?'
'Ik denk het wel.'

Er brandde nog licht op het Vasaplein, ver voorbij alle fatsoensgrenzen. Hij was inmiddels gewend aan de duisternis, de lange dagen bemoeiden zich op een onvriendelijke manier met hem, vooral als de zomertijd was ingegaan, het was nu zomer maar de temperatuur was onder nul en de sneeuw lag in een decoratieve krans rond de obelisk.
Winter zat thuis en keek op zijn laptop naar de video. Hij spoelde de film van Bersérs tuin vooruit en weer terug, alle gezichten waren nu bekend, de kleine, de grote.
Na de derde keer afspelen deed hij een ontdekking.
De cameraman draaide de camera naar de plek waar de tienjarige jongens kwamen aanrennen, maar hij deed dat voordat ze zichtbaar waren. Hij wachtte. Bersér had de camera vastgehad. *Ze kwamen waarschijnlijk gewoon ergens vandaan*, had hij een paar uur eerder gezegd. Hij had echter geweten dat ze er waren.

Winter pakte het glas met Bruichladdich en inhaleerde de geur van Islay en de herrezen distilleerderij. Hij was in een andere tijd op het eiland geweest, dronken van zee en turf en wind en heide en gerst en ijswater, een toestand waarin hij zich altijd zou kunnen bevinden, hij hoefde alleen een glas op te pakken, of een reis te boeken, of naar zijn eigen strand te rijden waar bijna alles al was.

Winter haalde de cd eruit en stopte er een nieuwe in, de film uit de woning van het gezin Hall in het godvergeten Borås.

Er was iemand jarig. Hij zag een jonge Robert Hall en een stuk of twintig anderen, daar moest hij later zorgvuldiger naar kijken, een jonge vrouw die Linnea kon zijn, een ouder stel, haar ouders, het huis was de woning waar ze nu met de kinderen woonde, haar of zijn ouderlijk huis, waarschijnlijk van haar omdat de oudjes daar waren, jezus, ze hadden ongeveer dezelfde leeftijd als hij nu had, ruim vijftig, maar ze zagen er ouder uit, misschien was het de tijd, of zijn lichamelijke gesteldheid, of het levenswater dat hij nu naar zijn mond bracht en waar hij een voorzichtige slok van nam, alleen een inademing, voordat hij het glas neerzette en probeerde zijn blik te richten op wat er op de achtergrond gebeurde, op een weiland links van het huis, achter een lage heg: een beweging, heen en weer, een bal, een paar gestalten.

Het was lastig om te zien. Er gebeurde iets op het weiland. Een spel, misschien voetbalden ze. Hij speelde het fragment nog een keer af, maar alles vond in de verte plaats. De technische afdeling moest het voor alle zekerheid bekijken. Hij spoelde naar het volgende fragment op de cd. Een andere tijd. Twee fietsende kinderen, het waren Robert Halls kinderen, ze lachten naar de camera, lachten, gelukkig, gelukkig. Hun moeder bukte zich en lachte naar de camera, Linnea was gelukkig. Het was zomer, de zon scheen, de hele wereld was gelukkig.

Daarna werd het scherm weer zwart. Het was inmiddels donker in de kamer, de echte avond was eindelijk gearriveerd, de valse was geabsorbeerd door de hemel. Winter zette de laptop op de houten vloer, stond op, liep naar de muziekinstallatie en zette de cd van Michael Bolton weer aan, '*How am I supposed to live without you?*', dat was een goede vraag, relevant. Michael had goed werk geleverd. Hij had inmiddels begrepen dat iemand die naar hem luisterde opgejaagd wild was, een paria, ongeveer alsof je masturbeerde terwijl je naar een MILF-site keek en tijdens de daad werd gefilmd, waarna het filmpje op YouTube werd gezet.

Hij moest Michael voor zichzelf houden. '*How can we be lovers if we can't be friends*?', dat was heel goed, hoe kunnen we van elkaar houden als we geen vrienden kunnen zijn?

Zacht zoemend begon zijn mobieltje rond het whiskyglas op de salontafel te kruipen. Winter keek naar de klok, het was een paar minuten voor middernacht, zomertijd. Hij keek op het display maar werd daar niet wijzer van.

'Ja?'

'Met Erik Winter?'

'Ja?'

'Hallo, met Dick Benson, afdeling Geweldsdelicten in Stockholm.'

'Hallo Dick, ik ken je naam.'

'En ik die van jou. Oké, het zit zo, we hebben een moord van de wijkpolitie in Vasastan binnengekregen die je waarschijnlijk zal interesseren. We hebben namelijk over je onderzoek gelezen.'

'Ik luister.'

'Het slachtoffer, een man, lag in het Vasapark, met een plastic zak over zijn hoofd. Zijn broek was naar beneden getrokken. We hebben ook een letter gevonden, de letter A.'

'Jezus.'

'Dat klinkt bekend, of niet soms?' zei Benson.

'Is hij geïdentificeerd?'

'Ja.' 'Woonde hij in de buurt?'

'Ja. Hälsingegatan 3. Dat is op loopafstand, honderd meter.'

'En binnen oogbereik gok ik,' zei Winter. 'Ik neem morgenochtend het eerste vliegtuig.'

16

Ringmar nam na de tweede keer overgaan op. Hij klonk wakker, alert, alsof hij op het gesprek had gewacht.

'Het is weer gebeurd. In Stockholm deze keer,' zei Winter.

'Stockholm. Hmm. Waar dan?'

'Hun Vasapark. Bij iets wat "Astrid Lindgrens terras" heet. Ben jij daar weleens geweest?'

'Nee. Het dichtste wat ik bij het Vasapark ben geweest, is Tennstopet. Wie is het slachtoffer?'

'Een man. Hij is geïdentificeerd, maar dat is zo'n beetje alles.'

'Een Göteborger?'

'Dat weet ik nog niet. De dader heeft een letter achtergelaten.'

'Ik durf er niet naar te raden.'

'*Número uno*,' zei Winter.

'A? De letter A?'

'Ja.'

'Wat krijgen we dan... O... R en I en A. Wanneer heb je het gehoord?'

'Daarnet. Ik vlieg er morgenochtend naartoe.'

'Mooi.'

'Ik heb nog geen lettercombinaties kunnen maken,' zei Winter.

'Daar ga ik nu aan beginnen. Daarna ga ik misschien nog naar buiten.'

Ringmar ging in het donker naar buiten, maar het was nog niet echt nacht. Het was koud, er lag sneeuw op de grond, hij had het gevoel dat het eeuwig winter zou blijven. Hij had koude voeten, zijn schoenen waren te dun, hij stond op de ijskoude grond onder de kale esdoorn voor het huis van Bersérs ouders. Achter een paar ramen brandde licht. Hij zag een schaduw die hem misschien zag, hij stak de straat over, liep de tuin in en belde aan. De deur ging na een paar seconden open, hij werd verwacht, hij was gezien.

'Bespioneer je me?' vroeg Bersér.

'Ik wilde alleen controleren of jullie niet naar bed waren voordat ik aanbelde.'

'Ik ben alleen thuis.'

'Waar is je vrouw?'

'Ik heb al gezegd dat ik dat niet weet. Dat heb je al gevraagd.'

'Mag ik binnenkomen?' vroeg Ringmar.

'Waarom? Is er weer iets gebeurd?'

'Ja. Mag ik binnenkomen? Het is koud.'

'Heb je met de ouders van Peter Mark gepraat nadat Jonatan vermoord is?' vroeg Ringmar.

'Nee, waarom zou ik dat doen?'

'Heb je hun zoon gesproken?'

'Nee, absoluut niet. Waarom vraag je dat?'

'Is het een vreemde vraag?'

'We willen ons verdriet voor onszelf houden,' zei Bersér.

Ringmar knikte.

'Begrijp je dat?'

'Dat kan ik begrijpen.'

'Heb je zelf iets dergelijks meegemaakt?'

'Nee,' zei Ringmar terwijl hij naar iets naast Bersér keek. Er was niets, alleen zwarte schaduwen die hier bleven, ook als alle lampen in het huis uit waren. Zo dacht hij erover.

'Je ziet eruit alsof je verdriet hebt,' zei Bersér.

'Dat is niet te vergelijken met jouw verdriet,' zei Ringmar en hij vestigde zijn blik weer op zijn gesprekspartner. 'Wie is Johan Schwartz?'

Bersér antwoordde niet meteen, maar hij leek niet verbaasd. Hij zat de schaduwen achter Ringmar te bestuderen, alsof het antwoord daar te vinden was. En dat was zo, op een bepaalde manier, dat was altijd zo. Het was zijn taak om de ellende uit de schaduwen te lokken.

'Is hij het nieuwe slachtoffer?' vroeg Bersér uiteindelijk.

'Ja.'

'Komt hij hier vandaan?'

'We weten niet precies waar hij vandaan komt.'
'Waarom vraag je dat aan mij?'
'Herken je de naam?' vroeg Ringmar.
'Ja.'
Zijn antwoord was uit de schaduwen gekomen. Hij keek er nog steeds naar, alsof er meer zwarte kennis was. Die was bijna altijd zwart, niet als roet, eerder als verf die was gefabriceerd door mensen, als verf die op stukken karton werd geschilderd. Delen van een woord, dacht Ringmar, een zwart woord.
'Hij heeft denk ik dezelfde leeftijd als Jonatan.'
'Ik weet niet over welke Schwartz we praten,' zei Bersér.
'En als hij het is?' vroeg Ringmar.
'Als hij het is, dan staat hij op een van de films waarnaar we gekeken hebben.'

Ringmar reed naar het ouderlijk huis van Peter Mark in de Fältgatan. Hij voelde de wind van Hinsholmskilen toen hij parkeerde, de haven lag maar een paar honderd meter verderop, de silhouetten van de boten in de werf staken als skeletten naar de hemel. De wind was een adem van het onbekende, het begon achter de zuidelijke scherenkust, op een dag zou hij het verkennen, het onbekende écht verkennen.

Zoals waar Peter Mark zich bevond. Dat was onbekend. Ringmar dacht aan hem als 'jeugdkameraad'. Het klonk als iemand van heel lang geleden. Twintig jaar was een hele tijd, maar hij wist niet óf, hij wist niet wannéér, hij wist niet wáár. Alles was onbekend. De enige realiteit vormden de vier dode ex-jongeren. Waren ze ook kameraden geweest? Erik had alle extra mensen die hij had kunnen mobiliseren ingeschakeld om de levens van Robert Hall, Jonatan Bersér en Matilda Cors op internet te controleren, met inbegrip van de e-mails, maar had geen verbanden gevonden. Ze hadden meer vergelijkingsmateriaal nodig. Ze hadden meer namen nodig. Ze hadden een nieuwe: Johan Schwartz. Dat was de enige weg vooruit en hoewel het ironisch klonk was het waar: het enige wat duidelijkheid kon scheppen was dat alles nog ingewikkelder werd, nog veel ingewikkelder.

Zoals het feit dat Peter Mark – die ooit voor het oog van een camera in een tuin in Påvelund had gedold, die was omgegaan met een toekomstig slachtoffer en was opgegroeid met de geur van de zee, die iets met kinderen deed, iets goeds, zoals al het vrijwilligerswerk waarschijnlijk – zijn mobieltje niet opnam en ook niet aanwezig leek te zijn in zijn appartement in Majorna. Ringmar was daar net geweest, had met de loper in zijn hand voor de deur geaarzeld maar had zich omgedraaid en was de trappen afgelopen in het trappenhuis dat gerenoveerd moest worden, iets wat duidelijk al minstens vijftien jaar nodig was.

Hij stond nu voor de villa in de Fältgatan, keek weer op zijn horloge en belde aan. Niet ver na middernacht, geen paniek, binnen brandde licht, misschien een nachtlampje, het kon hem niet schelen, sinds Erik had gebeld, had hij de vertrouwde koorts in zijn lichaam voelen stijgen, verwoestend, welkom, dodelijk.

Ringmar belde opnieuw aan. Iemand bewoog binnen, er klonk een bonk in de hal alsof er iets op de vloer viel, een paraplustandaard misschien.

De deur werd opengedaan door een oude vrouw, Ringmar schaamde zich voor het late tijdstip, stopte met zich schamen, liet zijn legitimatie zien, zag de man achter de vrouw staan, beiden gelukkig niet in nachtkleding, hij was ook oud, ze moesten al op leeftijd zijn geweest toen ze ouders werden. Er lag een paraplustandaard op de vloer, er waren nog steeds mensen die er zo een hadden, ze woonden allemaal in Göteborg, na Cherrapunji en Bergen de stad met de meeste neerslag ter wereld.

'Wat is er aan de hand?' vroeg de vrouw. Ze zag eruit alsof zij de sterkste was, ze stond bijna in aanvalspolitie tegenover de indringer.

'Het spijt me dat ik zo laat nog aanbel,' zei Ringmar. 'Maar soms kan het niet anders.'

'Waar gaat het over?'

Oude mensen gingen op tijd naar bed, dat was zijn vooroordeel. Waarom waren deze twee vijfenzeventigjarigen om middernacht nog op? Wachtten ze op iemand, op iets? Rustig aan, Bertil.

'Mag ik binnenkomen?' vroeg Ringmar.

Hij was in twee stappen over de drempel. Zijn tenen waren koud, bevroren, er was geen vloerverwarming in de hal, dat zou later in de evolutie komen, de villa was misschien uit de jaren dertig, hij zou vanavond niet verder komen.

'Ik probeer contact met Peter op te nemen,' zei hij.
'Kan dat niet tot morgen wachten?' vroeg de vrouw.
'In godsnaam,' zei de man.
'Hij woont hier niet,' zei de vrouw.
'Het is middernacht!' zei de man.
'Hij heeft niets gedaan,' ging de vrouw verder.
'Wat zou hij gedaan moeten hebben?' vroeg haar man.
'Jullie kunnen hem gewoon bellen,' zei ze.
'Of naar hem toe gaan,' zei de man. 'Op een fatsoenlijk tijdstip.'
'Ik krijg jullie zoon niet te pakken,' zei Ringmar.
'Je moet wel vertellen waar het over gaat,' zei ze.
'Ik wil gewoon een paar vragen stellen,' zei Ringmar.
'Vreemd,' zei de oude man.
'Over Jonatan Bersér,' zei Ringmar.
De man en vrouw zeiden niets meer. Ze zagen er heel klein uit in het zwakke licht van de hal. Het was zijn licht, dit was het licht waarin hij werkte, het werd niet aangeraden door de arbeidsinspectie, het was het licht voor degenen die het licht schuwden.
'Weten jullie wat er met Jonatan gebeurd is?' vroeg Ringmar.
De vrouw knikte. Ringmar vroeg zich af of de man misschien stokdoof was, of alleen hoorde wat hij wilde horen. Of seniel was.
'Het is verschrikkelijk,' zei ze.
'We proberen met iedereen die hem kende te praten,' zei Ringmar.
Ze zagen er verdrietig uit in de kleine hal, in de schaduwen, alsof de herinnering aan hun volwassen zoon daar nooit uit gelucht kon worden.
'Peter kan ons helpen,' zei Ringmar. 'Maar hij neemt zijn mobieltje niet op.'
'Hij is niet in Göteborg,' zei de vrouw.
Haar man schudde zijn hoofd, waarom?
'Hij is in Stockholm,' ging ze verder.

0

Het landschap zoefde voorbij. De trein stormde door de steden, maar het ging zo snel dat hij de bordjes op de stations niet kon lezen. Hij kon overal zijn. Het was de eerste keer dat hij met de sneltrein reisde, hij moest de laatste in het land zijn die dat deed.

Nu was hij eindelijk op weg naar de hoofdstad, dat was ook de eerste keer, hij was beslist de laatste, iedereen was in de hoofdstad geweest, velen waren ernaartoe verhuisd, gevlucht, dacht hij, gevlucht voor mij. Ik heb een taak, dacht hij.

Het is niets!

Als jij niet.

Als jij niet.

Dat was wat ze hadden gezegd. Als jij niet. Dan. Dan. Dan weet je wat er gebeurt.

Het was gebeurd, maar niet zoals ze hadden geloofd of zouden geloven.

Hij wist dat ze zich voor hem hadden verstopt.

Een groep schuin aan de andere kant van het gangpad was aan het drinken, hoewel het pas elf uur 's ochtends was. Het rook naar alcohol in de wagon, het leek niemand iets te kunnen schelen, de conducteur zei niets. Het was afschuwelijk. Er zaten kinderen in de trein, hij zag een kleine jongen die keek naar de vier aan de andere kant van het gangpad die 's ochtends zopen, kijk niet, ga hier weg. Hij zou kunnen opstaan en twee stappen kunnen doen en de schedel van de klootzak kunnen inslaan die de plastic beker met drank hief en onaangenaam lachte, maar dan zou hij niet in de hoofdstad arriveren, dacht hij, of in het beste geval in handboeien. Dat was niet de bedoeling van zijn reis. Hij deed zijn ogen dicht en dacht aan de reden waarom hij in de trein zat.

17

Johan Schwartz, Johan Schwartz. Een man van eenenveertig, hij glimlachte naar Winter vanaf zijn Facebook-pagina, hij had een paar vrienden, geen honderden, hij werkte als verzekeringsagent, zo iemand had misschien niet veel vrienden. Winter had geen eigen pagina, Ringmar ook niet, Halders had er daarentegen wel een. Winter had hem nog nooit bezocht, hij zag die vent elke dag en vaak elke nacht. Ik ben niet zo extravert als ik niet werk, had Winter gedacht toen hij over Halders' exhibitionisme hoorde. Noem de site Facebox 2.0, had hij voorgesteld.

De regenperiode was aangebroken en de regen sloeg tegen het raam. Eindelijk! De ijskoude zonneschijn van de afgelopen maanden had hem niet vrolijk gemaakt, de droge wind die over de toendra in de parken blies, het stof dat zich als goudkleurig roet verspreidde, de ironische hemel, intens blauw, spottend, de temperaturen onder het vriespunt in de benen van de mensen, in hun arme zielen. Was dat het enige wat de neerslachtigheid in zijn ziel veroorzaakte? Hij kon een goed leven in de warme zon opzoeken. Onder de koude zon kon hij niet leven. Dat wist hij nu. Hij had de eenzaamheid nodig gehad om daarachter te komen. Hij keek om zich heen in de kamer, veel te groot voor één persoon, en toch had hij hier jarenlang alleen gewoond, voordat Angela hier was komen wonen en de kinderen kwamen.

Hij las de banaliteiten op Schwartz' pagina. Jezus. Waar besteedden mensen hun kostbare tijd aan? Het leven werd zo klein, zo smal. Voor Schwartz was het al voorbij. Hij glimlachte nog steeds op zijn pagina, alsof die hem het eeuwige leven had gegeven. Het was zijn epitaaf, hij gaf hem uiteindelijk een vorm van grootsheid.

'*Steel bars wrapped all around me, I've been your prisoner since the day you found me*,' zong Michael Bolton op de achtergrond, ik was gevangen in staal, je gevangene sinds je me gevonden hebt, dat was de realiteit, dat was iets anders dan de banale eenzaamheid op Facebook. Bolton was in 1953 geboren, maar zeven jaar eerder dan Winter, Bolotin heette hij vroeger, hij had er goed aan gedaan om zijn naam te veranderen. Was er een biografie over hem geschreven? Het moesten er veel zijn.

Angela belde, hij had haar dat gevraagd, het was nu na middernacht, het was hun moment.

'Drink je?' vroeg ze. Dat was haar eerste vraag, het eerste wat ze zei.

'Ik vlieg morgenochtend om zes uur naar Arlanda. Dat is over vijfenhalf uur.'

'Dat was mijn vraag niet.'

'Jezus, Angela.'

'Het is voor je eigen bestwil.'

'Ik heb de ergste periode achter de rug.'

Hij hoorde de gebruikelijke statische ruis op de lijn, als die statisch was. Het ruiste al miljarden jaren, het maakte iedereen op aarde klein.

'Wat ga je in Stockholm doen?' vroeg ze.

'Nog een moord. Het heeft te maken met het onderzoek waaraan we werken.'

'Op welke manier?'

'Op alle manieren, lijkt het.'

'Het is niet de eerste keer dat een zaak zich uitbreidt,' zei ze.

'Naar buiten verspreiden en naar binnen krimpen, zeg ik altijd.'

'Hemel, wat pretentieus.'

'Daar ben ik trots op,' zei hij.

'Wat voor muziek heb je aanstaan?'

'Michael Bolton.'

'Hoort dat bij het onderzoek?'

'Wat bedoel je daarmee?'

'Luisterde een van de slachtoffers naar Michael Bolton?'

'Nee. Ik heb het zelf gekozen.'

'Michael Bolton?'

'Ja.'

'Jezus, je bent niet goed bij je hoofd.'

'Lotta zei ook zoiets.'

'Ze heeft gelijk.'

'Deze kunstenaar ontmoet een enorme vijandigheid. Het is net als met Strindberg. Ik bel je later vandaag, Angela.'

Hij zat roerloos naar het lege display te staren, het was net het boze oog.

Het kwam weer tot leven.

'Ja?'

'Sorry dat ik je wakker maak,' zei Halders.

'Ik sliep niet.'

'Veel succes in Stockholm.'

'Dank je.'

'Ik ben vanavond weer bij Lasse Butler geweest. Hij zei dat hij geen Schwartz kent.'

'O nee?'

'Maar hij mompelde nog steeds over een vrijwillige training voor jongeren, of kinderen. Dat was misschien waar ze zich mee bezighielden. Een paar keer in de week voetballen of zo.'

'Is dat gewoon?'

'Ik weet het niet. Ik denk het niet. Er zijn tenslotte clubs in Zweden. Het is niet zoals in die verdomde VS.'

'Nee.'

'Een activiteit dus. Je hebt immers een paar films gezien.'

'Er zijn er meer. Ik ga er vannacht nog een paar bekijken.'

'Ga liever slapen.'

'Oké, *boss*.'

'Hoe lang heeft Schwartz in Stockholm gewoond?' vroeg Halders.

'Jarenlang,' zei Winter. 'Morgen weet ik meer. Ik heb een afspraak met Dick Benson.'

'Die verwaande klootzak.'

'Er is niets mis met hem.'

'Doe hem niet de groeten van me. Hij heeft slecht werk geleverd tijdens het Göteborg Festival.'

'Wie heeft er goed werk geleverd?'

'Ik wilde zeggen de collega die voor die idioot heeft gezorgd, maar dat zei ik niet.'

'Goed.'

'En nog iets, en dat is alleen omdat het nog acuter is. Morgen is de laatste inschrijfdag voor het voetbaltoernooi.'

'Fredrik...'

'We moeten deze keer winnen, Erik. Deze keer gaan we geschiedenis schrijven.'

'Dat hebben we al gedaan. Liever gezegd, dat heb jij gedaan.'

'Ik ben nu een ander. Ik ben hoofdinspecteur.'

'Dat zijn we allemaal.'

'Ik dacht zelfs om Aneta en Gerda en misschien een paar vrouwen van de afdeling mee te nemen. Een zachtere touch. Wat zeg je daarvan?'

'Ik sta met mijn mond vol tanden.'

'Mooi, dank je, baas,' zei Halders en hij hing op.

Drie seconden later werd er opnieuw gebeld. Er werd vannacht verdomd veel getelefoneerd. Nu was het Bertil.

'Schwartz komt ook in de film voor,' zei Ringmar. 'Van het ouderlijk huis van Bersér.'

'Mooi.'

'Dat is een doorbraak. Het is de eerste link tussen twee van de slachtoffers.'

'Hoe ben je daarachter gekomen?'

'De vader van Bersér.'

'Je hebt het dus niet zelf gezien?'

'Heb jij of ik de films?'

'Rustig maar.'

'Ik ben moe.'

'Je klinkt klaarwakker.'

'Adrenaline. Een enorm verschil. Ik weet dat je slaap nodig hebt voor morgen, maar er is nog één ding. Peter Mark, die in dezelfde film voorkomt, is op dit moment in Stockholm, vertelde zijn moeder me toen ik daarnet bij haar was.'

'Je bent vannacht druk in de weer geweest, Bertil.'

'Dat is mijn karakter.'

'Interessant, dat van Mark.'

'Ja. Ze weet niet waar hij in de stad is, maar ze zei dat hij daar is om een baan te zoeken.'

'We hebben te maken met volwassen mensen die halverwege hun graf zijn, maar hun oude ouders houden alles goed in de gaten,' zei Winter.

'Dat dacht ik ook.'
'Waar wijst dat op?'
'Dat ze ze niet kunnen loslaten. Dat er een reden voor is.'
'Wie kan niet loslaten? De ouders of de kinderen?'

Hij belde later naar Marbella, heel veel later.
'Het spijt me wat ik over Bolton heb gezegd,' zei ze. 'Mensen mogen luisteren naar wat ze willen. Erich Honecker hield van Abba, wist je dat?'
'Was dat de reden dat niemand anders naar ze mocht luisteren?'
'Dat mochten we wel,' zei ze. 'Daarin was dictatuur geslepen. Toen ik tien was, was het geen probleem om naar Abba te luisteren.'
'In Leipzig,' zei hij.
'In Leipzig.'
'Ik vraag me af of Björn en Benny dat weten,' zei hij.
'Doe voorzichtig in Stockholm,' zei ze.
'Natuurlijk. Je moet daar altijd voorzichtig zijn.'
'Wanneer ben je er voor het laatst geweest?'
'Dat kan ik me niet meer herinneren. We zijn er met z'n allen geweest. In Gröna Lund.'
'Ja. We sliepen in het Diplomat. Slaap je daar nu ook?'
'Geen idee,' zei hij. 'Dat weet ik morgen.'
'Wees voorzichtig, Erik.'
'Je weet dat ik dat ben, schat.'
Ze zei iets wat hij niet verstond.
'Wat zei je?'
'Ik moet voor juni duidelijkheid geven over de baan,' zei ze.
De baan. Hij zag de kliniek voor zijn geestesoog, de lichte kamers, de zee tweehonderd meter in zuidelijke richting, de bar halverwege, de vier palmen tussen de tafels. Ze was nu chef, een soort chef, een van meerdere artsen.
Hij zag zichzelf laat in de middag in de gezegende schaduw in Bar Ancha zitten, hun appartement aan de overkant van de smalle Calle Ancha, hij hief zijn hand om te zwaaien en Elsa en Lilly zwaaiden terug vanaf het balkon. Papa werkt. Niet. Angela gebaarde dat het eten klaar was. Hij zou opstaan en naar de mooie keuken gaan met de ramen die op het oosten uitkeken en bij het marmeren aanrecht

staan en ansjovis fijnmaken voor de *anchoiada*, altijd anchoiada en *tostada* voor het hoofdgerecht, alle dagen van de week. De hele week zaterdag.

'Daar praten we over als ik er ben,' zei hij.

'Ze zijn niet blij in de kliniek als ik stop.'

'Nee.'

'Dat is niemand,' zei ze.

Het was geen opgewekte stem. Hij wilde opgewekte stemmen horen, hij kon er niet tegen om geen opgewekte stemmen te horen als hij niet werkte, hij wist dat het een krankzinnige wens was.

'Je hebt niets als je geen liefde hebt,' zei hij.

'Dat is verstandig gezegd,' zei ze.

'Dat is van Michael Bolton.'

'Aha.'

'Misschien kan ik een baan als adviseur aan de Costa del Sol krijgen,' zei hij. 'Er lijkt geen gebrek aan misdaad in Marbella te zijn.'

'Je zou gek worden,' zei ze.

'Ik ben gek.'

'Nee,' zei ze. 'Nog niet.'

'Dank je wel.'

'Je bent alleen niet echt vrolijk.'

'Ik wil altijd vrolijk zijn,' zei hij. 'Ik wil vrolijke mensen om me heen zien, vrolijk en dronken en dik.'

'Dan moet je in Scandinavië blijven.'

'Ik bedoel vrolijk op de Spaanse manier. Melancholisch vrolijk op de Spaanse manier.'

'De Spanjaarden zijn de Scandinaviërs van de Middellandse Zee. Traag en vermoeid,' zei ze. 'Dat heb je zelf gezegd.'

'Dat was voordat ik er terugkwam. Lang geleden.'

Hij kon niet opstaan van de stoel, hij zonk erin weg, het scherm flikkerde voor zijn gezicht, met de beelden van mensen die zich in eigenaardige patronen bewogen, kunstjes voor de camera uithaalden voor degene die erachter stond, het kon iedereen zijn, het kon degene zijn die de stukken karton beschilderde. IRAO, RIOA, ORIA, OAIR. Het was niet definitief, zo eenvoudig was het niet. Meer lichamen, meer letters. Het hele alfabet? Nee. Dat zou een wereldrecord zijn.

Zulke records werden in Scandinavië niet gehaald. Het volledige alfabet. Dan kon hij stoppen, zonnen aan de Costa del Sol tot alles voorbij was.

Hij ging weer rechtop zitten, typte op zijn laptop.

NOIR, schreef hij, wisselde de A tegen een N.

Hij telde de letters. A was nummer één in het alfabet, *selbstverständlich*, I was nummer negen, O was nummer vijftien, R was nummer achttien. Bij elkaar opgeteld was dat drieënveertig. Hij bleef er een hele tijd naar kijken, drieënveertig.

Daar was het leven van Matilda Cors, van de wieg tot het graf, een graf in een openbaar park na sluitingstijd. Ze was altijd een mooi kind geweest.

De films hadden een bepaalde sierlijkheid, een klassenkwestie, de hogere stand, eleganter, het hielp niet op de lange duur. Het was als met de films uit zijn eigen jeugd. Die maakten niemand blij. Hij moest zichzelf dwingen om die ook te zien. Ze hielden hier verband mee. Dat was het akelige. Hij was niet alleen de jager. Hij zou het weten als hij ze zag. Weten wat er met hem was gebeurd.

Nu glimlachte Matilda naar de camera, een brede, witte glimlach, als een sneeuwlandschap in februari als de aarde op zijn mooist was, en de hemel trouwens ook.

Hij wist niet waar de film was gemaakt. De plek leek vaag bekend, alsof hij daar zelf was geweest, twintig jaar geleden of eerder. Het was een tuin. Het was niet bij de familie Hall in Borås, het was niet bij Bersér senior, niet bij... zijn hersenen konden niet meer namen opdiepen. Zijn ogen waren nu aan het werk, probeerden het licht te lezen, het was het licht, het was een speciaal licht, het kwam van links, vanuit het westen, in de buurt van de zee. Een steenworp. Het kon op een eiland zijn, het gezin Cors had natuurlijk een zomerhuis aan de zuidelijke scherenkust gehad, was het Vrångö? Hij moest weer kijken, het kon daar zijn, een eiland, maar zou het licht dan niet sterker zijn? Dat kon te maken hebben met het tijdstip, met de kwaliteit van de camera, van de film, van alles.

Meerdere mensen bewogen op het gras. Gezichten schoten langs.

Ineens zag hij een jong gezicht.

De camera had de jongen gezocht, hij stond bij een boom, bijna achter een boom.

Degene achter de camera kende de jongen.

De jongen draaide zich om.

De afstand was groot, een deel van de gelaatstrekken was niet zichtbaar, de tweede keer dat Winter de video bekeek ging het beter.

De jongen, de boom, het gezicht, de afstand. Daarna was hij weg. De camera was weer op het gezicht van Matilda Cors gericht, onfatsoenlijk dichtbij, Peeping Tom, dacht hij, maar Matilda glimlachte, glimlachte.

De camera filmde de tuin vol mensen, alle mensen. Geen jongen. Waar heb ik zijn gezicht gezien? dacht Winter. Niet nu, eerder. Hij voelde de vertrouwde kou in zijn schedelbasis, als ijs, een verstikkende huivering in zijn hoofd die hij de paar keer dat hij iets ontzettends was genaderd had gevoeld.

Ik heb hem ergens gezien, op een andere plek, in een andere film. Dat is hem.

18

Hij droomde in de taxi naar Landvetter: brandende helikopters cirkelden boven hem toen hij omhoogkeek, een-twee-drie-vier-vijf. Ze stortten als dode en stralende sterren op de grond.

Een man in een geperst kostuum op de stoel tegenover hem in de vertrekhal at een banaan, hield de schil in zijn hand, als een herinnering misschien. Winter probeerde de koffie uit de automaat te drinken maar slaagde daar niet in. Hij deed zijn ogen dicht en dacht aan het gezicht van de jongen. Daarna dacht hij aan het gezicht van de man die hij aan de andere kant van de ijsbaan had gezien. Hij dacht aan een geweldsmisdrijf dat misschien nooit had plaatsgevonden. Het ging niet alleen om hem. Hij moest zijn egoïstische gedachten loslaten.

Hij praatte in zijn mobieltje terwijl hij in de rij stond om aan boord te gaan.

'We controleren alle vluchten en treinen naar Stockholm,' zei Halders. 'Het is een speld in een hooiberg, maar wat hindert dat?'

'Misschien is hij met zijn eigen auto gegaan,' zei Winter.

'Als God bestaat, dan had Mark een Shell-kaart,' zei Halders. 'En was hij idioot genoeg om die in Ödeshög te gebruiken.'

Hoofdinspecteur Dick Benson wachtte met een neutrale auto voor de terminal. Benson was zes jaar jonger dan Winter, nog steeds op weg naar de top, vroeg of laat zouden ze elkaar ontmoeten, misschien zou dat vroeg zijn als Winter ervoor koos om af te dalen, maar waarom zou hij dat doen? Hij had daar in het vliegtuig over nagedacht, het enige wat zijn ziel nodig had was een heel lange tijd zon en warmte.

Benson droeg een kostuum dat van Vlach kon zijn. Winter droeg zijn Oscar Jacobson, hij wilde niet als een schooier door de hoofdstad lopen, maar ook niet als een leeuw. Hij was hier geen leeuw.

Benson had gemillimeterd haar dat een gouden kleur had, en een driedagenbaard. Benson wilde jong blijven, maar dat zou al heel snel zijn charme verliezen. Winter was altijd een boze jongeman geweest, maar op zijn drieënvijftigste veranderde de woede in iets anders, in elk geval in de ogen van anderen.

Ze reden naar de stad. De radio raffelde het nieuws af, het ging voornamelijk over het verkeer. Het ging altijd over het verkeer, en de dood. Vaak hield dat verband met elkaar, als een deel van zijn eigen wereld. Het verkeer in zuidelijke richting stond vast, bewoners van Uppland op weg naar de goudmijnen in Klondyke. De armen en de intellectuelen gingen met de trein. Nu lachte iedereen als bezeten op de radio. Benson zette hem uit.

'Ik kan dat gekakel niet uitstaan,' zei hij.

'Op Radio Göteborg kakelen ze nooit,' zei Winter.

'Ik heb moeite te geloven dat je naar die rotzooi luistert.'

'Ik krijg verslagen.'

'Hier moet je alles zelf horen,' zei Benson.

'Waar gaan we nu naartoe?'

'Eerst naar het Vasapark, dacht ik. Of wil je iets in het hotel achterlaten?'

'Welk hotel?'

'Het Nordic Light. Het Diplomat was vol.'

'Hoe wist je dat ik in het Diplomat wilde slapen?'

'Intuïtie,' zei Benson.

Astrid Lindgrens terras lag tegenover Dalagatan 46, waar de beroemde schrijfster zoveel jaar had gewoond, gedurende grote delen van Winters leven feitelijk. Hij had de boeken gelezen en had de films gezien, zijn kinderen ook. Op die manier was Astrid Lindgren groter dan het leven.

Johan Schwartz kreeg nooit zo'n kans in zijn halve leven. Hij was neergeslagen naast een grote paardenkastanje bij de muur van een minigolfbaan. Vier vastgegoten stoelen op de plaats delict gaven de moord een eigenaardige sfeer van openbaarheid. Maar het was in het donker gebeurd, in het lege donker.

'De klap op zijn achterhoofd heeft hem misschien gedood,' zei Benson. 'Dat weten we nog niet.'

'Geen getuigen?'

'Nee, nog niet in elk geval. Een man die van Tennstopet op weg naar huis was heeft het lichaam gezien en heeft gebeld. De wijkpolitie heeft daarop gereageerd.'

'Wanneer was dat?'

'Gisternacht om twee uur ontdekte de man het lichaam. Hij was dronken, maar niet zo dronken.'

'Is Tennstopet zo lang open?'

'Goede vraag, Winter. Hij heeft eerst rondgelopen, om nuchter te worden zoals hij zei.'

'Hij heeft iets gezien wat hem nuchter heeft gemaakt.'

'Ik zou je eerder gebeld hebben, maar het duurde even voordat wij ingelicht werden. Je weet hoe dat soms gaat. Gistermiddag laat heb ik de zaak bekeken. De letters vormen de link in de moordzaken en die werden in eerste instantie niet genoemd in het verslag.'

'Niet?'

'Het stuk karton bevond zich niet op het lichaam. De technische afdeling zag later dat het vast had gezeten op het jack van het slachtoffer, maar dat was niet zo toen de collega's van de Surbrunnsgatan arriveerden. Het lag een heel stuk verderop.' Benson wees naar de Dalagatan. Winter zag een bloemenzaak aan de overkant van de straat, een stomerij, het bord van Wasahof en van een Perzisch restaurant. Wasahof was een vis- en schaaldierrestaurant, dat wist hij en het klonk als een grap, schaaldieren aan de oostkust, misschien was alles bevroren. 'Bij de struiken daar,' ging Benson verder. 'Dat is zeker vijftig meter.'

'Goed dat jullie het karton ook hebben.'

'Heel goed. Het lag ondersteboven, zeiden ze, dus zagen ze geen letter. Weet je, er zaten tandafdrukken op het karton. Van een vos, wat zeg je daarvan?'

'Heeft de getuige het karton op het slachtoffer gezien?'

'Hij zegt van niet. We hebben het gevraagd.'

'Heb je hem zelf gesproken?'

'Ja. Dat mag jij ook doen, maar ik denk niet dat het nodig is.'

Winter knikte. Hij keek naar de Odengatan, aan de andere kant bevonden zich antiekzaak Mormors spegel, kinderboekenwinkel Bokspindeln en de Hälsingegatan, hij had de kaart bestudeerd. Benson volgde zijn blik.

'Ja, de Hälsingegatan, op loopafstand van de dood.'
'Zo was het bij allemaal,' zei Winter.
'Wat betekent dat? Luie slachtoffers?'
'Je bent minder grappig dan je eruitziet,' zei Winter.
'Kom hier niet aan met je verdomde Göteborg-jargon,' zei Benson.
'Het was iets wat hij wilde laten zien,' zei Winter.
'Wat bedoel je?'
'Laten zien, of zeggen. Laten zien én zeggen. Iets wat de slachtoffers niet konden weigeren. Het was veilig dat het in de buurt van hun woning gebeurde, ze wilden het veilige licht van hun woning zien.'
'Is dat de manier waarop je werkt, Winter?'
'Is dat een cultuurschok voor je, Dick?'

In het gebouw waar Schwartz had gewoond, de Hälsingegatan 3, zat het Aliastheater, en Fiasco, een kapper voor zover Winter dat kon zien. WE FUCKING LOVE YOU stond er, Schwartz had het elke dag gezien, een bemoedigende kreet, zoals '*We Love You Fucking*' of '*You Fucking Love Me*' of '*You We Fucking Love*', nee, niet glashelder, zijn hersenen waren terug bij scrabble, AOIR... RIOA...
'De bovenste verdieping,' zei Benson, dat betekende de vijfde verdieping als Winter het goed had geteld. 'Daar woont hij al twee jaar.'
'Geen onderhuur?'
'Nee. Hij heeft het zelf gehuurd.'
Benson gebruikte een sleutel om de deur te openen, ze bukten zich om onder het afzetlint door te lopen.
'We hebben een man in een auto posten,' zei hij.
Ze waren nu in het appartement, twee kamers, een keuken, een balkon.
Winter opende de balkondeur en liep naar buiten. De wind was hierboven krachtiger, frisser, iedereen wist dat de lucht in Stockholm dodelijker was dan in Göteborg.
Het Joods Museum lag aan de overkant van de straat, een artsenpraktijk op de hoek van de Odengatan, een kledingwinkel, een platenwinkel. In het voorjaar en de zomer van 1945 waren er dertigduizend overlevenden van de oorlog naar Zweden gekomen, twee derde daarvan waren joden geweest.
Benson kwam naast hem op het balkon staan.

'Ben je hier al eens geweest?' vroeg hij. 'Ik bedoel in deze straat?'
'Je bedoelt het museum daar,' zei Winter. 'Nee.'
'Jezus, ik ben zelf jood,' zei Benson. 'Uit het westen, dat is waarschijnlijk aan de naam te horen.'
'Ik dacht dat Benson een naam uit Värmland was,' zei Winter.
'Denk je dat Schwartz in het museum is geweest?'
'Natuurlijk.'
'Je ziet het park hiervandaan,' zei Benson. 'In elk geval voordat de bomen bladeren krijgen.'
Winter zag de bomen, het kleine café, de golfbaan, de plek waar het slachtoffer had gelegen.
'Ze hadden allemaal zicht op hun lot,' zei hij. 'Ze konden allemaal de plek zien waar ze zouden sterven, de moordplek. Het was niet voldoende dat ze er met gemak konden komen.'
'De dader zal zijn slachtoffers toch niet uitgezocht hebben op waar ze woonden?' zei Benson.
'Nee, het is andersom,' zei Winter.
'Wat bedoel je daar in vredesnaam mee?'
Winter gaf geen antwoord. Hij draaide zich om, liep het appartement weer in en probeerde iets te zien, maar hij wist dat het niet zou lukken. Er was daar niets wat bij het leven hoorde. Schwartz' computer was al op Bensons afdeling, net als een aantal videofilms van *anno dazumal*.
In de Hälsingegatan zaten een sportschool, een winkel waar trollen en kerstmannen werden verkocht, een schoonheidssalon die De zevende golf heette, een Buddha House die uitkeek op de Karlbergsvägen. De gebouwen van vier verdiepingen die langs de straat stonden waren misschien honderdvijftig jaar oud, de straat was rustig, bakstenen en stucwerk, veel oker. Het Vasalyceum besloeg een groot stuk van het zuidelijke deel, als een burcht uit de late middeleeuwen. Dit was Vasastad. De Gustav Vasakerk lag aan het Odenplein. Het was een van de grote wijken, minder verpauperd dan veel andere delen van Stockholm. Minder moorden, en als het gebeurde, dan in de hogere middenklassen. Het Odenplein was niet mooi maar ook niet afstotelijk, op dit moment werd het verpest door een renovatie, maar dat hoorde bij het leven in een grote stad. Een grote stad die zijn eigen innerlijk niet voortdurend verteerde

was dood, alleen een omhulsel, een mooi gepoederd lijk.

'Ik heb op het Vasa gezeten,' zei Benson toen ze bij de Karlbergsvägen omdraaiden en weer naar het park liepen.

'Heeft dat geholpen?'

'Houd je kop, verdomde Göteborger.'

'Ik heb op een particuliere middelbare school gezeten,' zei Winter. 'De Sigrid Rudebeckschool.'

'Dat was waarschijnlijk je hele wereld. Dat hoort bij je stijl.'

'Jíj bent de snob van ons tweeën, Dick.'

'Ik praat over het geheel.'

Winter voelde zich prettig bij Benson. Hij had iemand nodig om mee te bekvechten, niet te veel, maar net voldoende om zijn zintuigen alert en de angst binnen de perken te houden, altijd binnen de perken.

Ze waren bij de Odengatan. Winter draaide zich om. Het was niet ver naar het portiek van Schwartz. Eergisteravond laat was hij daar voor de laatste keer naar buiten gekomen, was de Odengatan overgestoken, was de paar stappen naar zijn dood gelopen. Wat wist hij?

Ze sloegen links af, passeerden banketbakkerij Ritorno, een klassieke banketbakkerij met een klassieke naam, daarna een lege winkelruimte, en liepen door de Dalagatan naar Tennstopet, Winter las de menukaart: kalfslever *Anglais. Biff Rydberg. Wallenbergare.* Gebakken Oostzeeharing met ingemaakte vossenbessen. Dat was het echte Zweden, echt voedsel, veilig voedsel.

'Het is nog te vroeg voor de lunch,' zei Benson. 'Ze gaan over twee uur open.'

'Ja, helaas.'

'Heb je honger?'

'Jezus, wat denk je?'

'We kunnen een kop koffie gaan drinken bij de banketbakkerij die we net passeerden,' zei Benson. 'We hebben nog een hoop te bespreken.'

De jongen zat vlak bij de OK-pinautomaat van het benzinestation van Frölunda op de grond. Hij zat daar al een hele tijd toen Ana Martini naar buiten ging en vroeg of er iets met hem aan de hand was. Ze had hem niet zien aankomen, maar nu hield ze hem al bijna een uur in de gaten. Hij zag eruit als een dakloze, een bedelaar, maar hij bedelde niet. Hij was een etnische Zweed of hoe dat heette, hij zag er in elk geval Zweeds uit. Ana was niet als Zweedse geboren, maar ze was het inmiddels wel. In de herfst zou ze beginnen aan een studie medicijnen, als ze voor die tijd niet stierf door de benzinedampen, of omdat ze werd neergeschoten als ze achter benzinedieven aan rende, of door veel te veel van de vieze worstjes te eten die ze in de winkel grilde.

De jongen keek op toen ze voor hem stond, maar hij leek haar niet te zien. De zon achter haar brandde in zijn ogen, hij zag eruit alsof hij blind was.

'Hallo,' zei ze.

Hij gaf geen antwoord. Er zaten donkere vlekken op de mouw van zijn jack. Zijn haar zat in de war, maar niet op een bewuste manier. Een jonge junk die van de busterminal bij het plein aan was komen strompelen? Nee, het was iets anders.

'Kom, dan help ik je overeind,' zei ze terwijl ze een hand uitstak.

Hij deinsde achteruit als een bang dier.

Ze pakte de arm van de jongen vast, maar hij gleed weg als water.

Arne Winkler, de chef van het benzinestation, zei iets achter haar. Ze had hem niet aan horen komen.

'De jongen is er niet goed aan toe,' zei hij. 'Ik bel een ambulance. En de politie.'

Gerda Hoffner en Aneta Djanali zaten naast Gustav Lefvanders bed op de afdeling Spoedeisende Hulp. Hij zou zo meteen verhuizen naar een andere afdeling. Hij was uitgedroogd, onderkoeld, uitgeput, uitgehongerd. Hij was meer dan twee etmalen verdwenen geweest. Dat kan een heel lange tijd in de eenzame jungle zijn.

Zijn ogen waren open.

'Kun je me horen, Gustav?' vroeg Aneta Djanali.

Hij knikte.

'Waar ben je geweest?'

Hij gaf geen antwoord, keek naar het plafond zoals hij naar de hemel had gekeken toen ze op hetzelfde moment als de ambulance bij het benzinestation waren gearriveerd.

Hij had geen fysieke verwondingen, geen tekenen van mishandeling, ze wisten nog niet waar de vlekken op zijn jack vandaan kwamen.

'Waar ben je geweest?' vroeg Djanali.

Hij keek nu naar haar, als iemand die naar een geluid keek, of een schaduw.

'Niet meer,' zei hij.

'Nee, niet meer,' zei Djanali.

De jongen liet zich weer op het bed vallen, alsof dat hem een veilig gevoel gaf.

'Je bent nu bij ons,' zei ze. 'Je hoeft niet bang te zijn.'

'Waar is hij?' vroeg de jongen.

'Wie bedoel je?' vroeg Djanali.

'Waar is hij?!'

De jongen was harder gaan praten, hief zijn lichaam een decimeter alsof hij weg wilde, terug naar de wildernis.

'Hoe heet hij?' vroeg Djanali.

'Is hij weg?'

'Hij is hier niet,' zei Djanali. 'Waar woont hij?'

'Thuis,' zei Gustav.

'Waar is thuis?'

Hij gaf geen antwoord.

'Waar hoort hij thuis?' vroeg Hoffner.

Gustav keek naar haar alsof ze het niet begreep. Hij begreep het, maar zij begreep het niet.

'Bij jou thuis?' vroeg ze.

19

Banketbakkerij Ritorno was groter dan het leven, het was er voor hun tijd al geweest en zou er na hun tijd nog steeds zijn. Zo ging dat met banketbakkerijen, het was misschien de enige waarheid die er in de wereld nog was.

'Dit is een stamplek voor me,' zei Benson toen ze achter hun gebak zaten, een tompoes voor Winter, een schuimgebakje met slagroom voor Benson.

'Ik heb net zo'n plek in Göteborg,' zei Winter. 'Een tweede kantoor.'

Benson knikte alsof hij het begreep.

'Goed, vier moordslachtoffers,' zei Winter. 'We hebben tot nu toe een eventuele link tussen twee slachtoffers gevonden. Johan Schwartz staat volgens een getuige op een film van twintig jaar geleden, samen met Jonatan Bersér, het andere slachtoffer. Ik heb de film gezien maar ik heb Schwartz niet herkend.'

'Vrienden dus,' zei Benson.

'Dat zou kunnen. Er is iets vreemds aan de film.'

'Hoe bedoel je dat?'

'Ik weet het niet. Plotseling verschijnt er een groep kinderen. Ik heb andere films gezien, van de anderen. Er is iets op de achtergrond... of de voorgrond... ik moet ze weer bekijken.'

'Wat bedoel je?'

'Dat weet ik nog niet.'

'Schwartz en Bersér kunnen de details zelf niet invullen,' zei Benson. 'Dat kunnen familieleden en vrienden wel doen. Hier en in Göteborg.'

'Heeft Schwartz hier familie wonen?'

'Voor zover ik weet niet. Je moet me daarmee helpen in Göteborg.'

Winter hief zijn gebaksvork met een stukje taart. De compositie was geruïneerd. Hij legde hem weer neer en hoorde een korte lach.

Er waren weinig andere gasten in de banketbakkerij, twee tienermeisjes giechelden bij een tafel bij de uitgang, vooral als ze naar de twee grimmige Zweden in kostuum bij het raam keken die eruitzagen alsof ze een misdaad planden, een bankoverval, iets spannends, of misschien waren het gewoon twee portiers die probeerden wakker te worden. De meisjes probeerden wakker te worden voor de lessen in het Vasa, na een ochtend spijbelen.

'Waarom zitten die meisjes niet op school?' zei Benson, die zich omgedraaid had naar het gelach.

'Je ziet eruit alsof je op wilt staan en ernaartoe wilt gaan om te vragen of je hun rooster mag zien,' zei Winter.

'Daar heb ik inderdaad zin in. Heb jij kinderen?' vroeg Benson nadat hij zich weer naar Winter had gedraaid.

'Twee meisjes, de oudste zit in de derde en de jongste begint volgend jaar met school.'

'Ik heb een tienerdochter,' zei Benson met een wrange glimlach. 'Jenny, mijn vrouw dus, en ik begonnen de aarde al vroeg te vullen. Agnes is een lief meisje, maar een tiener zoals ik al zei, en dus hebben we een alien in huis. Wacht maar tot jij aan de beurt bent. Je hebt niets meegemaakt voordat je probeert om met je tienerdochter om te gaan. Daarbij vergeleken stelt deze baan niets voor.'

'Dat klinkt spannend,' zei Winter.

'Je hebt geen idee. Bovendien ben jij dan een oude vent. Hoe oud ben je nu, tweeënvijftig, drieënvijftig? Je bent bijna zestig als de hel losbreekt, in jouw geval bovendien twee keer. Je hebt kracht nodig, mijn advies is dat je hierna geen enkel uur sporten meer mist.'

'Ik heb gisteren gejogd. En op dit moment schrijft mijn collega ons in voor het Korpen-voetbaltoernooi.'

'Ik durf er wat om te verwedden dat Halders dat regelt.'

'Ken je Fredrik?'

'Die psychopaat is berucht bij alle politiebureaus van Ystad tot Haparanda. Er hangen affiches op alle muren, heb je ze niet gezien? Waarschuwing voor lijf en leden.'

'Ik wist niet dat hij zo beroemd was,' zei Winter.

'Veel beroemder dan jij,' zei Benson. 'Ik zag dat hij hoofdinspecteur is geworden. Jezus, ik heb erover nagedacht om mijn eigen sterren te verbranden.'

'Hij is een goede om in het team te hebben.'
'In welk team zat hij tijdens het Göteborg Festival? Dat was flut.'
'We hadden toen geen goed team, Benson. Dat weet je. We waren geen overwinning waard, in sporttaal gezegd.'
'Er is een nieuwe taal uitgevonden tijdens die demonstraties,' zei Benson. 'Het was onmogelijk om dat te leren.'
'Hebben we dat geprobeerd?'
'Jullie hebben het verknald, Winter. Jullie waren de gastheren.'
'Ik hoor dat het nog steeds een open wond is.'
'Vooral als je erin prikt.'
'Doe dat dan niet. Jij bent degene die prikt. We hebben daar nu geen tijd voor.'
'Ik stond op het punt om Halders een lesje te leren, wist je dat?'
'Schijt aan Halders, Dick.'
De tieners stonden op en vertrokken, ze giechelden niet meer, misschien vonden ze dat de stemming aan de andere tafel dreigend was geworden. Winter knikte en glimlachte naar hen, probeerde vriendelijk te zijn. Ik probeer altijd aardig te zijn, dacht hij, het juiste te doen. Anderen kunnen doen wat ze willen op het moment dat ze dat willen, maar ik moet zowel mezelf als alle anderen altijd bij elkaar houden.
'Een geluk voor ze dat Halders hier niet zit,' zei Benson.
'Je bent geobsedeerd door Halders,' zei Winter. 'Misschien is het heel gewoon een homo-erotisch probleem?'
'Dan zou het geen probleem zijn,' zei Benson met een glimlach.
'We hebben in dit onderzoek ook een tiener,' zei Winter terwijl zijn mobieltje in de binnenzak van zijn colbert begon te vibreren.
'Ja?'
'Met Aneta.'
'Dat zag ik.'
'We hebben Gustav gevonden.'
'Heb je met hem gepraat?'
'Ja, daarom heb ik een tijdje gewacht met bellen. Hij is onderkoeld, maar ongedeerd.'
'Waar is hij geweest?'
'Zover zijn we niet gekomen.'
'Waarom ging hij ervandoor?'
'Hij was bang.'

'Waarvoor?'
'Voor iemand thuis, maar wat hij daarmee bedoelt weet ik nog niet.'
'Thuis? Waar?'
'Dat proberen we uit hem te krijgen.'
'Heb je Lefvander erbij gehaald? De vader?'
'Nee, nog niet. Zijn moeder ook niet.'
'Haal Lefvander op voor een verhoor,' zei Winter. 'Dat is hoog tijd. Laat Bertil het doen.'
'Oké.'
'Waar hebben jullie de jongen gevonden?'
'In Frölunda. Bij de OK-pinautomaat.'
'Alweer Frölunda,' zei Winter.
'Het centrum van de wereld.'
'Goed gewerkt, Aneta, bel me meteen als je iets hebt,' zei Winter. Hij verbrak de verbinding en legde zijn mobieltje op de tafel.
'Bersérs stiefzoon was verdwenen, maar is nu terug in de wereld,' zei hij tegen Benson.
'Hmm.'
'Tja, je hebt het gehoord.'
'Hij is bang.'
'Ja.'
'Ik vraag me af hoeveel meer mensen er op dit moment bang zijn,' zei Benson.
'Wat bedoel je?'
'Het is niet bepaald een geheim, de pers zit er nog erger op dan anders. Komen er meer slachtoffers? Waarom zou het hier stoppen? Wie weet nog meer dat het hem kan overkomen? Dat er een reden is om doodsbang te zijn?'
'In die richting gaan mijn gedachten ook,' zei Winter.
'Hoe zit het met die verdomde letters?'
'Het kan een mededeling zijn. Het kan ook niets zijn, een grap die we niet begrijpen, een afleidingsmanoeuvre, het kan zoveel zijn.'
'Mijn ervaring is dat die zieke klootzak op deze manier iets wil vertellen. Hij wil ons testen, zien hoe slim we zijn. Of we slimmer zijn dan hij. Hoewel hij de antwoorden heeft.'
Winter knikte. 'We hebben vier letters, het kunnen er acht worden, of zes of wat dan ook.'

'Een volgorde?' zei Benson. 'Een naam?'

'Ik heb in het vliegtuig over de volgorde nagedacht,' zei Winter. 'Robert Hall kreeg een R, Jonatan Bersér een O, Matilda Cors een I en Johan Schwartz een A.'

'Moeten we het zo lezen? ROIA?'

'Of staan de letters ergens voor? Is het bijvoorbeeld geen toeval dat Hall een R kreeg? Dat is ook een deel van de puzzel.'

'Of misschien is het gewoon een verdomd mysterie,' zei Benson. 'Misschien is er geen puzzel. Er is geen laatste letter, geen laatste puzzelstukje.'

Torsten Öberg belde Aneta Djanali op het moment dat ze voor het politiebureau parkeerde. Ze zette de motor uit.

'Ik heb een eerste monster van het jack van de jongen genomen,' zei Öberg. 'De vlekken zijn geen bloed, als iemand dat dacht. Het is verf.'

'Zwarte verf,' zei Djanali.

'Volgens mij is het dezelfde kleur als op de stukken karton,' zei Öberg. 'Maar we willen het zeker weten, of niet soms? Ik heb het jack naar het forensisch laboratorium, het SKL, gestuurd, zij kunnen een speciale test doen die honderd procent uitsluitsel geeft. Dat gaat bovendien snel.'

'Hoe snel?'

'Een dag.'

'Dus Gustav heeft hem ontmoet,' zei Djanali.

'Ja, ik geloof niet dat de jongen het jack op straat gevonden heeft.'

Johan Schwartz' vriendin had een appartement in Söder, op de Ringvägen. Ze heette Lisa.

Benson reed langs Zinkensdamms IP en door de Tantogatan. Hertz, banketbakkerij Bananza, Dunlop, S.A.T.S., het arbeidsbureau, alles was er. De Ringvägen maakte een flauwe bocht rond Söder, nummer 42 was een modern complex van vier verdiepingen in rode baksteen, het gebouw liep met de weg mee, helemaal tot het ziekenhuis.

Benson parkeerde voor de deur. Bus 43 naar Ruddammen passeerde. Winter was niet op eigen terrein, hij was hier nooit geweest.

Dit was niet het Söder waar de mensen aan dachten als de wijk werd genoemd: de kroegen van Söder, de bekende mensen in Söder, het intellectuele Söder, de hersendode voetbalfanaten in Söder.

Dit zag er moderner uit, een moderne, grote wijk die midden in het leven stond en waar de meesten in leefden, in werkten. Er was een telecommunicatiewinkel op de parterre van nummer 42, en een stomerij, WIJ WASSEN ALLES. Winter dacht aan de stomerij die hij duizenden keren in de Karl Johansgatan in Majorna was gepasseerd: WIJ WASSEN ALLES – BEHALVE GELD.

In de lift naar boven bekeek Winter zijn gezicht in de spiegel, met Bensons gezicht naast zich. Ze waren ongeveer even lang, zagen er net zo ongelukkig uit, een zwarte glans onder hun ogen, een blauwe glans boven hun hoofd, twee mannen midden in het leven die er geen idee van hadden hoe ze hier waren beland, in deze lift, wat de reden van alles was, de échte reden.

Benson belde aan, er werd onmiddellijk opengedaan, de vrouw had blijkbaar vlak achter de deur staan wachten vanaf het moment dat Benson vanuit Ritorno had gebeld.

Ze zag er bang uit, niet voor hen, voor al het andere.

'Lisa Asklund?' vroeg Benson.

'J... ja.'

'Mogen we even binnenkomen?'

Ze zag eruit alsof ze een jaar of veertig was, zoals alle anderen in het onderzoek, constateerde Winter meteen. De meesten met wie hij tegenwoordig werkte waren jonger, vroeger was het andersom geweest, dat was geen probleem, leeftijd was geen probleem, de tijd was het probleem.

Ze had uitgelopen mascara onder haar ogen. Het was zoals altijd, het versterkte het verdriet. Of wat het was dat ze voelde.

'Ik kan niet stoppen met huilen,' zei ze.

'Maar heel even,' herhaalde Benson.

'Wat?'

'We hoeven maar heel even te blijven. We hebben maar een paar vragen. Daarna gaan we weer.'

Het leek alsof ze het niet hoorde, alsof ze luisterde naar geluiden die alleen zij kon horen. Winter hoorde de ruis in zijn eigen hoofd, hij had het de hele ochtend verdrongen, zoals hij de meeste dagen deed, maar nu was zijn tinnitus weer duidelijk aanwezig, als een herinnering aan het leven dat hij eerder had geleefd, zonder na te denken, volkomen instinctief, een dierlijke intelligentie. Hij hoorde alle zeeën op de aarde in zijn schedel ruisen, elke golf was de zevende golf. Er was geen bescherming, die zou er nooit zijn.

Winter stond in Lisa's zitkamer. Het voorjaarslicht vanuit het zuiden was sterk, de zon stond op zijn hoogste punt. Hij zag een grote schommel op de binnenplaats, daarachter een heuvel, een eenzame, houten bank. In het gebouw aan de overkant had iemand een plastic tas van Willy's op zijn balkon laten liggen, hier waren dus ook arme duivels die geld telden. Lisa's balkon was leeg, geruïneerd door de onbarmhartige winter, stoffig, smerig, alsof ze nooit bericht had gehad dat het voorjaar was aangebroken. De thermometer in Bensons auto had vijftien graden aangegeven, in de zon, maar toch, de warmste dag van het jaar tot nu toe, de dag waarop het leven terugkeerde naar Stockholm, behalve hiernaartoe, naar deze stralende kamer, het verlaten balkon.

Hij hoorde Benson iets zeggen en draaide zich om.

'Wanneer hebben jullie elkaar voor het laatst gezien?' hoorde hij Benson vragen.

'D... ik... dat was denk ik eergisteren. Ik weet het niet meer.'

'Waar hebben jullie elkaar gezien?'

'Hier.'

'In dit appartement?'

'Ja...'

'Je lijkt onzeker.'

'Nee, dat was hier.'

'Wanneer was dat?'

'Daar... heb ik toch antwoord op gegeven?'

'Nee.'

'Jezus,' zei ze terwijl ze haar gezicht in haar handen verborg.

'Hebben jullie elkaar eergisteravond gezien?' vroeg Benson.

'Ze hief haar gezicht en keek naar hem.

'Ja.'

'Hier?'

'Ja.'

'Bleef Johan vaak slapen?'

Ze schrok toen Benson zijn naam noemde, alsof de op een hooligan lijkende politieagent naast haar op de bank een grens was gepasseerd, het was alleen een kwestie van tijd geweest.

'Is... dat belangrijk?' vroeg ze.

Winter hoorde een geluid in de tuin, draaide zich om, twee kinderen van een jaar of tien schommelden beneden, lachten, schommelden, de lach steeg tegen het gebouw op als in een amfitheater, het moest de bedoeling van de architect zijn geweest.

Winter schoof de balkondeur open. Het voorjaar stroomde naar binnen, de geur, de milde wind. De lach klonk opnieuw. Er was leven in dit appartement nodig. Het was morsdood, ze waren allemaal dood, niemand bewoog. De kinderen zagen hem nu hij niet langer verborgen was achter het raam, ze zwaaiden, schommelden steeds hoger, zwaaiden weer, hij zwaaide terug, zwaaide, zwaaide naar Elsa en Lilly, hij wilde hen nu in zijn armen houden, ze stevig en lang vasthouden, alsof het de laatste keer was, alsof ze op het strand voor de grootste golf stonden, een angstaanjagende gedachte, een afschuwelijk voorgevoel. Hij deed de balkondeur dicht. Hij wilde weg. Hij wilde tussen de vriendelijke wolken zijn, met de snelheid van het licht op weg naar het zuiden. Hij wilde vluchten.

'Dat is heel belangrijk,' hoorde hij Bensons stem achter zich.

'We hebben elkaar eergisteravond niet gezien,' hoorde hij haar zeggen. Hij draaide zich om. Benson zei niets, hij wachtte. Winter wachtte.

'Hij had een afspraak met iemand,' zei ze.

Benson knikte zijn bemoedigende knikje, houd het open, verpest het niet.

'Hij was hier 's middags... hij zou laat zijn...'

'Zou hij laat zijn?'

'We zouden... gisterochtend contact met elkaar hebben,' zei ze. Ze verborg haar gezicht in haar handen. Het was alsof de weerzinwekkende waarheid zich naar binnen begon te vreten als een kankergezwel dat het lichaam nooit meer zou verlaten, nooit.

Benson knikte.

'Maar toen... maar toen...'

Benson knikte opnieuw.

'Wie?' zei ze. 'Wie heeft het gedaan?'
'Met wie had hij een afspraak?' vroeg Benson.
'Een vriend van vroeger,' zei ze.

20

Gustav Lefvander was een stille jongen. Hij had gezegd wat volgens hem nodig was en hij wilde niet meer zeggen. Hij had tijd nodig om naar het leven terug te keren. Hij wilde niet zeggen waar hij was geweest. Misschien is hij met de dood bedreigd, dacht Djanali. Wanneer is hij veilig? We moeten naar het jack vragen. Waar hij geweest is. Maar hij komt hier niet naartoe. Het gaat nu om zijn vader.

Ze zaten in de verhoorkamer met de neutrale muren en het neutrale licht en de neutrale spullen, de morsdode techniek, ze wisten niets, dat was de methode, doen alsof we niets weten, we willen het heel graag weten, help ons alsjeblieft.

Mårten Lefvander vond het belachelijk dat hij daar moest zitten, tegenover Ringmar en Djanali, aan de andere kant van de eenvoudige tafel in de angstaanjagende omgeving.

'Doen jullie dit altijd zo?' vroeg hij.

'Als je een verhoor bedoelt, dan is het antwoord ja,' zei Ringmar.

'Dat is niet wat ik bedoel. Ik bedoel ík. Ik bedoel míj.'

'Is het vreemd dat we je willen verhoren?' vroeg Ringmar.

'Je zoon was verdwenen.'

'Denk je dat ik niet ongerust was?'

Ringmar en Djanali zeiden niets.

'Wat is dit?' zei Lefvander. 'Wat is er met jullie? Geloven jullie me niet?'

'Waarom is Gustav verdwenen?'

'Hij was waarschijnlijk bang.'

'Bang voor wie?'

'Jezus, iemand loopt rond en vermoordt mensen, onder wie zijn stiefvader. Wie zou daar niet bang van worden?!'

'Ben jij ook bang?' vroeg Djanali.

'Wat?'

Djanali herhaalde de vraag.
'Ik was bang dat er iets met Gustav gebeurd was.'
'Heb je hem gezocht?'
'Dat is mijn taak toch niet?'
Ze gaven geen antwoord.
'Ik heb alles gedaan wat ik kon,' zei Lefvander.
'Wat bedoel je daarmee?' vroeg Ringmar.
'Ik heb gedaan wat een vader moet doen.'
'Wat moet een vader doen?' vroeg Djanali.
'Heb je kinderen?' vroeg Lefvander.
'Geef gewoon antwoord op de vraag,' zei Ringmar.
'Wat was de vraag?'
'Wat doet een vader die alles doet?'
'Voor zijn zoon zorgen als dat nodig is.'
'Wanneer is dat nodig?'
'Gustav wilde niet bij Amanda en Jonatan wonen, oké? Hij vond het daar niet prettig. Hij wilde bij mij wonen. Dat zegt alles, of niet soms?'
'Wat zegt dat dan?'
'Dat hij bij mij wilde zijn.'
'Wat zegt het over zijn moeder?'
'Betrek haar hier niet bij.'
Ringmar keek haastig naar Djanali. 'Wat bedoel je daarmee, Mårten?'
'Ze is onschuldig.'
'Onschuldig waaraan?'
'Aan alles.'
'Wat is alles?'
'Wat er gebeurd is.'
'Wat is er dan gebeurd?'
'Dat Gustav weggelopen is natuurlijk,' zei Lefvander.
'Dat is niet wat je bedoelt.'
'O nee?'
'Je bedoelt iets anders.'
'Wat bedoel ik dan?'
'Dat vragen we aan jou.'
'Ik heb geen idee.'
'Heb je het over Bersér?'

'Ik wil niet over hem praten.'
'Verberg je iets wat met Bersér te maken heeft?'
'Waarom zou ik iets verbergen?'
'Dat vraag ik aan jou.'
'Gustav heeft nooit iets gezegd,' zei Lefvander.
'Waarover?' zei Djanali. 'Waarover heeft hij niets gezegd?'

Lisa Asklund wist niet wie Johans vroegere vriend was. Ze wist niet waar ze hadden afgesproken. Ze had het gevraagd, maar Johan had geen antwoord gegeven en ze had de indruk gekregen dat het niet belangrijk was. Hij had niet ongerust geleken, misschien een beetje gestrest.
'Wat bedoel je?' vroeg Winter.
'Tja... alsof hij er niet helemaal gerust op was.'
'Wat zei hij over de afspraak?'
'Alleen dat ze een biertje zouden gaan drinken. Daarna zou hij naar huis gaan. Het was in de buurt van zijn appartement. Hebben jullie dat... gecontroleerd? Waar ze hadden afgesproken? Of ze elkaar ontmoet hebben?'
'Tot nu toe hebben we de plek niet gevonden,' zei Benson.
'Misschien hebben ze elkaar helemaal niet gesproken,' zei ze.
'Hij moet iemand ontmoet hebben,' zei Benson.
'Wat vertelde hij nog meer over die vriend?' vroeg Winter.
'Dat hij uit Göteborg kwam,' zei ze.
'Dat hij uit Göteborg naar Stockholm kwam?'
'Ik neem aan dat hij hiernaartoe is gekomen voor... hun afspraak. Of dat ze elkaar zouden ontmoeten als hij toch in de stad was.'
'Wat leek Johan daarvan te vinden?'
'Waarvan?'
'Dat deze persoon naar Stockholm was gekomen?'
'Ik weet het niet... ik herinner het me niet goed.'
'Laten we alle tijdstippen nog een keer doornemen,' zei Benson.
Winter hoorde buiten weer gelach, alsof de tijd niets betekende voor de kinderen, alsof de tijd voor hen niet bestond.

Dick Benson reed weg in zijn opzichtige Audi, het kortgeknipte, blonde haar en de zonnebril en het peperdure kostuum maakten hem tot het clichébeeld van een gangster, hij passeerde Zinken of hoe de Stockholmers die plek ook noemden en verdween in de Hornsgatan.

'Ik wil een eind lopen,' had Winter gezegd, 'ik moet mijn hoofd leegmaken, het is een lange dag geweest.'

Winter begon over de Ringvägen te lopen, de woningen volgden de bochten in de weg, hij passeerde een bar, Ringos, WE GAAN LOS IN RINGOS, stond er met dikke letters op het raam, hij probeerde zich voor te stellen dat Lisa Asklund daar naar binnen ging, het was niets voor haar, misschien voor Johan, hij wist helemaal niets over Johan Schwartz, nog minder dan over de andere slachtoffers. Winter was hier een vreemdeling, was Johan dat ook geweest? Was hij hiernaartoe gevlucht, maar waarvoor dan? Wie was Peter Mark, wat deed hij hier op dit moment, hij vermoordde zijn oude vriend, een achtervolging naar het einde van de wereld, waarom juist nu?

Winter sloeg af naar links en passeerde het ziekenhuisterrein van Rosenlund.

Hij liep een paar trappen af naar de Timmermanssteeg. Er bungelden een paar schoenen aan een antieke telefoonkabel. De hemel was blauw, de schoenen waren zwart, maar alles was zwart tegen de hemel.

Hij kwam op een speelplaats, een voetbalveld, hij zag kinderen en moeders, een mooi plaatje, maar alles leek hier een beetje kapot, haveloos, verwaarloosd, hij las op een aanplakbiljet dat de plek, die Södermalmsallén heette, opgeknapt zou worden. Het rook anders dan in Göteborg, het rook naar een grote stad, veel groter, erger. Het was kwaadaardigheid, voelde hij, wist hij, verspreid en geconcentreerd op hetzelfde moment. Het gaf een echo, ontzetting, als een kreet van heel ver weg, een wild dier dat was gevangen in een ijzeren klem, het zou zijn poot afknagen, het zou uiteindelijk iemand vinden, niemand zou eraan ontsnappen, niemand-zou-eraan-ontsnappen.

Hij stond nu op het Mariaplein, het was jaren geleden dat hij daar was geweest. Een groep alcoholisten lalde in het park, zwaaiend in de wind die was toegenomen terwijl hij door Söder had gelopen. Hij stond voor Rival, zag de mooie vrouwen met zonnebrillen op het terras, dat vergrootte het absurde gevoel, alsof het een droom was, er stonden glazen wijn op de tafels, voor twaalf uur al, het was voorjaar, de zon scheen door het stof boven het plein, als door een woestijn. Hij werd gepasseerd door mensen die eruitzagen alsof ze op weg waren naar hun eigen terechtstelling, maar zo zagen ze er overal in dit land uit, dat was niet specifiek voor de hoofdstad, het waren er hier alleen veel meer, alledaagse mensen die de zinloosheid van het leven beter hadden begrepen dan de meest vooraanstaande filosofen ter wereld verzameld in één vergaderkamer. Het is fijn om anders te zijn, dacht hij, een man van de toekomst, hij overwoog om het Ming Palace binnen te gaan, maar de plek zag er zo verschrikkelijk uit dat hij het niet aandurfde, hij wilde nog niet dood, niet op zo'n manier, kronkelend op het trottoir terwijl alle kleine kwellingen met elkaar versmolten. De volgende dag zou Benson vertellen dat het een uitstekend restaurant was, maar dat wist Winter nu nog niet.

Hij liep door de Hornsgatan, ging bij Black & Brown naar binnen en bestelde een broodje kaas en een glas bier. Bij het raam zag hij een leeg tafeltje. Hij ging zitten en zag een man aan de overkant van de straat een envelop in de brievenbus stoppen. Zijn mobieltje ging.

'Waar ben je?' vroeg Ringmar.

'Ik zit in een pub en kijk uit het raam. Ik zag net Ernst Brunner, die een brief in de brievenbus stopte.'

'Aha. Dat was beslist een boek. Van hemzelf. Heb je zijn handtekening?'

'Hij was weg voordat ik buiten was. Opgeslokt door de grote stad.'

'Hoe gaat het?'

'Angst en vernedering zoals gewoonlijk. Schwartz had de avond voordat hij stierf een afspraak met iemand, volgens zijn vriendin.'

'Kan dat Peter Mark geweest zijn?'

'Het kan iedereen geweest zijn.'

'Er zijn geen enkele reizen of retourtjes op Marks naam geboekt,' zei Ringmar.

'Alleen dat is al verdacht.'

'Plus dat hij eigenlijk geen geld heeft, gok ik.'

'Oud geld,' zei Winter.

'We hebben het niet over jou, Erik.'

'Nee, precies, ik heb nog steeds een baan.'

'Drink je?'

'Alleen een ale.'

'We hebben Mark ook niet in een hotel of een hostel of zoiets gevonden.'
'Wat doet hij in Stockholm?' zei Winter. 'Wie kent hij hier?'
'Schwartz.'
'Kende in dat geval, maar dat is te gemakkelijk.'
'Wat is te gemakkelijk?'
'Dat hij het is. En waarom nu in dat geval?'
'Dat moeten we hem vragen,' zei Ringmar.
Winter kreeg zijn broodje. Hij haalde de slablaadjes en reepjes paprika weg en legde die op de rand van het bord. Er was niets smeriger op een broodje dan paprika, maar toch bleven ze dat doen in cafés en bars, decennium na decennium.
'Ik neem zo meteen een taxi naar het hotel om na te denken,' zei Winter. 'Hoe gaat het met Lefvander?'
'Ik weet het niet. Hij is weer thuis. Arrogante vent. Bersér was niet zijn beste vriend. Ik weet niet wat dat betekent. Het is mogelijk dat hij zijn zoon zelf bang gemaakt heeft. Ik weet het niet. Hij liegt, maar ik weet niet waarover. Ze liegen allemaal als ze met me praten, allemaal, zonder uitzondering.'
'Ik lieg nooit, Bertil.'
'Alleen tegen jezelf.'
'Dat is nu voorbij. Ik was daarnet zelfs even blij. Het is voorjaar.'

Halders en Djanali waren op weg naar Påvelund. Djanali reed. Ze parkeerde voor de woning van Gunnar Bersér.
De zon ging schuil achter de wolken. Het licht was eerder krachtig geweest. De ramen van de woning waren zwart. Niemand deed open toen ze aanbelden. Halders liep naar het raam links van de deur, toen naar de volgende en verdween uit het zicht. Na een paar minuten hoorde Djanali een kreet en Halders kwam om het huis heen rennen. 'Bel een ambulance!' riep hij, hij haalde zijn sleutelbos tevoorschijn, probeerde de loper te vinden. 'Verdomme, verdomme,' zei hij en daarna waren ze binnen, Djanali kreeg iemand aan de telefoon, gaf het adres, ze volgde Halders door de hal naar de zitkamer die uitkeek op de achtertuin, waar alle leuke momenten ooit op film waren gevangen door vader Bersér, hij hing midden in de kamer aan een haak aan het plafond waaraan normaal gesproken een kristal-

len kroonluchter hing, die lag op de vloer naast de omvergeschopte stoel, Bersérs lichaam zwaaide zachtjes heen en weer, als in een zwakke voorjaarswind.

0

Toen hij uiteindelijk contact met ze opnam was het alsof hij van een andere planeet kwam, alsof hij nooit een deel van hun leven was geweest. Alsof ze zijn leven nooit hadden geruïneerd.

Toen hij zijn plan begon uit te voeren begreep hij dat ze later geen contact met elkaar hadden gehad. Het was alsof ze allemaal op andere planeten leefden.

Maar ze kwamen naar hem toe. Hij koos de plekken, het kon immers niet bij hen thuis zijn, maar hij wilde dat het in de buurt van hun woningen was.

Het moesten bijna net zoveel stappen van hun huis zijn als hij destijds van het huis naar het water was gerend.

Ze zouden niet terug kunnen rennen.

Hij zei niets, daarmee zou hij ze een kans hebben gegeven om het uit te leggen, maar er was niets uit te leggen, daarvoor was het te laat. Dan zouden ze nooit zijn gekomen. Hij zou nooit een kans hebben gekregen.

Ze hadden hem niet herkend toen ze hem zagen. Hij was groter, veel groter. Hij was een ander, hij was Glad.

Het was geen wraak, het was rechtvaardigheid.

Ik was het niet.

Ik wist van niets.

Ik heb je geholpen, weet je dat niet?

Wat wil je hebben?

Hij wilde niets meer hebben, alleen dat ene. Zo eenvoudig was het geweest. Iedereen had het kunnen doen. Nee. Het was iets tussen hem en hen.

Het was noodzakelijk dat de politie wist dat dit niet iets was wat iedereen iedereen had kunnen aandoen.

21

Benson had zijn weekendtas afgegeven bij de receptie. Winter checkte in en liep naar de liften. In het Nordic Light Hotel was het feest begonnen, mensen dronken wijn in de lobby alsof er geen morgen of gisteren bestond. Twee vrouwen op een bank links van hem hieven hun glas, misschien naar hem, misschien naar het Scandinavische licht dat door de glazen wand vanaf de Vasagatan naar binnen stroomde. *Primavera. Spring. Printemps.* Wie aangeschoten en vrolijk is kan elke taal spreken. Vrouwen hadden naamplaatjes op hun borst, het was dus geen feest, het was een bedrijf, natuurlijk een overheidsbedrijf, de meteorologische dienst, de immigratiedienst, hij wist het niet, hij was bij de ingang bijna over twee bedelaars met krukken gestruikeld, ze waren op weg naar binnen geweest, misschien als een deel van het feest, in dat geval was het de immigratiedienst, een casestudy, of gewoon amusement, terug naar de middeleeuwen, dwergen, Moldaviërs die een been misten, beren, achterin was een podium, of misschien was het alleen een buffet.

Het raam in zijn kamer keek uit op een achterafstraat die parallel aan de spoorlijn liep. Taxi's reden af en aan, het was het middelpunt van de stad. Hij was heel dicht in de buurt, het was de juiste plek. Hij hing zijn jas aan de haak bij de deur, trok zijn colbert uit, ging op het bed liggen, dacht aan gezichten, grote, kleine, hoorde de ruis in zijn hoofd, dacht aan de zee, viel in slaap, droomde, hij stond op een strand en gooide stenen in de zee, het was niet duidelijk waar, de zee werd groter en het strand werd kleiner en het water om hem heen steeg, hij begreep dat het zijn eigen schuld was, de stenen verhoogden het waterniveau, dat weet iedere bovenbouwleerling, maar hij begreep het toch niet, hij bukte zich om onder water nieuwe stenen te pakken en ze weer los te laten, ik hoop dat het een droom is, droomde hij, anders loopt het verdomd slecht met me af. Het zoemde in zijn hoofd, rinkelde, hij was weer onder water, probeerde een grote kei te pakken, de ruis was onder water ook aanwezig, hij deed zijn ogen open, het was overal licht, hij ademde zwaar, hij zag het witte plafond boven zich, het was de hemel niet, het was het Nordic Light Hotel, de ruis was het vibreren van zijn mobieltje in combinatie met het rinkelen van de hoteltelefoon naast hem op het nachtkastje. Hij pakte hem op.

'Ja?'

'Waarom neem je niet op, Erik?'

'Ik neem nu op.'

'Je mobieltje.'

'Ik sliep, Bertil.'

'Jezus.'

'Dat was niet de bedoeling. Het moet de lucht in Stockholm zijn.'

'Bersér senior heeft zich opgehangen.'

'Ik luister.'

'Dat klinkt alsof je er een voorgevoel van had.'

'Wanneer is het gebeurd?'

'Ergens vannacht. Hij was alleen thuis.'

'Het lijkt erop dat hij de hele tijd alleen thuis is geweest,' zei Winter. 'Vanaf het moment dat zijn zoon vermoord is.'

'We hebben met zijn vrouw gepraat, de moeder, ze logeerde bij een vriendin in Kungsbacka.'

'Waarom?'

'Verdriet, zegt ze.'

'Deel je dat niet?'

'Dat heb ik gevraagd, maar ze gaf geen antwoord.'

'En nu heeft ze twee keer zoveel verdriet,' zei Winter.

'Het leek niet alsof ze het echt registreerde.'

'Was er een afscheidsbrief?'

'Nee, niets.'

'Wat zeggen Pia en Torsten?'

'Tot nu toe zelfmoord. We kammen de woning uit. Het touw zag er nieuw uit.'

'Er kunnen meer films zijn,' zei Winter.

'Wat gebeurt er bij jou?'

'Ik ga weer naar Vasastan.'
'Vanavond?'
'Ja, wat vind je daarvan?'
'Neem iemand mee.'

Het voelde alsof het licht nooit zou verdwijnen. Gewoon zomaar, dacht ze, plotseling is het er gewoon, zonder overgang, van duisternis naar dit. Het is niet vreemd dat sommigen daar zenuwachtig van worden, het gaat te snel, we kunnen het niet bijhouden, het wordt te snel licht, alsof je ineens in het licht staat nadat je een halfjaar in het aardedonker hebt gezeten.

Fredrik speelde Tiamat op de cd-speler in de auto, hij bevond zich in zijn jaarlijkse Tiamat-periode, ze gaf geen commentaar, het was in elk geval Michael Bolton niet. Tiamat had nummers met een bouzouki, hardrock met een bouzouki, met een mandoline, maar vooral met een Gibson Explorer met een sound die als een warm mes door de boter sneed.

Ze waren op weg naar Marconi Park. De dalende zon veranderde de nieuwe gebouwen langs de Marconigatan. De gebouwen hadden messcherpe hoeken, alsof de kamers daarbinnen afgesneden waren. Het was mooi en onmenselijk, hier was alleen glas en beton en glimmend asfalt. Het Frölundaplein was een voortdurend werk in uitvoering, een perpetuum mobile, een droom voor de bevrorenen.

'Ik ben maar één keer in Stockholm geweest en dat waren angstige dagen,' zei Halders tegen de voorruit toen de muziek zweeg en hij voor de ijshal parkeerde. 'Ik ga er nooit meer naartoe.'

'Je kinderen moeten de hoofdstad van het land toch zien?' zei ze.

'Dat was precies wat mijn vader zei.'

'Wat bedoel je?'

'Ons bezoek aan Stockholm, jezus!'

'Wat is er gebeurd?'

Halders zette de motor uit. Ze hoorde een zeemeeuw in de lucht krijsen. Ze zag een netwerk van zwarte vogels tegen de donkerblauwe hemel. De lucht was als rook. Ze huiverde.

'Ik was een jaar of tien. Het was in de tijd dat de autokentekens provincieafkortingen hadden, zodat iedereen kon zien uit welk gat je afkomstig was.'

'Waar kwamen jullie vandaan?'

'Uit F. Dat stond voor de provincie Jönköping. We woonden een halfjaar in Eksjö en in die tijd kocht mijn vader een tweedehands-Borgward en er stond een F op de kentekenplaat en we reden nietsvermoedend naar de hoofdstad voor een vakantie van twee dagen.'

'Wat gebeurde er?'

'Mijn vader begon op de Narvavägen te vechten met een Stockholmse klootzak.'

'Je maakt een grapje, Fredrik.'

'Dat is niets om grappen over te maken. We reden in noordelijke richting over de Narvavägen, mijn vader en moeder hadden een goedkoop hotel bij Vanadisbadet gevonden, dat was als het ware twee vliegen in één klap. Mijn broer en zus en ik zaten op de achterbank, mijn vader en moeder rookten koortsachtig, de eerste keer in de grote stad, mijn vader dacht dat hij verkeerd was gereden, mijn broer braakte door de rook, mijn vader remde, een auto achter ons begon als een idioot te toeteren, mijn vader draaide het raam naar beneden en we hoorden allemaal iemand "ga terug naar het platteland, boerenkinkel" schreeuwen, in dat nasale, weerzinwekkende Stockholmse dialect, net Amerikaans, en daarna volgde getoeter, oorverdovend getoeter, mijn vader trok de handrem aan en sprong naar buiten en rende naar de auto achter hem en trok de deur open en sleurde die klootzak uit zijn auto.'

'Nee.'

'Jazeker. Het was een vent van dezelfde leeftijd en lengte, dus was het een gelijkwaardig gevecht. Ze hadden elkaar een paar flinke stoten op het lichaam gegeven en haalden net adem toen er een smeris in een Amazon kwam aanrijden! Op dat moment besloot ik om politieagent te worden.'

'Heb je daarover nagedacht?'

'Waarover?'

'Dat je politieagent wilde worden toen je vader meegenomen werd door de politie.'

'Stop met die verdomde freudiaanse onzin, Aneta. Het was de auto.'

'Wat is er met je vader gebeurd?'

'Die smeris nam hem en die klootzak mee naar een politiebureau in de buurt. Ik was er niet bij. Een van de agenten reed ons in onze Borgward Isabella naar het hotel. Mijn moeder had geen rijbewijs. Hij was vriendelijk, jong in mijn herinnering. Ik mocht aan zijn wapenstok voelen, wat zou Freud daarvan gezegd hebben, denk je? Mijn vader kwam na een paar uur terug, geen van hen had aangifte tegen de ander gedaan, ik geloof zelfs dat ze er na afloop aan de telefoon om hebben gelachen, maar het was eigenlijk helemaal niet om te lachen. Mijn zus plaste in haar broek op de achterbank toen ze vochten. Ze was veertien. Mijn broer en ik hebben haar er nooit mee gepest.'

'Toen al een gentleman,' zei Djanali.

'De gebeurtenis staat in de familie bekend als de "slag bij Narva".'

'En jij hebt nooit terug willen gaan.'

'Nee. Ik weet niet wat dat met me zou doen, dokter. Wie ik dan zou worden.'

'Een completer mens misschien?'

'Ik ben compleet,' zei Halders. Hij zette zijn zonnebril op, opende het portier en stapte op de schrale grond.

Djanali voelde de koude zeewind, zag hem over het grind van Marconi Park zwiepen. Daar zou nooit gras groeien, er zou niets groeien, alleen woningen. Ze huiverde, de kou was nu overal. Fredrik leek het niet koud te hebben, hij was al op weg naar het ijs in de hal, met veerkrachtige stappen alsof hij een afspraak had.

Winter keek naar de film. Zo zag Johan Schwartz er levend uit, achttien jaar jonger, een bewegend beeld voor het nageslacht, Winter was het nageslacht, een toekomst die niet langer bestond voor het gezicht op de video. Het was zomer, mensen bewogen van links naar rechts, als in een choreografie, ze konden iedereen zijn, hij herkende niemand behalve Schwartz, een andere jongen schopte een voetbal in de lucht, de camera ving hem, een paar kleine handen, gedurende drie seconden een gezicht in beeld, een jongen, Winter voelde een ijzige kou in zijn nek die als een dier over zijn achterhoofd kroop, hij spoelde de film op zijn laptop terug en bekeek hem weer. Dat was hem, dat was de jongen op de films die hij uit het ouderlijk huis van Matilda Cors had meegenomen, dat moest hem zijn, hij was hier en daar. Hij was de link tussen de dode letters. Hij was het antwoord.

Hij was alles. Winter toetste Ringmars nummer in. Hij nam meteen op, alsof hij het ook wist.

'Kijk meteen naar de films, Bertil. Naar allemaal. Er staat een jongen op minstens twee ervan, dezelfde jongen. Ik weet het zeker.'

'Ik heb de Schwartz-kopie net gekregen.'

'Hij staat erop.'

'Goed. Mooi.'

'We moeten ze aan iedereen laten zien, aan alle gezinnen. Iemand moet het weten.'

'Ik hoor dat je een doorbraak vermoedt,' zei Ringmar.

'Wie zal het zeggen. Maar het ruist in mijn hoofd. Het steekt in mijn nek. Ik heb het koud. Ik zweet.'

'Dat is mooi, jongen.'

Het was nog steeds licht toen hij het hotel verliet, maar de schemering daalde langzaam over de Vasagatan.

De Drottninggatan was vol mensen. Hij liep in noordelijke richting. De terrassen waren open voor het seizoen, ze moesten vandaag opengegaan zijn. Hij passeerde een bord in een winkeletalage: TROTSE LEVERANCIERS ZIJN EEN URBANE LEVENSSTIJL. De begane grond van De blauwe toren was in beslag genomen door een sushirestaurant. Hij had Strindberg al heel lang niet meer gelezen. Hij had naar Bolton geluisterd. Hij was geen liefhebber van sushi, een smaak zonder toekomst op de lange termijn, geruïneerd door wasabi. Er zaten voornamelijk jongeren binnen, sushi voldeed aan hun smaak, ongeveer net als pizza.

Hij liep door de Västmannagatan, langs de Gustav Vasakerk, langs Tennstopet, Benson had voorgesteld om daar vanavond samen te eten en hij had gezegd dat hij contact zou opnemen maar dat had hij niet gedaan.

Hij stond nu voor het Joods Museum.

Het balkon aan de overkant van de straat lag half in de schaduw.

De schemering was gestegen tot de vierde verdieping van de gebouwen in Vasastan. Hij kon de gezichten in de verte niet langer onderscheiden. Winter keek naar het portiek van Hälsingegatan 3, er bewoog daarbinnen niets. Fiasco was dicht, had zijn Fucking Love ergens anders mee naartoe genomen. Winter verlangde naar een sigaar, een absurde gedachte. Hij rookte al een paar jaar niet meer, maar het verlangen zou hij nooit kwijtraken, het was net als met alcohol, als met het verlangen naar gemoedsrust.

Het was stil op straat. De stad feestte, maar hier niet. Een stuk verderop startte een auto, waarna hij de Karlbergsvägen op reed. De koplampen waren krachtig in de avondschemering. Winter stond nog steeds roerloos, alsof hij zich niet kon bewegen. Hij zag niemand posten. Benson had toch gezegd dat er een auto voor het portiek zou staan?

Een fietser passeerde en stopte een meter of tien bij Winter vandaan. Hij droeg geen helm, het was een man van een jaar of vijfendertig, misschien iets ouder. Een gebreide muts, een kort jack. Winter was verrast toen hij daar zo plotseling verscheen.

Hij ziet me niet, dacht Winter. De fietser stond stil en keek naar de gevel aan de overkant, naar nummer 3.

Kijkt hij naar het balkon? Naar het balkon van Schwartz? Het is donker daarboven, dat moet hij zien. Het is er donker maar hij kijkt toch. Hij belt niet aan.

De fietser bleef staan, keek om zich heen, keek weer naar de gevel, keek weer om zich heen, zag Winter niet, dat besefte hij.

Twee fietsers kwamen uit de andere richting, een jongen en een meisje. Dit moest een fietsroute zijn. Winter hoorde fragmenten van een gesprek, het echode tegen de gevels.

De eenzame man strekte zijn rug en zette zijn voet op het rechterpedaal.

Winter deed een stap bij de muur vandaan.

De man keek om, zag een beweging, begon te fietsen.

'Hallo! Staan blijven! Hallo!'

Hij begon vaart te maken, ontmoette de twee anderen, was halverwege de straat.

'Staan blijven! Politie!' riep Winter. 'Politie!'

De man vluchtte. En toch stond ik hier, dacht Winter, iets heeft me hiernaartoe getrokken, híj heeft me hiernaartoe getrokken.

Het stel was gestopt door Winters geroep, ze keken naar hem, naar de vluchtende man, hij was nog steeds in de straat, Winter rende naar de fietsers toe. 'Ik leen deze,' riep hij terwijl hij het stuur uit de handen van de jongen trok, misschien was hij vijfentwintig, mager, geschokt, maar verstandig genoeg om geen weerstand te bieden toen Winter de fiets naar zich toe trok en hem draaide en op het zadel sprong en wegreed, op jacht.

22

De fietser was snel, Winter zag dat de vluchtende man in de verte rechts afsloeg, naar de Karlbergsvägen, waarna hij hem uit het oog verloor. Winter zette zijn duim op de versnellingsschakelaar op het stuur, schakelde in een lagere versnelling, voelde de grip op de ketting, voelde dat de fiets vaart kreeg, schakelde naar een hogere versnelling, ik kan dit, hij was bij de kruising, sloeg af naar rechts en zag een knipperend achterlicht, dat was hem, het rode achterlicht voor hem was plotseling tot leven gekomen, het was verdomme net een wegwijzer voor de goede krachten, fietslichten stonden altijd voor de goede krachten, dat wist iedereen, ik ben het licht en de waarheid en de weg, de straat kwam uit bij het Odenplein, Winter wist niet of de ander wist dat hij achter hem fietste, hij kon niet zien of die klootzak zich had omgedraaid, maar hij fietste alsof hij wist dat er iemand achter hem aan zat, hij weet het, dat moet het Odenplein zijn, de afstand werd groter, de weg ging een beetje naar beneden, Winter knoeide met de versnellingen, kreeg geen grip, kreeg grip, probeerde beter grip te krijgen, het ging nu snel, hij voelde de wind in zijn haar, zijn jas fladderde als van een goochelaar, waarom had hij zijn jas niet uitgetrokken toen hij de fiets in beslag nam, hij ving de wind als een zeil dat in de wind wapperde, hij kreeg zijn stropdas in zijn ogen, een verdomd onpraktisch kledingstuk in de fietssport, zijn colbert spande over zijn schouders, de broek van zijn kostuum spande in zijn kruis, absoluut de verkeerde kleding, degene die hij achtervolgde was informeel en luchtig gekleed, voor de Giro di Stockholm, het voelde nu officieel, ze kwamen geen auto's tegen, geen andere weggebruikers, geen voetgangers, het was alsof de hoofdstad was afgesloten voor deze wedstrijd, iedereen volgde hem op afstand, via een satelliet misschien, en iedereen wist dat alles afhing van de afloop ervan, alles wat ze wilden weten zou duidelijk worden als Winter de snelste was, de beste eindspurt had, vanavond al, of straks in het ochtendgloren.

Halders liep naar de conciërge van de ijsbaan, de man zou ijsman genoemd kunnen worden, dacht hij.

'Krijgen jullie veel bezoekers als er geen wedstrijd is?' vroeg hij nadat hij zich had voorgesteld.

'Hoe bedoel je dat?' zei de conciërge, die Glenn heette.

'Mensen die hier overdag binnen komen lopen.'

'Zoals jij, bedoel je?'

'Nee, niet zoals ik, ik ben hier met een reden.'

'Voor zover ik weet komen hier niet veel mensen binnen.'

'Zijn er nog anderen die dat kunnen weten?'

'Alleen ik,' zei de man met een glimlach. Halders dacht aan Beckett, hij was niet zo ongeletterd dat hij zich Beckett niet in een situatie zoals deze kon voorstellen.

'Dan vraag ik het aan jou,' zei Halders.

Hij hoorde Djanali achter zich, ze had de weg de eeuwige kou in gevonden, de permafrost. Ze stelde zich voor.

'Een bezoeker, zei je?' vroeg Glenn terwijl hij naar Halders keek.

'Die hier regelmatig komt.'

'Een regelmatige bezoeker die hier komt als er geen wedstrijd is?'

'Ja.'

'En die hier niet thuishoort?'

'Ja.'

'Eigenaardig.'

'Eigenaardigheden zijn mijn werk,' zei Halders.

'Buitenstaanders hebben het recht niet om hier te zijn,' zei Glenn.

'Oké.'

'Maar ik kan niet iedereen in de gaten houden. Niet omdat het regelmatig gebeurt, maar ik ben tenslotte geen agent.'

'Een relatief jonge man, net boven de twintig, blond, zandkleurig haar, een gemiddelde lengte en een normale lichaamsbouw, zoals dat heet.'

'Heb je hem gezien?' vroeg Glenn.

'Ja.'

'Hierbinnen?'

'Ja.'
'Heeft hij hier rondgeslopen?'
'Ik vraag je of je hierbinnen iemand hebt gezien die aan die beschrijving beantwoordt.'
'Misschien...' zei Glenn terwijl hij over de ijsbaan uitkeek, alsof de man daar stond.
'Heb je hem gezien?' vroeg Djanali.
'Misschien,' herhaalde Glenn. 'Nu je het zegt... Er heeft daar een paar keer een man gestaan.' Hij knikte naar de andere kant van de hal. 'En daarna is hij weggegaan. Dat is een paar keer gebeurd. Ik heb er geen aandacht aan besteed, daar heb ik geen tijd voor.'
'Heb je met hem gepraat?'
'Nee, nee.'
'Denk je dat iemand anders dat heeft gedaan?'
'Ik ben de enige hier.'
'Heb je met iemand anders over hem gepraat?'
'Nee. Jullie moeten het personeel in het kantoor vragen of ze hem gezien hebben.'
'Dat hebben we gedaan,' zei Halders. 'Ze hebben hem niet gezien.'
'Nee, die komen nooit beneden.'
Halders knikte.
'Veel te koud,' zei Glenn.
'Is er iets anders wat je aan deze man opgevallen is?'
Glenn gaf geen antwoord. Hij was ongeveer vijftig jaar, misschien iets jonger, het was de leeftijd waarop alle jongens die in Göteborg waren geboren Glenn waren genoemd. Hij keek weer naar de ijsbaan, alsof de zandman tevoorschijn zou komen en zand over het ijs zou strooien, dat gebeurde overal in de stad, dus waarom hier niet?
'Ik geloof dat hij...' zei Glenn, waarna hij zweeg.
Djanali en Halders wachtten.
Ze hoorden ergens een kreet vandaan komen, en daarna kinderstemmen in de foyer. Misschien was er een wedstrijd, of een avondtraining.
Glenn keek naar hen. 'Het is grappig... Als je ergens over praat waar je eerst niet eens over nagedacht hebt,' zei hij.
'Dat weten we,' zei Djanali.

'Hij deed iets...' zei Glenn. 'Dat is waarschijnlijk de reden waarom ik me hem herinner.'

Hij zweeg weer. Een paar jongens schaatsten het ijs op, heel plotseling, alsof ze uit een geheime kleedkamer waren gekomen. Ze droegen gele shirts en blauwe broeken, het Zweedse nationale team voor tienjarigen. De helmen zagen er groter uit dan hun hoofden. Alles zag er groter uit dan zij. Glenn keek naar ze alsof hij ze allemaal kende.

'Wat deed hij?' vroeg Djanali.

'Wat bedoel je?'

'Wat deed de bezoeker naar wie we vroegen?'

'Ik geloof dat hij huilde,' zei Glenn met een soort verbazing in zijn stem, of twijfel.

De fiets voor hem was naar rechts afgeslagen, een laatste rood signaal van het achterlicht. Winter fietste honderd meter achter hem, de afstand leek niet kleiner maar ook niet groter te worden, Winter probeerde zijn mobieltje te pakken om het alarmnummer in te toetsen, maar de telefoon gleed uit zijn hand, gleed tussen zijn benen door, viel op het asfalt. Ze reden nu in zuidelijke richting, hij was de kruising overgestoken als een speedwayrijder, het was een rechte straat, het verkeer was terug maar Winter voelde dat niet zo, alleen zij reden door de straat, het ging alleen om hen. Hij voelde zich niet moe, hij kon doorgaan, de fiets deed het werk, er waren geen heuvels, er was geen weerstand. Hij lééfde, voor de eerste keer tijdens deze reis lééfde hij, hij zou dat gevoel niet loslaten, nooit loslaten, ze konden naar Norrköping fietsen en hij zou het niet loslaten, naar Marbella fietsen. Nu zag hij hem niet. Nu zag hij hem. De man had een donkere streep dwars over het lichte rugpand, in het daglicht was het misschien rood, het maakte hem zichtbaar, een vergissing van iemand die er geen rekening mee had gehouden dat hij op deze manier achtervolgd zou worden, Winter dacht dat de klootzak voor hem zich een paar keer omdraaide, hij zag een glimp van een gezicht, een lichtere schaduw, kijk maar, ik ben hier, ik ben er nog, ze hadden nu een flauwe bocht naar links gemaakt, naar een boulevard die in zuidelijke richting liep, Winter herkende de Birger Jarlsgatan, links voor hem lag Humlegården, hij had er gewandeld in een andere incarnatie, met een vrouw van wie hij zich de naam op dit moment niet kon herinneren, het was maar één keer geweest, hij had nog op de politieacademie gezeten, het was voorjaar geweest, zoals nu, hij was bijna klaar en dan zou het leven echt beginnen, de relatie met de vrouw zou eindigen, maar zijn leven zou in een andere richting verdergaan, thuis, in de straat van zijn moeder, een moederskindje kwam thuis bij zijn moeder en haar martini's, niet bij zijn vader, ze waren voorbij Humlegården, hij zag zijn vaders gezicht niet voor zijn geestesoog, hij zag zichzelf niet, de vrouw niet, ze heette iets met een N, of was het een M, daarna kwam een A, in de verte lag het Stureplein, zijn prooi slingerde bij de kruising met de Kungsgatan, viel niet, laveerde tussen een paar taxi's, heel Stockholm dat toestemming had om na het invallen van de duisternis op straat te zijn kwam op deze plek bij elkaar, op het terras van Sturehof, op een keer ga ik daar naartoe, dacht hij, als dit allemaal voorbij is. Ze waren nu langs het Stureplein, met zijn glitter en glans, geruis en gebruis, Winter hoorde niets in zijn hoofd, de adrenaline zorgde voor zijn tinnitus, de adrenaline had hem gecreëerd en beschermde hem nu, dwong zijn lichaam zo ver dat het zuur uit zijn ogen spoot, alles wegspoelde wat daar niet thuishoorde, in elk geval gedurende één kostbaar moment, zoals nu, hij voelde nog steeds geen moeheid, de spieren van zijn dijbenen spanden, maar hij was niet moe, hij zweette als Torgny Mogren, hij moest het zweet uit zijn ogen knipperen, het stroomde over zijn voorhoofd naar beneden maar hij was niet moe, zou nooit moe worden, de ander zou nooit moe worden, hij was te slecht, hij was te bang, hij was te dom, hij was te slim, hij was al die dingen, hij zwenkte naar links, een straat in, een scherpe bocht en hij was verdwenen, Winter volgde hem, botste bijna tegen de gevel van het gebouw tegenover hem, er stond GREV TUREGATAN op, Winter moest op straat springen en de fiets draaien voordat hij verder kon rijden, er was geen fietser meer te zien, verdomme, er was niets, iedereen was op het Stureplein, er waren hier ook cafés, maar het Stureplein trok meer, Stockholm was op die manier net een provincie, zoals Sävsjö bijvoorbeeld, daar was ook een Stureplein, Winter wist dat omdat een voormalige collega van hem naar Sävsjö was verhuisd en daar bij het politiekorps van Eksjö was gaan werken, er stond

Sturеplein 1 op zijn woning, daar was het plein een bescheiden rotonde die niet opviel bij autodieven, bij niemand trouwens, dat was voor Winter ook zo geweest, de enige keer dat hij daar was geweest, hij naderde een kruising, de Humlegårdsgatan. Links? Rechts? Het was niet logisch dat de ander omgedraaid was, Winter wist dat de man de stad niet goed kende maar hij zou niet omdraaien, iemand die achtervolgd werd deed dat niet, Winter sloeg af naar rechts, naar het Östermalmsplein, passeerde de markthal, een fantastische tempel voor voedsel, peperduur, als een straf voor degenen die in Östermalm woonden en heel graag betaalden, hij betaalde zelf wat nodig was om het beste te krijgen, de markthal was stil en donker, Winter sloeg meteen af naar rechts, zonder na te denken, naar het Nybroplein, het boze, rode oog staarde naar hem vanaf het water, dat was hem, hij was er nog, ze reden nog steeds samen door de straten van Stockholm, steeds eenzamer naarmate ze verder bij het centrum van de wereld vandaan gingen.

Gerda Hoffner stond voor Gustav Lefvanders kamer. Ze had de deur nog niet opengedaan. Het licht in de gang was ziekenhuisblauw, een kleur die niet in het palet voorkwam. Ze opende de deur. Het licht daarbinnen was hetzelfde. Gustav had een eigen kamer. Hij keek op toen ze binnenkwam. Ze hadden allemaal gezegd dat hij sliep. Niemand wilde dat ze zijn kamer in ging. Maar één minuut, had ze gezegd.

'Het spijt me dat ik zo laat nog langskom,' zei ze.

Hij gaf geen antwoord.

'Er is één ding dat ik wil weten.'

'Nu niet,' zei hij.

'We hebben verf op je jack gevonden,' zei ze. 'Zwarte verf. Weet je hoe dat erop gekomen is?'

'Nee.'

'Wanneer heb je die verf op je jack gekregen?'

'Ik weet het niet.'

'Is dat pasgeleden gebeurd?'

'Dat denk ik niet.'

'Wist je dat je verf op je jack had?'

Hij gaf geen antwoord.

'Het kan toch niet moeilijk zijn om daar antwoord op te geven, Gustav?'

'Ik wist dat ik verf op mijn mouw had,' zei hij.

Verf op zijn mouw, dacht Hoffner. Ze had het woord mouw niet genoemd.

'Wanneer merkte je dat?' vroeg ze.

'Dat weet ik niet meer.'

'Ben je pasgeleden in contact geweest met een schilder?' vroeg ze.

'Nee.'

'Ben je bij iemand geweest die schildert?'

'Nee, heb ik gezegd. Het is waarschijnlijk bij mijn vader thuis gebeurd.'

'Bij je vader thuis?'

'Ja, hij heeft verf in de garage, net als iedereen. Was dat alles?'

Ringmar kon thuis geen rust vinden. Hij had geprobeerd naar de films te kijken, maar het was alsof het voluit geleefde leven daarop zijn gedachten afstompten, alsof de dood te ver weg was, alsof het niet om de dood ging terwijl dat wel zo was. Daarnet had hij aan zijn zoon gedacht, alsof Martin uit het Zweedse zomertafereel met een tuin vol vrolijke mensen was gestapt en zijn woning was binnengelopen, maar dat zou Martin niet doen, het leek erop dat hij dat nooit meer zou doen, en Ringmar wilde het begrijpen maar kon het niet. Hij wist niet welke misdaad hij had begaan. Ik moet ernaartoe, hoe dan ook. Kuala Lumpur is een beschaafde stad, hij kan me niet in een rivier dumpen als ik daar kom, ik weet niet of er een rivier is, ik weet dat er flats zijn en in elke straat eetkraampjes, stoelen en tafels, we zouden daar kunnen zitten en bier drinken en gebakken rijst eten en elkaars hand vasthouden en we zouden nergens over hoeven te praten. Ringmars mobieltje ging, het geluid klonk ver weg, bijna alsof het uit een ander werelddeel kwam.

'Er zaten sporen van zwarte verf op Gustavs jack,' zei Hoffner. 'Het was geen bloed. Torsten denkt dat het dezelfde verf kan zijn als de letters. Hij weet het bijna zeker.'

'Jezus. Wanneer weet hij het helemaal zeker?'

'Het SKL neemt binnen een paar dagen contact op.'

'Mooi, mooi.'

'Ik heb het Gustav daarnet gevraagd,' ging ze verder. 'Hij dacht dat het uit de garage van zijn vader kwam. Mårten Lefvander heeft blikken verf in de garage staan.'

'Wie heeft dat niet?' zei Ringmar.

'Dat zei hij ook.'

'Ik bel Molina,' zei Ringmar. 'We moeten een huiszoeking bij de vader doen. Trouwens, laten we maling hebben aan de officier van justitie. We hebben niet veel tijd. Lefvander is op zakenreis, de timing is perfect. Ga je mee?'

Ringmar liep naar buiten en stapte in de auto. De schemering was over de tuin neergedaald, hulde alles in een mooie schaduw. Die klootzak van een buurman had de kerstverlichting eindelijk weggehaald, het kostte twee maanden om het te plaatsen en twee maanden om het te verwijderen en alles werd voortdurend getest. Ringmar haatte maar één mens op aarde en dat was de buurman. Hij had het tegen hem gezegd. Hij had de verlengsnoeren weggehaald. Hij had de snoeren doorgeknipt. Die klootzak kon niets bewijzen. Hij had gedreigd met de politie – 'Alsjeblieft, ik sta hier,' had Ringmar gezegd. Dat was op hetzelfde moment dat Birgitta vertrok. 'Wil je een lamp meenemen? Neem ze verdomme allemaal maar mee,' had hij geschreeuwd toen ze in de hal stond, waarna hij een staande lamp over de houten vloer had gesmeten, het had een paar lelijke deuken gemaakt. 'Ik red me uitstekend in het donker,' had hij geschreeuwd terwijl de tien miljard watt van het huis en de tuin ernaast naar binnen had geschenen, alles had verkracht wat hij bezat, en haar daarna had verlicht terwijl ze naar de taxi liep die stond te wachten.

Hij startte de motor, reed achteruit de Margretebergsgatan op, reed naar de Slottsskogsvallen en daarna de Dag Hammarskjöldsleden op, sloeg af naar Sahlgrenska, reed langs het ziekenhuis, naar het Guldhedsplein en het Wavrinskyplein, een van Göteborgs meest charmante, passeerde de Guldhedsschool en het Doktor Friesplein.

Hoffner stond vijftig meter bij Lefvanders stille villa vandaan te wachten. Ringmar stapte uit zijn auto.

'Als hij daar blikken verf heeft gehad, dan zijn ze nu weg,' zei Ringmar.

'Is dat niet heel verdacht?'

'Dat is het inderdaad. Als we niets vinden, dan is dat dus goed op een bepaalde manier. Als we wel iets vinden is het ook goed. Dat wordt een win-winsituatie genoemd. Zullen we naar binnen gaan?'

Ze liepen naar het huis. De straat was verlaten. Er brandde licht achter een paar ramen van de ruim geplaatste villa's. Het was alsof ze door een welvarende voorstad wandelden.

Ringmar trok handschoenen aan en draaide aan de deurkruk van de garagedeur. De deur ging probleemloos en geluidloos open.

'Het is alsof we verwacht worden,' zei Ringmar. 'Mårten Lefvander heeft niets te verbergen.'

Ringmar deed het licht in de garage aan.

Er stonden geen verfblikken. Achterin stonden alleen twee lege kasten tegen de muur.

'Dan moet het een echte huiszoeking worden,' zei Hoffner.

'Heeft hij hier de verfvlekken op zijn jack gekregen, denk je?'

'Nee. Maar er is iets mis met deze plek. Er is iets mis met Mårten Lefvander.'

Ringmar reed Mölndal in, parkeerde op het Jungfruplein en liep over de bestrate weg naar het flatgebouw waar Amanda Bersér woonde, hij kwam niemand tegen, misschien zat iedereen voor de televisie, hij liep de trappen op en belde aan en ging zo staan dat ze hem door het kijkgaatje in de deur kon zien, hij probeerde er vriendelijk uit te zien, hij wás vriendelijk, veel te vriendelijk, dat moest afgelopen zijn, misschien niet vanavond, maar later, op zijn laatst morgen. Hij zou niets tegen haar zeggen over zijn bezoek aan Lefvanders opgeruimde garage.

Ze deed de deur open. 'Het is laat,' zei ze.

'Ik blijf niet lang,' antwoordde hij.

'Wat wil je?'

'Mag ik even binnenkomen?'

Hij hoorde het gemompel van de televisie, *Aktuellt*, de moorden waren gisteren in het programma besproken, of misschien was het eergisteren, nee gisteren, moord in Stockholm, moord in Göteborg, alleen Malmö ontbrak nog, hup Malmö.

'Kom binnen,' zei ze.

Ze deed de deur achter hem dicht.

'Ik ben net thuis,' ging ze verder.

'Oké.'

'Ik ben bij Gustav geweest. Hij sliep. Ik heb niet met hem gepraat.'

'Hij komt morgen toch thuis?'

'Dan weet je meer dan ik,' zei ze.

'Morgen,' zei Ringmar.

Ze gaf geen antwoord.

'Niet in het ziekenhuis,' zei Ringmar. 'We willen hem niet in het ziekenhuis verhoren.'

'En wat wil je nu van mij?' vroeg ze.

23

De klootzak reed zigzaggend door Östermalms sloppenwijk, ze waren op weg naar het noorden, daarna weer naar het zuiden, Winter wist dat het de Riddergatan was, dat wist iedereen, hij had hier als broekie gesurveilleerd, het enige probleem dat je hier had waren dronken officieren die verdwaald waren, die waren vergeten dat de kazerne decennia eerder verhuisd was, de kerels waren dronken als elanden in de schemering, hoe meer sterren op hun schoudervullingen des te arroganter, dat was iets voor Halders geweest. Winter was weer op weg naar het water, de Styrmansgatan, iets knipperde voor hem, rood, Winters dijbenen spanden meer dan eerst, zijn hart hield het vol maar zijn benen niet helemaal meer, hij had te weinig gesport, had te weinig gerend, dít was waarvoor hij had moeten trainen, hij had moeten weten dat het zou komen, afgelopen winter had hij over het ijs bij Göteborg gerend, nu fietste hij door Stockholm, drieënvijftig was niets voor iemand die zijn lichaam goed verzorgde, zijn medicijn met zorg dronk, hierna zou hij een Borcher drinken, en een eenentwintigjarige Glenfarclas als ze dat in de cafés in deze stad hadden, hij probeerde aan whisky te denken, aan gemoute gerst, aan iets wat niets met melkzuur te maken had. De ander was jonger, Winter had dat gezien toen de man naar Schwartz' appartement staarde, misschien was hij getraind, hij zou misschien ontsnappen als Winter begon te verslappen, Winter dacht aan alles wat niet mocht verslappen, van zijn eigen erectie tot rozen op een foto, of misschien moest dat andersom zijn, hij probeerde zich te concentreren op alles wat het leven waard maakte om te leven, seks en drank en bloemen, familie, hij dacht aan Bar Ancha, hij zou daar zitten als dit allemaal achter de rug was, hij zou daar zitten tot de warme duisternis hem omringde en hem de trappen op leidde naar het appartement en het balkon en het uitzicht op de Middellandse Zee, de knipperende lichten daarbuiten, allemaal geel, niet rood, geel is niet lelijk, dat is vriendelijk, hij had altijd gevonden dat het een vriendelijk licht was, vooral als hij een beetje dronken was, zoals hij zou zijn op het balkon als ze allemaal sliepen, de kinderen, Angela niet, zij zou naar buiten komen met een fles, God zegene haar.

Amanda Bersér nam hem mee naar de zitkamer, die zag er hetzelfde uit als de vorige keer, maar er waren sindsdien dingen gebeurd, mensen verdwenen en kwamen terug of stierven, daar leidden weinig wegen van terug voor zover de wetenschap tot nu toe wist, dacht te weten, ze waren niet veel, misschien hadden ze gelijk. Soms dacht Ringmar dat hij alleen in de hemel zou komen als de hel vol zat, maar andere keren durfde hij te geloven dat hij beter dan dat was. Hij wilde helemaal niet geloven, en dat was het ergste, voor degenen die niet geloofden eindigde alles in het donkere niets, hij had geen moeite met het donker, hij hield soms van het donker, maar niet op deze manier.

'Wat gebeurt er allemaal?' vroeg ze.

'Waar denk je aan?'

Ze keek naar hem alsof hij een idioot was, of nog erger.

'Het is verschrikkelijk wat er gebeurt,' zei ze.

Niemand kon dat tegenspreken, maar wat ze zei was niet alleen een banaliteit in dit verschrikkelijke verband. Ze overzag het geheel, het beeld dat hij probeerde te zien maar wat niet lukte.

'Jonatans vader,' zei ze alsof ze zijn naam niet durfde uit te spreken, alsof ze de boze machten wilde afwenden.

Ringmar knikte, hij nam soms de rol van jaknikker op zich. Dat was hij misschien, dat kon de zogenaamde wortel van het zogenaamde kwaad zijn.

'Wat wist Gunnar?' vroeg ze.

'We zijn ernaartoe gereden om het hem te vragen,' zei Ringmar.

'Heb jij dat gedaan?'

'Nee.'

'Heeft hij zelfmoord gepleegd omdat hij depressief was?' vroeg ze.

'Waarover was hij depressief?' vroeg Ringmar.

Ze keek hem weer aan met die blik, die donkere blik.

'Was hij al depressief voordat zijn zoon stierf?' vroeg Ringmar.

'Vermoord is,' zei ze.
'Ja.'
'Het woord "stierf" klinkt alsof je vredig ingeslapen bent.'
'Ik ben het met je eens.'
'Als hij depressief was, dan verborg hij dat goed,' zei ze.
'Stonden jullie dicht bij elkaar?'
'Wat betekent dat?' zei ze.
'Ik weet het niet goed,' zei Ringmar.
'Dat is iets wat mensen zeggen,' zei ze. 'Dicht bij elkaar staan, wat betekent dat eigenlijk?'
'Dat is een goede vraag,' zei Ringmar.
'Ben je aan het stroopsmeren?' vroeg ze.
'Stroopsmeren?'
'Dat is een uitdrukking die ze gebruiken waar ik vandaan kom, dat betekent dat je overgedienstig bent, in het gevlij wilt komen, zonder goede reden.'
'Ik heb een goede reden,' zei Ringmar.
'Maar je smeert stroop, of niet soms?'
'Of smeerkaas. Dat is beter, minder suiker.'
'Hoe haal je het in je hoofd om op dit moment grappen te maken?' zei ze. Ze stond op van de bank. 'Ik zou je kunnen aangeven. Je hoort niet vrolijk te zijn over het verdriet van een ander.'
'Het spijt me.'
'Probeerde je de sfeer te verlichten?'
'Nee, nee, nee. Dat is mijn taak niet.'
'Wat is je taak dan?'
'Vragen stellen,' zei hij. 'Kun je weer gaan zitten? Ik probeer antwoorden te vinden. Daar zijn verschillende manieren voor. Met mensen praten is de beste. Het is niet zo dramatisch als mensen denken.'
'Gewelddadige moorden zijn dramatisch,' zei ze, waarna ze weer ging zitten. 'Gewelddadige zelfmoorden.'
'En dan daarna,' zei hij, 'datgene wat daarna gebeurt.'
'Voor zover ik weet vinden er de hele tijd gewelddadigheden plaats,' zei ze. 'Nu ik inzicht in deze wereld heb gekregen. Waarmee kan ik jullie helpen met betrekking tot Jonatan?'
'Zijn verleden, bijvoorbeeld.'

'Dat heeft hij niet. Of liever gezegd, hij had niets spannends te vertellen, zoals hij het zelf zei. Het was alleen het oude vertrouwde.'

'Dat moet je uitleggen.'

'Heb ik dat nog niet gedaan? De oude vertrouwde jeugd en daarna ben je een puber en daarna ben je volwassen en daarna ben je oud.'

'Een goede samenvatting,' zei Ringmar.

'Nu smeer je weer stroop.'

'Heb je zijn vroegere vrienden ontmoet?'

'Kun je ophouden met antwoorden aan me te ontlokken?'

'Ik probeer geen antwoorden aan je te ontlokken.'

'Het is je werk, maar toon in elk geval respect voor me door niet dezelfde vragen op verschillende manieren aan me te stellen.'

'Je zou ondervrager moeten worden,' zei hij.

'Waar wil je naartoe met dit verhoor?'

'Wie het gedaan heeft,' zei hij. 'Dat is waar ik me nu op concentreer.'

'Dat is misschien het minst belangrijke,' zei ze.

'Op dit moment niet.'

'Waarom?'

'Er kunnen meer moorden volgen.'

Ze gaf geen antwoord. Hij kon niet zien wat ze dacht. Hij was daar anders goed in, vooral als hij een tijdje bezig was met het verhoren van iemand die onschuldig was. Als er in deze kamer iemand onschuldig was, dan was zij het.

'Juist daarom is het "waarom" misschien belangrijker,' zei ze.

'Er is nog een reden dat ik hier ben,' zei hij.

'Ik denk aan Gustav,' zei ze.

'Wat denk je?'

'Hij is ook mijn zoon.'

'Natuurlijk. Wat wil je hem vragen als hij thuiskomt?'

Ze gaf geen antwoord, maar hij zag dat ze wist wat ze wilde zeggen.

'Probeer je hem te beschermen?' vroeg Ringmar.

Ze waren op de Strandvägen en passeerden het Diplomat, Winter moest daar misschien weer een keer logeren, de Strandvägen bestond nu voornamelijk uit mooie silhouetten, zwart water, de eilanden voor de kust, als er iets was wat de Stockholmers goed deden met hun stad, dan was het de natuurlijke nabijheid van het water, de menselijke nabijheid, in Göteborg hadden de idioten het water afgeschermd met autowegen en veerbootterminals die als de Berlijnse Muur tussen de mensen en het vrije water lagen, verdomme, dacht hij terwijl hij op de fiets vocht, nu echt begon te véchten, als ik heel woedend word kan ik het misschien nog een kilometer in dit tempo volhouden, wie heeft ze het recht gegeven om me van het water af te sluiten, die verdomde sociaaldemocraten, of misschien waren het die conservatieve klootzakken, het was een kartel met Stena, iedereen weet dat Göteborg een witte maffiastad is, dat altijd is geweest, daarom nemen ze ons nooit serieus, jezus, wat een handicap, het eerste wat je bij de geboorte merkt is dat je hoofd tegen de grond slaat, zo is het als je probeert rechtvaardigheid in Göteborg te scheppen, als iedereen het wist, waarom weten ze het niet, waarom vertellen degenen die het weten het niet, iedereen is bang, ik ben bang, bang voor mijn vege lijf, bang voor mijn baan, welke baan, kijk naar me, ja, kijk naar me, man met de hoed die ik nu passeer, daar is er nog een, hij staart, waarschijnlijk naar mijn rode gezicht, waar zijn alle surveillancewagens, zijn alle auto's naar Södertälje geroepen, ik ben hier alleen, in de steek gelaten, de enige die de goedheid in de straten van Stockholm vertegenwoordigt, geef me een hand en ik laat je de straten van Stockholm zien, geef me je kónt, hij gaat ervandoor, ik zie zijn achterlicht nog nauwelijks, daar ligt de Berwaldhal, daar ben ik geweest, hoe heette ze, ze luisterde naar klassieke muziek, ze was een koele schoonheid en mooi, we gingen ernaartoe en het was mooi, Ulrike, waar is ze nu, hij slaat af naar Gärdet, de Oxenstiernsgatan, hij wil op de televisie, of de radio, ik ben op beide geweest, het is een overschat fenomeen.

'Tegen wie zou ik hem moeten beschermen?' vroeg Amanda Bersér.
'Dat weet jij beter dan ik.'
'Hebben jullie met Mårten gepraat?'
'We hebben hem verhoord, ja.'
'Is dit ook een verhoor?'
'Technisch gezien wel. Alle gesprekken zijn verhoren.'
'Is het ook een verhoor als je met je vrouw praat?'
'Nee.' Ringmar wendde zijn blik snel af. Ze zag het.
'Ben je niet getrouwd?'

'Jawel... nee...'

'Weet je het niet?'

'Ze is bij me weggegaan,' zei Ringmar.

'Wat naar.'

Ringmar gaf geen antwoord.

'Zoiets is altijd naar,' zei ze.

'Waarom zijn jullie gescheiden, jij en Mårten?'

'Dat heeft hier niets mee te maken,' zei ze.

'Met wat? Met de moord? Met Gustavs verdwijning?'

'Dat heeft hier niets mee te maken.'

'Probeerde je Gustav te beschermen?' vroeg Ringmar opnieuw. 'Had je argwaan?'

'Waar zou ik argwaan over moeten hebben?'

'Dat weet je zelf het beste.'

'Je begrijpt het niet,' zei ze. 'Ik ben helemaal in de war. Ik weet niets.'

'Je weet het als je argwaan hebt,' zei Ringmar. 'Die komt ergens vandaan.'

'Je klinkt alsof je hier ervaring mee hebt,' zei ze.

'Met verlies,' zei hij. 'Ik heb ervaring met verlies.'

'Wat heb je verloren?'

'Mijn zoon. We hebben geen contact meer.'

Hij ontweek het om naar haar te kijken, richtte zijn blik ergens anders op. Hier was hij niet voor gekomen, maar het kwam ergens vandaan, hij had het met zich mee gedragen, hij wilde het met iemand delen, met een vreemde.

24

Hij had Sveriges Radio aan zijn rechterkant, *Studio Eén, Ring P1, Cultuurnieuws, Tuinieren met P1, De Filosofische Kamer, Bioscoop*, alle klassiekers werden daarbinnen geproduceerd, om niet te spreken over P2, het was een magisch moment om deze tempel te passeren, jammer dat hij niet kon stoppen, misschien een handtekening krijgen van iemand die naar buiten kwam, wie dan ook, zelfs iemand van P3 of P4, maar er is voor alles een moment, dacht Winter, de ander haastte zich verder, misschien keek hij om, Winter zag bijna niets meer door het zweet dat over zijn gezicht stroomde, het brandde als pis in zijn ogen, water van de Dode Zee, het was alsof hij zoutkristallen in zijn ogen had, hij probeerde ze weg te knipperen, het brandde erger, het brandde in zijn keel, hij had zijn stropdas voor het Diplomat afgerukt, misschien had iemand het gezien, het beschouwd als een soort protest, het was een heel dure stropdas van Twins, hij dacht aan het centrum van Göteborg als een vriend, straten die als de gangen in zijn eigen huis waren, Göteborg was zijn huis, in elk geval het centrum en het westelijke deel, tot Långedrag, de eilanden, hier in de hoofdstad was hij een boerenkinkel op een gestolen fiets op weg naar de afgrond, die leidde nu naar links, een nieuwe boulevard op, de Karlavägen, een helse afstand naar het Karlaplein, stil en lang, geen verkeer, geen collega's natuurlijk, alleen hij en de avond en de zombie voor hem, hij was nu zo moe dat hij begon te twijfelen aan zijn beoordelingsvermogen, misschien was hij krankzinnig, de klinische depressie was overgegaan in waanzin, waanvoorstellingen, echte paranoia, er was geen andere fietser, hij was alleen, binnenkort ex-hoofdinspecteur Erik Winter, ooit de jongste van het land, die zich aan het stuur vasthield als een dronkenlap, die heen en weer begon te slingeren op de boulevard, die nog steeds snelheid hield maar hoe lang nog, die niets zag, die probeerde iets te schreeuwen, die een schaduw voor hem bleef volgen, die een licht voor zich zag, een stralende bal, als een discobal, misschien was er een feest, hij was op weg naar het feest.

Glenn, de portier van de Marconihal, had gezegd dat het leek alsof de onbekende bezoeker in de hal had gehuild. Djanali had het voor alle zekerheid nog een keer gevraagd.

'Daar leek het op.'

'Weet je dat zeker?'

'Misschien was hij verkouden. Maar dat denk ik niet.'

'Wat deed hij?'

'Ik kon het niet goed zien.'

'Je zag dat hij huilde.'

'Dat denk ik.'

'Wat deed hij daarna?'

'Hij ging weg.'

'En jij ging achter hem aan?' vroeg Djanali.

'Hoe weet je dat?'

'Deed je dat?'

'Ja...'

'Waarom?'

'Ik was... ik was waarschijnlijk ongerust. Ik weet het niet... ik denk dat ik te lief ben, of hoe je dat ook moet zeggen. Ik dacht dat hij misschien ziek was. Ik weet het niet.'

'Wat gebeurde er?'

'Hij stak over.'

'Waar?'

'De Marconigatan heet het volgens mij. Naar de halte. Of verder.'

'Of verder? Bleef je staan kijken?'

'Dat heb ik even gedaan. Hij leek op weg naar de pizzeria. Of het Thaise restaurant. Dat is tenslotte het enige wat daar is. En de autowasstraat. Maar hij had geen auto.'

'Hoe was hij gekleed?' vroeg Halders.

'Dat kan ik me niet herinneren...'

'Werkkleding?'

'Misschien...'

'Arbeidersuniform?'

'Wat bedoel je daarmee?'
'Blauwe overall, zwarte overall, zoiets.'
'Misschien... hij droeg er een jas overheen.'
'Zakken in zijn broek?'
'Ja... ik geloof het wel.'
'Een zwarte broek?'
'Ja, of grijs, grijszwart.'
'Wat gebeurde er daarna? Toen hij voorbij de halte was?'
Ze keken nu allemaal naar de tramhalte. Er stonden een paar mensen te wachten, silhouetten die niet bewogen. Mensen die op een bus of een tram wachten bewegen nooit, ze bevinden zich in een situatie die geen leven en geen dood is, dat weet iedereen. De reis zelf, als die eenmaal op gang is gekomen, is gevuld met leven vergeleken met het wachten, een reis leidt altijd ergens naartoe, ook al is het alleen naar het fucking Frölundaplein.
'Ik geloof dat hij bij de autowasstraat naar binnen ging,' zei Glenn.

'Waarom was Jonatan zo zwijgzaam over zijn verleden?' vroeg Ringmar. 'Wilde je dat niet weten?'
'Heb ik gezegd dat hij er zwijgzaam over was?' zei Amanda Bersér.
'Ja. In een eerder...'
'... verhoor,' onderbrak ze hem.
'Ja.'
Ze ging staan. 'Wil je iets drinken?'
'Ja, waarom niet?'
'Koffie?'
'Eh... nee, dat is te laat voor mij. Of liever gezegd voor mijn maag.'
'Thee?'
'Hetzelfde, helaas.'
'Bier?'
'Heb je licht bier? Ik ben met de auto.'
'Ik ben bang dat ik alleen wijn heb.' Ze zag er bijna schuldig uit, alsof ze een buffet voor Ringmar had voorbereid als ze het van tevoren geweten had. 'Maar je bent aan het werk.'
'Formeel gezien wel,' zei Ringmar.
Hij kon één of twee glazen wijn drinken en een taxi nemen. De auto morgenochtend vroeg halen, ze wilde praten, er waren dingen

die ze wilde zeggen, hij wilde luisteren, het kon een grote kans zijn, hij wilde het weten.

Hij wilde ook troosten, maar dat was een gevoel dat hij verdrong.

'We zijn geen robots,' zei hij. 'Ik drink graag een glas wijn met je.'

'Heet het dan een gesprek?'

'We kunnen het van alles noemen. Maar ik doe niet aan "in vertrouwen",' zei Ringmar. 'Ik ben geen journalist.'

'Je kunt dus geen misdaad in vertrouwen bekennen?'

'Niet tegen mij.'

'Maken jullie geen gebruik van misdadigers? Kleine misdaden door de vingers zien om hulp te krijgen bij het ontmaskeren van de grote schurken?'

'Je lijkt goed op de hoogte van onze wereld,' zei Ringmar.

'Ik heb bij Sociale voorzieningen gewerkt.'

'Ja, dat is waarschijnlijk deels dezelfde wereld,' zei Ringmar.

'Misschien maak ik nu een fout door je wijn aan te bieden,' zei ze.

'Mea culpa,' zei Ringmar. 'Mea maxima culpa.'

Hij zag hem niet op het Karlaplein. Jezus, ik laat die klootzak nu niet gaan, ik laat hem nooit gaan, ik ga hier naar rechts, ik blijf rondrijden, ik weet het niet meer, ik kan niet denken, hij is daar, ik rijd ernaartoe, hij kan zich verstoppen maar hij kan zich niet voor míj verstoppen, misschien is er iemand anders van wie ik een mobieltje kan lenen of aan wie ik kan vragen om het alarmnummer te bellen, waarom zitten er geen telefoons op de moderne fietsen, dat ga ik regelen als ik thuis ben, diensttelefoons op dienstfietsen, het is trial-and-error, dat is met alles zo, gebeurde er hier niet iets met Halders toen hij een jochie was, het gezin was op vakantie, had hij niet verteld dat er een incident op de Narvavägen had plaatsgevonden, ik ben hier nooit als jochie geweest, mijn vader was hier om zijn geld wit te wassen, ik mocht nooit mee, hij logeerde in het Diplomat, dat is mijn enige erfenis, ik ga daar later naartoe, de bar moet voor me opengaan als die niet open is, mijn vader logeerde daar in de jaren zestig, hij heeft Stockholm gebouwd, met zijn geld is de stad gebouwd, of misschien sloopte hij hem, slopen en opbouwen, er is hier iets wat beweegt, dat is hem, achter die eik of wat het is, ik zie het wiel, het licht schijnt op het wiel, hij kan niet meer, hij denkt dat hij slim is, verstopt zich, ik ben vermoeider en slimmer, dat is hem, nú ziet hij me daar, rolt het wiel achter de stam, het is te laat knul.

Hij had een glas wijn gekregen, rood, hij had de fles niet gezien. Ze had ook een glas voor zich staan. De wijn had een krachtige smaak, Zuid-Afrikaans misschien, niet dat hij iets over wijn wist, behalve dat het zuur geworden, gegist druivensap was waarvan snobs beweerden dat ze er iets over wisten. Hij geloofde daar niet veel van, doe de meest vooraanstaande wijnexpert een blinddoek voor en hij kan geen onderscheid maken tussen rode of witte wijn uit pakken die in peperdure glazen is geschonken. Winter had Ringmar iets over wijn en stijl geleerd: het moest altijd peperduur zijn en het moest altijd geserveerd worden in een zo goedkoop mogelijk glas. Daar kon de hogere stand zich zonder risico mee amuseren. Haar glazen leken normaal geprijsd, ze liet de fles waarschijnlijk niet zien omdat de wijn uit een pak kwam. In dat geval was alles wat er nu gebeurde zijn verantwoordelijkheid. Ze mocht geen slecht geweten hebben omdat een agent in haar zitkamer alcohol dronk. Maar ik heb geen dienst meer. Ik probeer iets op te bouwen voor de toekomst. Gerda moet de jongen morgenochtend verhoren, dat is beter. Wat doet Erik? Hij zou me toch bellen? Of zou ik hem bellen? Hij zou vanavond naar Vasastan gaan. Ik durf te wedden dat hij daar alleen naartoe is, hoewel ik tegen hem heb gezegd dat hij dat niet moest doen. Het is een soort doodswens, die idioot kan niet leven zonder gevaar. Eenzaam in de straten van Stockholm na het invallen van de duisternis. Levensgevaarlijk.

Ringmar keek op de klok. 'Het spijt me,' zei hij terwijl hij opstond.

'Wat is er?' vroeg ze. 'Ga je weg?'

'Ik moet even bellen,' zei hij. Hij liep naar de kleine hal, toetste Winters nummer in en kreeg zijn voicemail. Waar was die vent mee bezig? Hij moest opnemen, altijd, het was zijn taak om dag en nacht op elk moment op te nemen, vooral als Bertil Ringmar belde.

Erik was waarschijnlijk naar het park gegaan, de plaats delict, en daarna naar het appartement van het slachtoffer. Dat lag in de buurt. Ringmar had het op de kaart gecontroleerd, het lag verdomd dicht in de buurt. Wat had hij daarna gedaan? Hij heeft me niet gebeld, ik weet dat hij van plan was me te bellen.

Ringmar belde Winters mobieltje nog een keer, kreeg opnieuw de voicemail. Hij belde het hotel. In zijn kamer werd niet opgenomen. Niemand in het hotel wist iets, natuurlijk. Niemand wist ooit iets, dat was zijn leven, zijn baan. Hij had Dick Bensons nummer van Erik gekregen, bedankt, een onderbewuste handeling. Benson nam op, hij klonk als een dronkenlap, schraapte zijn keel, snoof.

'Met Bertil Ringmar, recherche Göteborg. Heb ik je wakker gemaakt?'

'Eh... ja.'

'Ik probeer in contact te komen met Erik, Erik Winter. Heb jij hem vanavond gesproken?'

'Nee. We zouden misschien samen gaan eten, maar hij heeft geen contact met me opgenomen, dat zou hij voor zeven uur doen als hij wilde afspreken. Of kon.'

'Hoezo kon?'

'Hij wilde een paar dingen bekijken.'

'Zoals wat?'

'Het Vasapark, neem ik aan. De Hälsingegatan.'

'Is hij daar geweest?'

'Voor zover ik weet niet.'

'Heb je mensen in het appartement?'

'Op dit moment niet.'

'Bewaking voor het gebouw?'

'Ja, natuurlijk. Bewakingsdiensten aan beide kanten.'

Benson klonk nu wakkerder, alsof hij was gaan zitten.

'Is daar vanavond niets gebeurd?' vroeg Ringmar.

'Voor zover ik weet niet.'

'Kun je even informeren? Meteen? Bij de bewakers? En de wijkpolitie of wat dan ook, je weet wel.'

'Oké, je hoort van me,' zei Benson.

Ringmar ging terug naar de zitkamer.

Ze zat nog op dezelfde plek. Ze had haar wijn niet aangeraakt. Zijn glas was nog bijna vol.

'Wat is er aan de hand?' vroeg ze.

'Ik probeer een paar dingen in Stockholm te controleren,' zei hij.

'Nu?'

'Soms gaat dat zo.'

'Iedereen in jouw beroep is 's nachts wakker.'
'Ja.'
'Wil je niet gaan zitten?'
'Ik voel me rusteloos.'
Hij ging toch zitten. Hij wilde geen wijn drinken. Twee slokken waren voldoende om zijn hoofd af te stompen. Dat was bijna altijd een zegen, maar niet op dit moment.
'Wat is er met Stockholm?' vroeg ze.
'Er is daar een slachtoffer gevonden. Het houdt verband met wat hier gebeurd is. Daar lijkt het in elk geval op. Mijn collega is daar nu.'
Het was iets in haar blik, hij zag het. Het ging om Stockholm, het was er toen hij Stockholm had gezegd.
'Ben je pasgeleden nog in Stockholm geweest?' vroeg hij.
'Nee.'
'En Jonatan?'
'Ja...'
'Wanneer?'
'Dat was waarschijnlijk... een maand geleden. Of een paar maanden, ik weet het niet precies. Nee, minder dan twee maanden. Hij had met iemand afgesproken.'
'Met wie?'
'Ik... dat heeft hij niet gezegd.'
'Heb je het gevraagd?'
'Nee.'
'Is dat niet vreemd?'
'Hij zei een naam... een voornaam. Het was maar voor een dag. Hij is met de X2000 heen en weer gegaan.'
'Hij had overdag dus een afspraak in Stockholm?'
'Ja. Hij was 's avonds weer thuis.'
'Waarom had hij daar met iemand afgesproken?'
'Het ging om een nieuw product... iets met sport... hij had een afspraak met iemand bij het GIH, of het GCI, of hoe het heet.'
'Bedoel je de sportacademie?'
'Ja.' Ze keek naar haar wijnglas alsof er wijnazijn in zat, wat het in principe ook was. 'Daarom luisterde ik waarschijnlijk niet zo nauwkeurig. Het had... niets met mij te maken.'
'Hoe was Jonatan toen hij thuiskwam?'

'Het was laat. Ik sliep half. We zeiden een paar woorden tegen elkaar en daarna viel ik in slaap.'
'En de volgende ochtend?'
'Hij was al weg toen ik opstond. Hij riep alleen gedag.'
'En 's avonds?'
'Niets... vreemds,' zei ze.
'Praatte hij over zijn reis?'
'Nee, eigenlijk niet.'
'Heb je ernaar gevraagd?'
'Alleen of het goed gegaan was. Dat bevestigde hij.'
'Heeft het iets opgeleverd?' vroeg Ringmar.
'Dat moet je aan de school vragen,' zei ze.
Dat zou hij doen, maar het zou niets opleveren. Ze hadden Bersérs geldopnamen gecontroleerd, als hij naar Stockholm was geweest had hij het kaartje contant gekocht. Maar waarom zou hij daarover liegen? Misschien om dezelfde reden dat alle anderen overal over logen.
'Jezus,' zei ze terwijl ze onstuimig opstond, als iemand die plotseling de kunst van het lopen had geleerd. 'Was het... wie is er in Stockholm vermoord?'
'Hij werkte niet bij het GIH,' zei Ringmar.

25

Het zwarte takkenwerk week uiteen, ze waren midden in het park, een fietsende idioot scheurde over het grindpad, Winter schreeuwde iets, stoppen misschien, hij hoorde het zelf niet, of politie, maar dat klonk in zijn oren ook belachelijk, het was niet langer een geheim, de fietsende agent, hier is de agent die midden op straat rijdt, Winter zat weer op zijn fiets, had moeite met het rechterpedaal, was onderweg, zijn achterwerk brandde, hij had al een paar jaar een kleine aambei, bijna onzichtbaar, of liever gezegd gevoelloos, maar nu brandde het rotding als vuur, hij had geen tijd om te stoppen en er Alcosanal op te smeren, had de tube niet bij zich, er zijn grenzen aan wat je mee kunt nemen voor allerlei situaties, je kunt bijvoorbeeld niet overal een fietshelm mee naartoe nemen voor het geval je een keer een fiets moet stelen, deze racefiets was goed, misschien moest hij hem in beslag nemen als bewijsmateriaal, dat moesten ze later bekijken, hij was het Karlaplein overgestoken, was weer op weg naar het water, de ander was naar rechts afgebogen en sloeg nu links af, Winter zag hem toen hij afsloeg, hij gooide zich in de bocht, de Grevgatan was stil en donker en lang, het voelde alsof ze alleen waren, hij en zijn prooi, in een eigen universum, vol zweet en adrenaline en melkzuur, vol angst, vernedering, haat, misschien was het haat, van hem, van de ander, van nog meer anderen, Winter vloog door de Linnégatan zonder opzij te kijken, door de Storgatan.

'Denk je dat er iets met hem gebeurd is?' vroeg ze.
'Je weet het nooit met die idioot.'
'Het klinkt alsof jullie dicht bij elkaar staan.'
'Hij is mijn zoon. Of mijn broertje,' zei Ringmar.
'Wanneer krijg je het te horen?' vroeg ze.
'Wat?'

'Wat er gebeurd is.'

Ringmar gaf geen antwoord, hij kon er geen antwoord op geven, de vraag was waarom hij hier bleef, hij was tenslotte niet afhankelijk van haar vaste telefoon. Hij bevond zich misschien nog in de jaren tachtig, maar de techniek niet.

'Zal ik een bed op de bank voor je maken?' vroeg ze.

Zijn mobiel ging.

'Ik heb met de Surbrunnsgatan gepraat,' zei Dick Benson. 'De wijkpolitie.'

'Ja? En?'

'Ze hebben vanavond een aangifte van diefstal van een fiets in de Hälsingegatan gekregen. Het uiterlijk van de dief komt overeen met dat van Winter.'

'Tjonge, wat heeft die idioot nu weer in zijn hoofd gehaald?'

'Volgens de getuige heeft de dief de fiets midden op straat van hem gestolen en is hij er als een speer vandoor gegaan. Hij schreeuwde iets over politie, maar dat nam de man niet serieus.'

'Nee, dat begrijp ik.'

'Dus Winter kan met een fietsachtervolging in de stad bezig zijn,' zei Benson.

'Wie achtervolgt hij dan?'

'Verdomd goede vraag, Ringmar. Ik heb een patrouille op weg gestuurd.'

'Erik kan op weg naar Norrtälje zijn.'

'We concentreren ons eerst op het centrum,' zei Benson.

Hij was het Diplomat weer gepasseerd, de bar was open, zou de bar van Esplanade ook open zijn, het ging nu snel, barlichten flitsten naar buiten, de Strandvägen op, Nybroviken glinsterde links onder hem, hij reed in de hoogste versnelling, met de snelheid van het geluid, hij was blind voor de nacht, probeerde zijn blik op het licht te vestigen, het knipperde voor hem, dat verdomde achterlicht, het bespotte hem al een uur, ze moesten een uur gefietst hebben, langer nog, Winter zag een blauw licht in de verte, het flikkerde aan de hemel, was het zijn eigen schedel die barstte, hij had gehoord dat alles blauw werd als je hersenen explodeerden, een beroerte was helder als een diepe hemel, je verdronk, het bonsde blauw, het Nybroplein, Dramaten, misschien een galapremière, na middernacht, waarom niet, in een hoofdstad was alles mogelijk, maar het waren natuurlijk zijn collega's, eindelijk, hij was nog nooit in Dramaten geweest, waarom in vredesnaam niet, hij wist zeker dat hij van theater hield, goed theater, hoe moeilijk kon het zijn om daarvan te houden, er stonden twee surveillancewagens in de verte, hij zag ze nu, hij zag de andere fietser niet, zijn collega's zouden hem waarschijnlijk niet tegenhouden, misschien werd hij gezocht, fietsdiefstal was in Stockholm misschien een groter misdrijf dan ergens anders, dat had met het milieu te maken, ze waren hier een stap verder, hij hoorde zichzelf iets schreeuwen terwijl hij naar de wegversperring toe reed, aan de kant verdomme, waar is hij, ik ben mijn concentratie kwijt, ze hebben het voor me verpest, het moest Benson zijn, hij vernietigt bewijs, dat is niet mogelijk, als ik maar langs de versperring kom, we zijn op weg naar het paleis, ik weet het, de koning is erbij betrokken, jezus, ik kan niet meer, mijn achterwerk bloedt.

'Ik moet Gustav over zeven uur halen,' zei ze.
'Je moet slapen,' zei hij.
'Je mag hier blijven wachten,' zei ze.
'Wat bedoel je met wachten?'
'Op het bericht over wat er met je collega gebeurd is.'
'Ik ga,' zei hij. Hij had geen wijn meer gedronken. Zij had ook niets gedronken.
'Blijf,' zei ze.
'Dat is verkeerd. Ik heb al misbruik van je gastvrijheid gemaakt.'
'Je bent hier toch niet als gast?'
'Nee, dat is waar.'
'Er is niets om misbruik van te maken.'
'Is het goed als ik hier blijf zitten?'
Ze gaf geen antwoord, stond op, liep de kamer uit met het glas wijn in haar hand. Hij hoorde de kraan in de keuken, ze goot de wijn waarschijnlijk weg. Hij staarde naar zijn mobieltje en bedacht dat er thuis niemand op hem wachtte, dat ze bang moest zijn, en verschrikkelijk geschokt door alles wat er was gebeurd. Hij droeg bij aan de schok, stampte naar binnen met zijn gewelddadige we-

reld, nachtelijke telefoongesprekken, verwarring, angst, nog meer verwarring.

Ik blijf zitten, dacht hij. Ik waak. Bij mij is ze veilig. Morgen gaan we samen naar het Sahlgrenska-ziekenhuis om de jongen te halen. We pikken Gerda op, zij moet hem verhoren, het komt goed. Ik kan hier vannacht op de bank slapen als dat lukt, ik heb geen beddengoed nodig. Het is hier warm, ik heb niet eens een deken nodig. Nu komt ze terug.

'Waar is hij?!' schreeuwde Winter tegen de halve cirkel met agenten voor hem, 'uit de weg verdomme!' De cirkel deelde zich, er was nog hoop, daar fietste iemand nog steeds voor zijn leven, of wat het was, Winters prooi, hij haastte zich langs Wedholms Fisk, daar wilde Winter nog een keer naartoe, zijn prooi reed slingerend over de Nybrokade, Winter besefte dat die klootzak net zo moe was als hij, vermoeider, de Giro di Stockholm zonder waterposten, niemand overleeft dat op den duur, het was voorbij, het enige wat Winter hoefde te doen was honderd meter naar hem toe rijden en hem aanhouden, hem verhoren, vragen waarom hij vluchtte, als hij vluchtte, dat zou hij allemaal boven water krijgen als hij op adem was gekomen.

Ringmar wachtte, zij zat ook op de bank, hij begreep niet waarom ze niet naar bed ging, ze had het nodig.

Zijn telefoon ging. 'Ja?'

'Het Nybroplein,' zei Benson.

'Wat is er gebeurd?'

'We zijn onderweg,' zei Benson. 'Winter is daar.'

'Wat heeft hij gedaan?'

'Ik heb nog niet met hem gepraat.'

'Is alles goed met hem?'

'Hij kan nog steeds fietsen,' zei Benson en Ringmar dacht dat hij een korte lach hoorde.

'Vraag hem om me te bellen als dat lukt.'

'Uiteraard.'

'Hebben jullie iemand gepakt?'

'Daar zijn we mee bezig.'

'Misschien lossen we het nu op,' zei Ringmar.

'Daarvoor is het voldoende om naar Stockholm te komen,' zei Benson.

'Ja, uit Göteborg.'

'Zo bedoelde ik het niet.'

'Goedenavond, hoofdinspecteur,' zei Ringmar, en hij drukte het gesprek weg en keek op.

'Het is dus goed gegaan,' zei Amanda Bersér.

'Dat weet ik niet.'

'Wat gebeurt er nu?'

'Ik wacht op een telefoontje,' zei hij. 'Kun jij niet beter naar bed gaan?'

'Ik ben... bang,' zei ze terwijl ze naar hem keek.

Op dat moment begreep hij het. Amanda durfde niet alleen naar bed, niet als ze dat niet hoefde.

26

Winter moest opstaan, zitten, opstaan, zitten... na een paar minuten voelde het alsof de spieren in zijn dijbenen goed werkten. Hij had nog steeds geen gevoel in zijn onderlichaam, hij hoopte dat het terug zou komen.

Peter Mark leek er net zo slecht aan toe te zijn. Hij was eenvoudig te identificeren geweest, zijn rijbewijs zat in zijn portefeuille in de zak van zijn spijkerbroek. Hij strekte zijn benen, veegde het zweet van zijn voorhoofd, het bleef in zijn ogen lopen, het zag eruit alsof hij voortdurend verdriet had. Misschien was dat ook zo, dacht Winter, of anders begint het nu.

Ze zaten in een politiebusje en Mark zei iets wat Winter niet verstond.

Het was een prachtige voorjaarsnacht, twaalf graden boven nul, een record, ook voor de Stockholmers die gewend waren aan mooi weer, de zon en alle andere sterren schenen altijd boven Stockholm, bijna nooit boven Göteborg.

'Wat zei je?' vroeg Winter.

'Ik ben hier niet op getraind,' zei Mark.

'Vluchten voor de politie?'

'Ik wist niet dat je politieagent was.'

'Ben je doof?'

'Ik verstond niet wat je riep. Ik was bang.'

'Wie dacht je dan dat ik was?'

'Je had iedereen kunnen zijn. In deze stad kan van alles gebeuren.'

'Is er een speciaal iemand in Stockholm voor wie je bang bent?'

'Nee, wie zou dat moeten zijn?'

'Dat vraag ik aan jou.'

'Nee.'

'Wat deed je vanavond in die straat in Vasastan?'

'Ik weet niet... over welke straat je het hebt.'
'Wat deed je daar?' herhaalde Winter.
'Niets.'
'Hoe kwam je daar terecht?'
'Ik fietste.'
'Als je me nog een keer in de maling probeert te nemen trap ik je in je ballen,' zei Winter.
Mark keek om zich heen, ze waren alleen in de bus, niemand zou hem te hulp komen als hij mishandeld werd. Hij dacht niet dat deze smeris dat zou doen, maar je wist het nooit, hij was vermoeider dan Mark, ouder, boos.
'Ging je bij iemand op bezoek in Vasastan?' vroeg Winter.
'Nee.'
'Hoe kom je aan die fiets?'
'Wat?'
'Van wie is die fiets?'
'Van een vriend.'
'Waar woont hij?'
'Eh... buiten de stad.'
'Waar?'
'Solna.'
'Wat is het adres?'
'Dat heb ik niet.'
'Maak me niet nog bozer,' zei Winter.
'Het is waar, het was de eerste keer dat ik daar was, een flatgebouw in de buurt van luchthaven Bromma, hij is daar net naartoe verhuisd.'
'Hoe had je het dan terug moeten vinden?'
'Ik zou hem bellen.'
'Je hebt geen mobieltje.'
'Die heb ik verloren toen je me achtervolgde.'
'Dan vinden we hem,' zei Winter.
Mark zei niets. Hij keek door het kogelvrije glas naar de geüniformeerde agenten op het Nybroplein, alsof hij naar ze verlangde, naar de vriendelijke agenten. Winter zag het ook. WELKOM BIJ DE VRIENDELIJKE WIJKPOLITIE VAN VASASTAN, stond er op de deur van de Surbrunnsgatan 66. De Stockholmers wisten hoe ze zich op

moesten stellen, hij zou Halders ernaartoe sturen, het team van de Surbrunnsgatan zou zijn gedrag misschien kunnen bijschaven.

'Hoe heet je vriend?'

'Sture.'

'Sture? Als in Stureplan?'

'Ja, precies.'

'En zijn achternaam?'

Mark gaf geen antwoord, Winter zag dat hij een naam probeerde te bedenken die bij Sture paste, Sten Sture misschien, maar die was al bezet, het was beter om iets eenvoudigs te bedenken, Sture Johansson of Sture Karlsson.

'Sture Karlsson,' zei Mark.

'Mooi,' zei Winter.

'Wat?'

'Dat is een mooie naam. We bellen hem meteen.'

'Het nummer staat in mijn mobieltje. Ik ken het niet uit mijn hoofd.'

'Is er meer dat je niet uit je hoofd kent?'

'Wat?'

'Het is moeilijk om sprookjes te vertellen als je de inhoud niet kent,' zei Winter.

'Het is geen sprookje.'

'Moeilijk om het achteraf te verzinnen.'

'Ik verzin...'

'Vertel verdomme wat je band met Jonatan Bersér was!' zei Winter.

'Jonatan?'

Peter Mark keek oprecht verbaasd.

'Dacht je dat ik een andere naam zou zeggen?'

'Nee... wat...'

'Kende je Jonatan Bersér?'

'Ja...'

'Waarvan?'

Mark was in de war, zijn blik dwaalde door het lelijke interieur van de bus, een cel, een martelcentrale. Ging dit niet over Johan Schwartz?

'We komen zo meteen op Johan Schwartz,' zei Winter.

Mark schrok. Soms wordt het moeilijk om te liegen, het is na een tijdje minder grappig dan in het begin. Het is veel moeilijker om te liegen dan de waarheid te spreken. Stel je voor dat iedereen dat zou weten, dacht Winter. Er zou een speciaal vak op de middelbare school gegeven moeten worden, een rollenspel.

'Ik kende Jonatan, natuurlijk... maar er waren veel die dat deden.'

'Sture Karlsson?'

'Nee...'

'Robert Hall?'

'Wie?'

'Robert Hall.'

'Ik heb nog nooit van hem gehoord. Wie is dat?'

'Matilda Cors?'

Mark schudde zijn hoofd.

'Betekent dat ja of nee?' vroeg Winter.

'Cor... hoe heette ze?'

'Matilda Cors.'

'Dat zou ik me herinneren. Wat zijn dat voor namen?'

'Lees je kranten, Peter? Ochtendkranten, avondkranten?'

'Eh... ja.'

'Volg je het nieuws op de radio of de televisie?'

'Soms.'

'En je herkent deze namen niet?'

'Nee...'

'Ze zijn heel vaak in de media genoemd in combinatie met de naam die je wel kent.'

'Ik zie het verband niet.'

'Heb je ze allemaal op een rijtje?'

'Eh... ja.'

'Wat deed je vanavond voor de woning van Johan Schwartz?'

'Ik wist niet dat hij daar woonde.'

'Waar?' vroeg Winter.

'In die straat, de Hälsingegatan.'

'Hoe weet je dat ik de Hälsingegatan bedoel?'

'Wat?'

'Hoe weet je de naam van die straat?'

'We... die heb je daarnet gezegd.'

'Nee.'

'Niet?'

De verwarring groeide, de leugens namen toe, tot er niets meer was om zich aan vast te houden, alleen lucht.

'Het is moeilijk om te liegen, nietwaar?'

'Ik heb het op het bord gelezen,' zei Mark. Hij leek Winters opmerking niet gehoord te hebben.

'Ben je daar eerder geweest?'

'Nee, nog nooit.'

'Heb je Johan eerder in Stockholm ontmoet?'

'Nee. Nee.'

'Alleen toen je hem doodsloeg,' zei Winter.

'Is hij dood? Wat? Wat zeg je?'

Winter kon het niet meer opbrengen, niet op dit moment, niet hier. De technici moesten het voorlopig overnemen. Hij wilde deze klootzak uit de bus hebben, op een harde brits in een cel, een kamer zonder uitzicht, alleen met zijn leugens.

Ringmar werd wakker doordat zijn mobieltje ging, of misschien was het Amanda, die hem wakker maakte, ze stond over hem heen gebogen, had een plaid om zich heen, het was donker in de kamer.

'Jezus, Erik,' zei hij in zijn mobieltje.

'Heb ik je wakker gemaakt?'

'Wat is dat in vredesnaam voor opmerking om drie uur 's nachts?'

'Halfdrie.'

'Wat is er vannacht gebeurd? Ik hoorde dat je gefietst hebt.'

'Nu niet meer.'

'Heb je iemand gepakt?'

'Peter Mark. Hij was hier.'

'Je hebt hem dus gevonden. Goed gedaan.'

'Ik heb hem op een fiets door de hele stad achtervolgd, Bertil. Daar ben ik nog niet van bijgekomen.'

'De details moet je later maar vertellen. Wat deed Mark in Stockholm?'

'Hij zou Schwartz ontmoeten. Of heeft dat gedaan. Of ging dat doen. Dat vertelt hij niet.'

'Wat vertelt hij dan?'

'Een heleboel onzin.'

'Wat zit erachter?'

'Dat weet ik nog niet. Ik moet proberen een paar uur te rusten, hem morgen opnieuw verhoren. Maar er is een verband. Schwartz zat misschien bij een groep die iets voor kinderen regelde. Of niet. Of hij kende iemand die hij niet moest kennen. Die niemand moest kennen.'

'Helaas kent de dader hem,' zei Ringmar. 'Is het Mark?'

'Dat geloof ik niet.'

'De jongen op de video's?'

'Heb je hem nu gezien?'

'Ik geloof van wel.'

'Hij kan op meerdere plekken zijn.'

'Wie is hij, Erik?'

'Ik denk dat het iemand is die misbruikt is, op de een of andere manier. Er waren kinderen bij die groep of wat het ook was. Gunnar Bersér wist het, ze waren zelfs bij hem op bezoek, hij hield de camera vast.'

'Hij pleegde liever zelfmoord dan het te vertellen,' zei Ringmar.

'Het was zijn zóón,' zei Winter.

'Waarom heeft hij zo lang gewacht met zich ophangen?'

'Hij heeft de schaamte zo lang mogelijk verdrongen.'

'Als wij niet bij hem langs waren gegaan, dan was hij doorgegaan,' zei Ringmar. 'Liever dan het aan iemand te vertellen, dan er iets aan te doen.'

'Het gaat nu niet om ons. Wij hebben Bersér en Hall en Cors en Schwartz niet gestraft.'

'De man in de Marconihal,' zei Ringmar.

'Ja. Laten we daarvan uitgaan.'

'Wat is zijn verhaal?' zei Ringmar.

'Misbruik.'

'Seksueel?'

'Of nog erger.'

'Bestaat er iets ergers?'

Winter gaf geen antwoord. Ringmar ging niet verder. Een andere keer, bij een andere gelegenheid.

'Waarom tot nu wachten? Tot dit jaar?'

'Misschien heeft iets het ontketend.'

'Is er iets in zijn leven gebeurd? Of in dat van de slachtoffers? Bij allemaal?'

'De e-mails hebben nog niets zinnigs opgeleverd,' zei Ringmar. 'Cors en Schwartz hadden een Facebook-pagina. Geen interessante mails. Geen interessante mobiele gesprekken.'

'Nee, ze hadden geen contact met elkaar. Er is iets gebeurd waardoor ze het contact verbroken hebben.'

'Ik dacht dat iedereen onder de vijftig tegenwoordig Facebook had,' zei Ringmar.

'Dat dacht ik ook.'

'Kan Peter Mark ons iets vertellen, Erik?'

'Daar ben ik niet zeker van.'

'Nam de dader contact op met zijn slachtoffers?'

'Daar ben ik wel zeker van,' zei Winter.

'De schakel met het verleden. Of de link, of hoe je dat moet noemen.'

'Niet veel om aan vast te houden, of niet soms?'

'Maar voor nu is het voldoende. Ik wil geen schakels of slachtoffers of letters meer hebben.'

Winter gaf geen antwoord. Ringmar luisterde naar de ruis in de ruimte tussen Stockholm en Göteborg.

'Er is nog één ding,' zei Ringmar. 'Er zaten zwarte verfvlekken op het jack van Gustav Lefvander. Torsten heeft een monster genomen, het ziet er interessant uit, het SKL geeft over een dag uitsluitsel.'

'Jezus. Wat zegt de jongen ervan?'

'Nog niets. Gerda heeft het gisteravond geprobeerd. Ze gaat vandaag nog een keer met hem praten.'

'Mooi.'

'Ik heb gisteravond laat in Lefvanders garage naar blikken verf gezocht. Ik was toch in de buurt, min of meer. De jongen zei dat hij de verf daar op zijn jack had gekregen. En weet je wat, er waren...'

'Er waren geen oude blikken,' onderbrak Winter hem. 'Er was niets.'

'Hoe weet jij dat?'

'Ha ha. Waar is papa Lefvander?'

'Op de een of andere zakenreis. Hij komt vandaag thuis. We doen meteen een huiszoeking.'

'Nee.'
'Nee?'
'Nee, hij kan niet grondiger opruimen dan hij heeft gedaan, als er iets op te ruimen is. We kunnen altijd nog een huiszoeking doen. Het is beter om hem te laten geloven wat hij op dit moment gelooft. Laten we hem voor één keer een stap voor zijn.'
'Oké, baas.'
'Noem me geen baas.'
Ringmar hoorde Winters stem zachter worden, alsof hij de afstand van Stockholm naar Göteborg niet helemaal meer kon overbruggen.
'Hoe is het met je, Erik?'
'Ik ben moe. En mijn kostuum is verpest.'

0

Het was stom om terug te gaan, maar hij kon zich niet bedwingen, het was alsof hij er als een magneet naartoe werd getrokken. Het waren de herinneringen. Hij wilde altijd terug naar de plek die niet langer bestond, alsof dat alles ongedaan kon maken.

Hij stond in de ijshal en de kaalkop had naar hem geschreeuwd, had hem achtervolgd. De kaalkop was samen met een zwarte vrouw geweest, alsof ze samen iets hadden. Wat doen ze hier? had hij gedacht voordat hij het begreep. Wisten ze het al? Zo slim konden ze niet zijn.

De geschoren smeris achtervolgde hem. Achtervolgden ze iedereen die in de hal stond? Maar er stonden geen anderen, hij was altijd alleen, het was kalmerend maar dat was nu voorbij, hij kon niet meer terug. Ze wisten hoe hij eruitzag, maar hij was ver weg geweest. Had hij zijn muts op gehad? Hij kon het zich niet herinneren. Nee. Hij had zijn zonnebril afgedaan, anders droeg hij hem altijd. Hij had de zon niet meer kunnen verdragen. De zon was blijven schijnen nadat het was gebeurd, alsof het hem niet kon schelen, alsof het niets te betekenen had, alsof niemand straf zou krijgen, alsof de hemel voor iedereen blauw was.

Daar is hij!

Daar!

Wij zijn het maar!

Ga mee!

Hij had geprobeerd in het water te springen, maar daar was hij niet góéd genoeg voor geweest, hij was sléćht, hij was niet meer waard. Hij schuurde zijn tenen aan de rotsen en de zandbodem, er kwam bloed op de stenen, hij liet een bloedspoor achter tot hij niet meer kon rennen.

27

Aneta Djanali dacht aan de vorige dag, ze kon niet slapen. Het was alsof er de vorige avond iets was gebeurd wat bepalend was voor de rest van hun leven, van haar en Fredrik. Ze herinnerde zich alles alsof het op dit moment gebeurde.

Ze waren over de brug over de tramrails gelopen en stonden voor de manuele autowasstraat Clean Park waar AL HET WASSEN OP EIGEN RISICO GEBEURDE, zoals er op het bord boven de muntenautomaat stond.

'Dat dachten ze in de middeleeuwen ook,' zei Fredrik, 'dat het levensgevaarlijk was om je te wassen.'

'Niet in Afrika,' antwoordde ze. 'En dat over de middeleeuwen is een mythe.'

'Jullie hadden helemaal geen water in Opper-Volta,' zei hij.

'Werken hier mensen?' vroeg ze terwijl ze om zich heen keek. Er waren geen klanten. De autowasstraat zag er verlaten uit, als iets uit een vergeten decennium.

'Die hoeven alleen de automaat te legen.'

'Hij ging hier toch naartoe?'

'Hij is er waarschijnlijk gewoon doorheen gelopen,' zei hij. 'En is daar naartoe gelopen.' Hij knikte naar de flatgebouwen in de Mandolingatan. Die hoorden weliswaar bij het verachte Miljoenenprogramma, maar ze waren optimistisch oranje, waardoor de gevels gloeiden als de zonnestralen ze raakten.

'Of hij heeft zijn auto gewassen,' zei ze.

'Wat?'

'Hij heeft zijn auto gewassen.'

'Hij had geen auto,' zei Fredrik. 'Hij is niet het type voor een auto.'

'Moet je daar een speciaal type voor zijn?'

'Je ziet het meteen,' zei hij.

'Reken je oude mannen met hoeden daarbij?'

'Ja, die vooral.' Fredrik liep naar de wasinstallatie en keek op het bord, Kärcher was de eigenaar van de wasstraat, het bedrijf had ook wasstraten op het Vågmästareplein, in Brunnsbo, in de Gamlestadsvägen, in Sävedalen. 'We moeten contact met de eigenaar opnemen, maar dat zal niets opleveren.' Hij liep naar een van de smalle wastunnels en zei iets wat ze niet verstond.

'Wat zei je, Fredrik?'

'*I work in the carwash, where all it ever does is rain*,' declameerde hij toen hij terugkwam.

'Dat klinkt als Springsteen.'

'Het is Springsteen. Het is een typische Springsteen-zin.'

'Springsteen is een typische chauffeur, of niet soms, Fredrik?' zei ze met een glimlach.

'Hij is in elk geval geen oude man met een hoed,' zei hij.

'Gewoon een man,' antwoordde ze.

'Als er niets anders is, dan kan onze leeftijd altijd tegen ons gebruikt worden,' zei hij.

'Wie zijn "ons"?'

'Mannen natuurlijk.'

'Ja, dat is jammer voor jullie.'

Hij gaf geen antwoord. Hij keek om zich heen, naar Kin's Thaise restaurant, naar Ruddalens Pizzeria, naar de Fagottgatan en de Lidl, naar de Mandolingatan en het Frölundaplein.

'Hier is het,' zei hij. 'Hier komt hij vandaan. Hier moeten we zijn, hier moeten we zoeken tot we hem vinden.' Hij keek naar de gevels die sprekend op elkaar leken. 'Wat een krankzinnig bouwprogramma, het is net Hitlers *Welthauptstadt Germania*.'

Ze schermde haar ogen af met haar hand. De ramen zagen eruit als zwarte gaten in rode aarde, vanachter al die ramen kon je kijken naar alles wat er achter de tramrails was gebeurd en gebeurde, wat was afgebroken en weer opgebouwd, onder andere het Marconi Park.

We hoeven daarboven alleen langs de deuren te gaan, dacht ze, een miljoen keer aanbellen en we hebben de zaak opgelost.

'We gaan naar het plein,' zei hij. 'Ik wil een hamburger.'

'We kunnen hier pizza of Thais eten,' zei ze.

'Ik wil iets Zweeds hebben,' zei hij.

'Erg leuk gezegd.'
'Laten we gaan.'
Ze liepen in zuidelijke richting langs de enorme gebouwen door de Mandolingatan. Op de begane grond waren buurtwinkels, ineengedoken onder het gewicht.
'Het ziet eruit als in Azië,' zei hij. 'Een fatsoenlijk en geordend Azië, Singapore misschien.'
'Ben jij in Singapore geweest?'
'Al heel lang niet meer.'
'Bertils zoon werkt toch in Kuala Lumpur?'
'Wat Bertil betreft zou hij ook in Ouagadougou of op elke andere plek kunnen werken.'
'Wat bedoel je daarmee?'
'Ze hebben geen contact, dat weet je.'
'Ja... dat lijkt erop. Dat is erg.'
'Erg? Het moet ergens door komen, of niet soms?'
'Ik wil daar niet over speculeren, Fredrik.'
'Dat wil niemand. Niemand wil erover praten wat de reden kan zijn als een zoon bijvoorbeeld voor zijn vader vlucht. Als kinderen geen contact meer willen hebben.'
Ze bleef staan. 'Waar heb je het over, Fredrik?'
'Laten we erover ophouden. Jij wilde er niet over speculeren.'
'Soms ben je zo'n verdomde idioot.'
'Soms?'
Ze draaide zich abrupt om en begon in de richting van het plein te lopen, opzichtig met zijn nieuwe bushokjes, met alles wat nieuw was. Het Frölundaplein was geen koopplein meer, het was een gigantische kooptempel, een eigen stad met woningen, met alles. Alles. Het was op dit moment te veel voor haar, alles was te veel.
'Aneta, wacht, het spijt me.' Hij haalde haar in. 'Ik praat te veel onzin, ik weet het.'
Hij zag dat ze huilde.
'Alsjeblieft,' zei hij.
Ze droogde haar ogen.
'Wat is er?' vroeg hij.
'Ik wil er niet over praten.'
'Gaat het om kinderen?'

Ze gaf geen antwoord. Ze waren bijna bij het cultureel centrum, met het plein onder de trap. Aan deze kant van de Mandolingatan, achter en aan de zijkant van het cultureel centrum, leek het niet op het geordende Azië, maar eerder op het chaotische Lagos, Afrika, met overwoekerde parkeerplekken, vuilnishopen, gescheurde, ijzeren balken, een stukje Göteborg dat op de kaart was vergeten, een perfecte derde wereld.

'Ik zal voorzichtig zijn,' zei hij. 'Ik begrijp het. Ik ben geen idioot.'

Dick Benson had naar het GIH gebeld en was doorverbonden met een professor die Bengt Krafft heette.

'Jonatan Bersér? Ja, die naam ken ik. Hij was een van mijn leerlingen toen ik hier als leerkracht begon.'

'Is hij onlangs nog in de school geweest?'

'Voor zover ik weet niet.'

'Volgens zijn vrouw is hij van Göteborg naar Stockholm gegaan om een project met jullie te bespreken.'

'Waarover?'

'Dat weet ik niet. Hij is gymleraar in Göteborg. Of eigenlijk was hij dat. Hij is vermoord.'

'Hemel.'

'Mijn vraag is dus of hij bij jullie geweest is.'

'Nee, dat zou ik geweten hebben.'

'O ja?'

'Al dat soort afspraken gaat via mij. Je kunt het pedagogische onderzoeksprojecten noemen.'

'Ik noem het niets,' zei Benson.

'Ik kan voor alle zekerheid een beetje rondvragen.'

'Het is altijd goed om zekerheid te hebben,' zei Benson. 'Laat het even weten als hij nog altijd contact met de school heeft. Had hij dat misschien met jou?'

'Nee.'

'Je herkende de naam meteen.'

'Hij zat in mijn eerste klas. We konden goed met elkaar overweg.'

'Ik bel vanmiddag nog een keer.'

Hij hing op en keek naar Winter, die aan de andere kant van Bensons bureau zat.

'Een snob,' zei hij. 'Professors, ze zijn allemaal hetzelfde, ongeacht het vak.'
'Daarom zijn ze professor geworden, Dick,' zei Winter. 'Dat geldt ook voor hoofdinspecteurs.'
'Dat we snobs zijn? Daar ben ik trots op.'
'Ik ben geen snob.'
'Ha ha, daar sta je in het hele korps om bekend, in het hele land, in heel Europa, zelfs in de hele wereld ben je daar beroemd om.'
'Nu niet meer.'
'Eén fietstochtje verandert daar niets aan, Winter.'
'Ik ben een ander,' zei Winter terwijl hij opstond. 'En nu ga ik luisteren naar wat Peter Mark te vertellen heeft.'
'Hij is vannacht ook een ander geworden. Succes!'

Peter Mark was een ander geworden, of degene die hij was geweest. Hij wilde praten. Hij zocht de videocamera in de verhoorkamer met zijn blik, zo graag wilde hij praten. Maar hij leek te geloven dat hij het onderwerp zelf kon bepalen, wat voorkwam bij onervaren ondervragers.
'Ik wil dat je me aankijkt,' zei Winter.
'Ik werd gewoon bang,' zei Mark.
'Wie dacht je dat ik was?'
'De moordenaar.'
'Welke moordenaar?'
'Is er meer dan één?'
'Ik ben degene die de vragen stelt,' zei Winter.
'Degene die Jonatan vermoord heeft natuurlijk!'
'Waarom zou hij in Stockholm zijn?' vroeg Winter.
Mark gaf geen antwoord. Winter herhaalde de vraag.
'Je wordt uiteindelijk overal bang voor,' zei Mark.
'Noem eens een voorbeeld?'
'Voor iemand die je achtervolgt,' zei Mark.
'Hoe dicht stond je bij Jonatan?'
'Wat bedoel je met die vraag?'
'Probeer gewoon antwoord te geven.'
'We kenden elkaar uit onze jeugd.'
'Vanaf welke leeftijd?'

'Vanaf school... We hebben elkaar op school leren kennen.'
'Welke school was dat?'
'De Påvelundschool.'
'En sindsdien zijn jullie vrienden?'
'Tja... af en toe.'
'Wat bedoel je daarmee?'
'Hoezo?'
'Je zegt dat jullie gedurende bepaalde perioden geen vrienden waren. Waarom waren jullie dat niet?'
'Dat weet ik niet... Wat zijn dit voor vragen? Dat soort dingen gebeurt nu eenmaal.'
'Wat is er gebeurd?'
'Wat?'
'Wat is er gebeurd waardoor jullie geen vrienden meer waren?'
'Niet meer waren... we zagen elkaar later weer.'
'En daartussen?'
Mark zei niets. Het was hem aan te zien dat hij besefte dat hij niet nog een keer "wat" kon zeggen, dat het beter was om te zwijgen.
'Als ik zeg dat ik denk dat er een x-aantal jaar geleden iets is gebeurd wat heeft geleid tot de moord op Jonatan... wat zeg je dan?'
'Wat moet ik zeggen? Hoe kan ik dat weten?'
'Waarom waren jullie geen vrienden meer?'
'Hij... leerde anderen kennen, het klinkt kinderachtig als ik het zeg, maar zo bedoel ik het niet... hij kreeg andere vrienden.'
'Wilde hij niet meer met je spelen, Peter?'
'Ha ha, ja, zo kun je het zeggen, we waren twintig of zo maar... inderdaad, het was... daarna zagen we elkaar niet zo vaak meer.'
'Wat waren dat voor vrienden?'
'Ik weet het niet, en het kon me ook niet schelen.'
'Heb je er met Jonatan over gepraat?'
'Nee, ik had mijn trots.'
'Je moet er toch iets over gezegd hebben? Aan de telefoon, als jullie elkaar zagen?'
'Ik zeg toch dat we elkaar niet zagen!'
Mark was harder gaan praten, was de camera vergeten, was zichzelf bijna vergeten, wat het beste was wat een ondervrager kon gebeuren.
'Het betekent veel voor je,' zei Winter.

Mark zei iets wat niet te verstaan was. Winter keek naar de bandrecorder. Die nam ook de stilte op. Het gebeurde dat hij achteraf naar de stilte luisterde, die meer over het verhoor kon vertellen dan de woorden zelf. Woorden waren vaak niet meer dan afval.

'Kun je dat herhalen, Peter?'

'Niet op die manier.'

'Hoezo niet op die manier?'

'Op die manier betekende het niets voor me.'

'Dat moet je uitleggen.'

'Ik ben verdomme geen homo,' zei Mark.

'Heeft Jonatan je daarom in de steek gelaten?'

'Ik weet niet wat je bedoelt.'

'Hij was homo en hij kreeg nieuwe vrienden die ook homo waren,' zei Winter.

'Je bent verdomme niet goed bij je hoofd,' zei Mark. Zijn gezicht was nu rood, alsof Winter de hele Påvelundschool en alles wat daarbij hoorde had beledigd. Dit was de tweede keer in korte tijd dat Winter te horen kreeg dat hij niet goed bij zijn hoofd was. De vorige keer had het met Michael Bolton te maken gehad.

28

Ringmar had een onrustige nacht achter de rug, hoewel je het nauwelijks een nacht kon noemen. Hij had een paar uur op Amanda's bank gelegen voordat hij opstond om koffie in de keuken te zetten. Hij hoorde haar achter zich toen hij bij het aanrecht stond en de beweging van het water in het apparaat volgde.

'Bedankt dat je gebleven bent,' zei ze.

'Ik zou mijn verontschuldigingen aan moeten bieden,' zei hij.

'Nee, nee.'

Ze liep door de keuken naar hem toe en omhelsde hem. Hij rook haar geur en legde zijn rechterhand voorzichtig op haar schouder. Ze liet hem los en keek de andere kant op.

Gerda Hoffner ontmoette Ringmar en Amanda Bersér voor het ziekenhuis. Gustav was er ook, bleek, maar klaar voor een soort leven buiten de ziekenkamer. Ringmar ondersteunde hem terwijl Gerda voor de hoofdingang parkeerde, hij had een arm rond zijn schouders geslagen. Ze zien eruit als vader en zoon, dacht ze, of liever gezegd als opa en kleinzoon. Ze zag Bertil zelf als een vader, een mentor voor iedereen, niet in het minst voor Erik. Ze wist dat Bertil alleen woonde. Ze luisterde nooit naar geroddel en op het bureau was er niemand die roddelde.

'Waar is papa?' hoorde ze Gustav zeggen.

'Hij komt vanmiddag,' zei zijn moeder. 'Hij is op reis.'

'Oké.'

'We gaan naar mijn huis.'

'Alleen jij en ik?'

'Gerda gaat ook mee.'

'Waarom?'

'Ze moet je een paar vragen stellen.'

'Ik wil geen antwoord geven.'
'Je zult het toch moeten proberen, Gustav.'

'Ik weet niet waarom,' zei Gustav.
'We hebben alle tijd,' zei ze.
Ze zaten bij Gustavs moeder thuis, in de kamer waar hij nu sliep. Een poster van Depeche Mode bedekte een groot deel van de muur achter het bed. Gustav had in de auto niets gezegd, ze had niets gevraagd, niets gezegd over het weer, dat was mooi, banaal en mooi, er was niets te zeggen over mooi weer.
Gustav zat op zijn bed. Zij zat op een stoel in het midden van de kamer. Naast de deur stond een muziekinstallatie, stapels cd's, kratten met lp's. De jongen draaide platen, hij luisterde niet alleen naar Spotify.
Jezus, Depeche Mode, dacht ze, een band voor alle leeftijden.
'Dat is mijn favoriete band,' zei ze terwijl ze naar de poster knikte. Ze probeerde haar stem niet onderdanig te laten klinken.
Gustav keek naar haar zoals een tiener naar een oma kijkt.
'Ik heb *Violator* gekocht toen ik jouw leeftijd had.'
'Die is in 1990 uitgekomen,' zei hij. 'Ik vond de eerste plaat beter.'
'*Speak and Spell*,' zei ze. 'In 1981 was ik daar zelfs een beetje te jong voor.'
Het leek alsof hij glimlachte. 'Daar had ik bij willen zijn,' zei hij. 'De jaren tachtig.'
'Je bent er nu bij, Gustav.'
'Vince Clarke is er niet bij.'
'Hij speelde alleen op de eerste plaat mee,' zei ze.
'Martin Gore is goed.'
'Ik heb een handtekening van Dave Gahan,' zei ze.
'Echt waar?'
'Een agent liegt nooit,' zei ze met een glimlach.
'Maar hij geeft nooit handtekeningen.'
'Aan mij wel. Dat was in Kopenhagen, aan het eind van de jaren negentig.'
'Daar hebben ze afgelopen zomer gespeeld,' zei Gustav. 'Ik wilde ernaartoe.'
Ze knikte.

'Ik kreeg niemand mee. Een volwassene, bedoel ik. Bovendien had ik geen geld.'

'Ze komen terug,' zei ze. 'Ze zijn vaak in Zweden.'

'Nee, nee, dat duurt nog een hele tijd. Dan ben ik waarschijnlijk net zo oud als jij.'

'Stel je eens voor hoe oud Gahan en Gore en Fletcher dan zouden zijn,' zei ze.

'Als The Rolling Stones,' zei hij.

'Precies.'

Hij ging verzitten en stak een been uit. Hij zag er nog steeds minderjarig uit.

'Luisterde je muziek toen je die nacht buiten was?' vroeg ze.

'Ik ben gestopt met koptelefoons,' zei hij.

'Wat deed je dan?'

'Ik liep gewoon rond.'

'Waarom?'

'Ik heb al gezegd dat ik niet weet waarom.'

'Waarvoor vluchtte je de eerste keer? Voor je vader?'

'Ik vluchtte niet voor hem.'

'Voor wie dan?'

Gustav gaf geen antwoord. Hij keek naar de stapels cd's alsof het antwoord daar te vinden was. Op een bepaalde leeftijd vond je alle antwoorden in de muziek, in de teksten, daarna verstarden je hersenen en werd alles saaier, dacht ze, de fantasie kromp.

'Iemand belde... toen ik bij mijn vader was... ik nam op, het was een stem die ik niet herkende.'

'Was het een hij of een zij?'

'Het was een hij.'

'Wat wilde hij?'

'Ik weet het niet. Hij wilde mijn vader spreken.'

'Waardoor werd je bang?'

'Ik herkende het nummer.'

'Ja.'

'Dat was heel eng.'

'Wat dacht je?'

'Ik dacht... ik weet het niet.'

'Werd je bang door iets anders?'

'Ik weet het niet.'
'Was het de stem?'
'Ja...'
'Deed die je aan iemand denken?'
'Nee...'
'Wat zei hij?'
'Dat hij mijn vader wilde spreken.'
'Hoe zei hij dat precies?'
'Eh... "Is Mårten Lefvander aanwezig?", zoiets.'
'Zei hij de hele naam?'
'Ja.'
'Wat zei hij nog meer?'
'Niets.'

Ze had het verslag van Ringmar gelezen, hij en Winter waren in de villa geweest nadat Gustav ervandoor was gegaan, Lefvander had de vaste telefoon gepakt en had gezien dat er iemand had gebeld, het was Jonatan Bersérs oude nummer geweest, Bersérs oude mobieltje, gestolen van het slachtoffer. Iemand moest hem gebeld hebben, had Lefvander gezegd. Hij had Gustav bedoeld. Maar iemand had zijn vader willen spreken, Mårten Lefvander, een enge stem. Waarom zou iemand die zo eng was op zoek zijn naar Mårten Lefvander? Ze geloofde Gustav, zijn gevoel, zijn intuïtie, net als ze Depeche Mode geloofde.

'Heb je je vader verteld dat iemand hem wilde spreken?'
'Nee, ik ben weggerend.'
'Heb je het daarna verteld?'
'Nee, dat... is er niet van gekomen. Is het belangrijk?'
'Ik weet het niet, Gustav. Had je de stem al eerder gehoord?'
'Nog nooit.'
'Was de stem jong of oud?'
'Ik weet het niet. Ertussenin.'
'Bij wie was je?' vroeg ze na een korte pauze.
'Wat bedoel je?'
'Bij wie was je nadat je gevlucht was?'
'Bij niemand, heb ik gezegd. Ik heb rondgelopen.'
'Waar?'
'Overal.'

'Ben je bij iemand thuis geweest?'

'Nee, waarom zou ik dat doen? Bij wie had ik moeten zijn?'

'Degene die belde toen je thuis was.'

'Dat is niet waar,' zei Gustav. 'Dat is niet waar. Ik wil niet meer met je praten.'

Winter laste een pauze in. Peter Mark was bang voor homo's, of probeerde die indruk van zichzelf te geven. Dat kon veel verschillende dingen betekenen, en het was het waard om dat niet onmiddellijk weg te wuiven.

Het gaat altijd om seksualiteit, dacht hij, dat is de sterkste drijfveer van de levenden. Spoken doen geen moeite, zombies hebben geen geslachtsgemeenschap, maar alle anderen worden gedreven door seks, of ze dat nu weten of niet.

Hij liep naar de kleine patio die glansde in het zonlicht, het was alsof hij thuiskwam in Marbella. De schuifdeur achter hem ging open, hij draaide zich om.

'Hoe gaat het?' vroeg Dick Benson.

'Vrij goed,' zei Winter.

'Mooi.'

'Mark voelde zich buiten de groep staan.'

'Wat voor groep?'

'Dat moeten we uitzoeken.'

'Die heeft niet tot iets goeds geleid,' zei Benson. 'Ze hadden niet moeten doen wat ze gedaan hebben.'

'De dader kan in deze stad zijn,' zei Winter.

'Misschien zat hij tegenover je in de verhoorkamer,' zei Benson.

'In de ideale wereld is hij het, maar dit is geen ideale wereld.'

'Ik heb me vaak afgevraagd hoe die ideale wereld eruitziet.'

'Echt waar, Dick?'

'Nee, eerlijk gezegd niet.'

'Dat heb ik wel.'

'Jij bent een denker.'

'Dat is een te mooi woord.'

'Geef me een definitie van de ideale wereld. Die kan ik meenemen in mijn Stockholmse nachten.'

'*Time, love and tenderness*,' zei Winter.

'Hmm, klinkt goed. Tijd, liefde, tederheid. Alles wat op deze werkplek ontbreekt. En in deze stad.'

'*Nothing heals a broken heart like time, love and tenderness.*'

'Niets heelt een gebroken hart zoals tijd, liefde, tederheid,' vertaalde Benson. 'Je merkt het, ik kan Engels. Het klinkt bekend.'

'Michael Bolton,' zei Winter.

'Luister jij naar Michael Bolton? Jaren-tachtig-Bolton? Hockey-Bolton?'

'Goede muziek, vind je niet?'

'Je bent niet goed bij je hoofd.'

Goed bij zijn hoofd of niet, hij ging terug naar Mark in een verhoorkamer waar de zon scheen. Waarom niet, het was nog moeilijker om leugens te vertellen in scherp, natuurlijk licht, liegen voor het oog van God.

De man leek van leeftijd te veranderen tijdens het verhoor, van twintig naar veertig en terug, zonder het vermogen iets te bereiken. Mark had geen werk, dat was er nooit van gekomen: tijdelijke baantjes in magazijnen, werkloosheid, werken in de bouw, taxichauffeur, matig drugsgebruik, een leven dat herkenbaar was voor velen van de verloren generatie. Iedereen maakte er aanspraak op om daarbij te horen, maar de vraag was of de jarenzestigers de prijs niet mee naar huis namen. Winter hoorde bij de verloren generatie, Mark op een bepaalde manier ook, hoewel hij aan het begin van de jaren zeventig was geboren. Om maar niet te spreken over alle losers van de jaren tachtig, die nu aanspraak op het leven begonnen te maken, alsof er voor hen ook een plek was, jezus.

'Sture Karlsson kunnen we vergeten,' zei Winter.

'Wie?'

'Precies. Uiteindelijk wordt het te veel om te onthouden,' zei Winter.

'Ik was gewoon kapot,' zei Mark. 'Na het fietsen.'

'Waarom stond je voor Johans woning in de Hälsingegatan?'

'Ik weet het niet. Ik weet het echt niet.'

'Je bent niet naar binnen gegaan.'

'Maar goed ook.'

'Wist je dat hij dood was?'

‘Hoe had ik dat moeten weten?’
‘Iemand heeft het je verteld.’
‘Het was nog niet openbaar gemaakt, voor zover ik weet.’
‘Des te erger als je het gehoord had.’
‘Van wie? De moordenaar?’
‘Is dat zo?’
‘Hoezo?’
‘Heb je het van de moordenaar gehoord?’
‘Ik heb het van niemand gehoord!’
‘Waarom ben je naar Stockholm gegaan?’
Mark gaf niet meteen antwoord. Het leek alsof hij zijn woorden afwoog, de voor- en nadelen, de *pros and cons*, zoals Michael Bolton zou zeggen.
‘Om Johan te ontmoeten,’ zei hij.
‘Waarom?’
‘Ik wilde weten wat hij te zeggen had over... dit alles.’
Winter wachtte tot hij verderging.
‘Wat hij gezegd zou hebben,’ zei Mark. ‘Maar dat kreeg ik niet te horen.’
‘Je kende Johan dus. Hij zat ook op de Påvelund, dat weten we.’
Mark knikte.
‘Was hij een goede vriend?’
‘Dat kun je wel zeggen.’
‘Maar minder goed dan Bersér?’
Mark gaf geen antwoord. Het was een onaangename vraag, hij raakte dezelfde herinneringen als Winters eerdere vragen over zijn vriendschap met Jonatan.
‘Mocht je ook niet met hem meedoen?’
‘Wat bedoel je?’
‘Jonatan en Johan waren nog vrienden toen jij niet meer bevriend met ze was.’
‘Houd je kop.’
‘Kom op, Peter.’
‘Ik wil er niet meer over praten.’
‘Maar je wilde met Johan praten.’
‘Dat zou jij ook willen als mensen die je kent vermoord waren.’
‘Wanneer heb je Johan voor het laatst gezien?’ vroeg Winter.

'Heel lang geleden.'
'Twintig jaar geleden?'
'Ik kan het niet precies zeggen. Ongeveer.'
'Ongeveer twintig jaar geleden?'
'Zoiets.'
'Wanneer hebben Jonatan en Johan elkaar voor het laatst gezien?'
'Dat weet ik niet.'
'Twintig jaar geleden,' zei Winter.
'O ja?'
'Er is in elk geval geen aanwijzing dat ze elkaar daarna nog hebben gezien,' zei Winter. 'Is dat niet vreemd?'
Mark haalde zijn schouders op.
'Ik vind het vreemd,' zei Winter.
'Jij bent hoofdinspecteur. Je moet alles waarschijnlijk vreemd vinden.'
'Waarom sprak je niet meer met ze af, Peter?'
Mark gaf geen antwoord.
'Je hoorde niet echt bij de groep,' zei Winter.
'Misschien was het daarom.'
'Nu pas.'
'Hoezo nu pas?'
'Je wilde ze nu pas weer zien.'
'Dat is niet zo vreemd na wat er gebeurd is.'
'Wat is er gebeurd?' vroeg Winter. 'Wat is er twintig jaar geleden gebeurd?'

0

Het jaar 0, dacht hij, 0, 0, 0. Dat is nu, dat was toen, alles komt bij elkaar, als een cirkel, een 0. Ik ben een nul, ik was een nul, maar nu niet meer, ik-ben-geen-nul.

Hij keek om zich heen in het appartement. Hij had de kranten en blikken en dozen niet opgeruimd. Hij was nog niet klaar. Hoe lang zou het doorgaan? Hij kon het niet onbeperkt volhouden, dat wist hij.

Wanneer zouden ze het weten? Binnenkort, maar ze zouden het nooit begrijpen, niemand begreep het.

Waar zijn de anderen?

Beneden, kalm maar.

Is de deur op slot?

Ze zijn bij het water, zeg ik toch!

Ja, ik zie ze.

Zeg het als er iemand komt.

Er was niemand gekomen, maar alle groten hadden het geweten. Hij was zonder zijn kleren weggerend, hij had geen onderbroek en broek gedragen, hij had zijn shirt aangehad, geen schoenen.

Alle groten waren hetzelfde.

Ze zijn allemaal hetzelfde, dacht hij. Er is geen hulp, die zal er nooit zijn. Ik ben alleen, maar dat duurt niet lang meer.

Het sneeuwde buiten, grote, lege vlokken die zouden verdwijnen zodra ze de grond raakten. Sneeuw in mei, dat gebeurde niet vaak. De zon brak door na de sneeuwbui boven het Frölundaplein. Alles werd mooi, alsof dat de bedoeling was. Het was alsof alles op aarde een reden had. Hij huilde. Iemand zei iets op de radio die in de andere kamer stond, de stem was kalmerend, rustgevend.

29

Toen Gustav voor het Sahlgrenska-ziekenhuis in Gerda's auto was gestapt, op weg naar huis voor het verhoor, gaf Ringmar een kneepje in Amanda's hand. Het was net een uitdrukking, op weg naar huis voor het verhoor, het klonk veilig of huiveringwekkend, hij kon niet bepalen wat het was.

Ringmar reed naar huis, ging onder de douche staan en probeerde nergens aan te denken. Het huis was net als altijd stil geweest toen hij binnenkwam, hij had overwogen om te verhuizen, zoals hij telkens deed als hij de hal binnenliep. Was het gemakzucht dat hij niet al zijn spullen uit het huis wilde halen om ze naar een andere plek te verhuizen en daar overnieuw te beginnen? Was het veiligheid? Of was het erger dan dat? Als de lichtshow van de buurman in november begon beloofde hij zichzelf altijd dat dit de laatste winter was, het laatste jaar. Maar waar moest hij naartoe verhuizen, een bijna overjarige hoofdinspecteur met een geruïneerd privéleven? Naar Kuala Lumpur? Daar was hij echt welkom. Naar een ander deel van Göteborg? Wat moest hij daar doen? Mensen waren niet aardig tegen vreemdelingen. Hij had het naar zijn zin in Kungsladugård, hij kon naar het Mariaplein gaan en een biertje bij Enoteca Maglia drinken alsof het de natuurlijkste zaak ter wereld was. Hij kon in tien minuten naar de zee fietsen. Hij kon alles doen wat hij wilde, niemand bemoeide zich ermee, het was zijn beslissing, dat was toch een vrijheid na een leven dat lang begon te worden. Veel te lang, dacht hij nu, terwijl hij de kraan uitzette en de handdoek aan de haak buiten de douche pakte, veel te vrij.

Gerda Hoffner belde toen hij zich had aangekleed en weer op weg naar buiten was.

'Gustav heeft het telefoontje dat voor zijn vader bestemd was aangenomen. Die keer dat hij uit Lefvanders woning is gevlucht.'

'Het gesprek waarvan we dachten dat het voor hem was,' zei Ringmar.

'Ja. Hij zegt dat iemand naar zijn vader vroeg. Of liever gezegd, vroeg of Mårten Lefvander aanwezig was.'

'De hele naam?'

'Ja.'

'Dat klinkt niet alsof de beller Gustav kende.'

'Inderdaad.'

'Maar hij kende zijn vader.'

'Ja.'

'En hij belde met het gestolen mobieltje van de overleden Jonatan Bersér,' zei Ringmar. 'Is de jongen geloofwaardig?'

'Waarom zou hij dat niet zijn? Hij herkende het nummer.'

'Ja, jezus.'

'Hij werd bang door de stem. Maar dat kan ook zijn doordat hij zag waar het telefoontje vandaan kwam.'

'Dat klinkt logisch,' zei Ringmar.

'Sorry, dat was een stomme opmerking.'

'Helemaal niet. We gaan nu naar de vader om met hem te praten. Als je voor het moment klaar bent met Gustav?'

'Ja, laten we dat doen,' zei ze.

'Ik mag die Lefvander niet,' zei Ringmar.

'Mag je dat zeggen?' vroeg ze.

'Ik ben een vrij man.'

'Gustav wil niet zeggen waar hij geweest is toen hij gevlucht was. Het lijkt op verdringing. Alsof hij het echt niet weet.'

'Het komt wel naar boven,' zei Ringmar. 'Het komt altijd naar boven.'

Peter Mark was geen vrij man, niet hier, niet nu. Hij wist dingen die Winter wilde weten, Mark zou niet weg mogen voordat hij ze verteld had. Anders mocht hij zijn zwijgzaamheid naar een ergere plek meenemen.

'Wat deden ze?' vroeg Winter.

'Zoals we al vastgesteld hebben en zoals jij hebt benadrukt: ik mocht er niet bij zijn.'

'Je hebt de stad toch niet verlaten?'
'Nee, waarom zou ik dat gedaan hebben?'
'Zo klinkt het.'
'Ik had nog steeds een eigen leven.'
'Hoe ontmoette Jonatan Robert Hall en Matilda Cors?'
'Wie?'
'Kom op, ik heb eerder vragen over ze gesteld. Robert Hall?'
'Ik ken hem niet.'
'Opgegroeid in Järnbrott. Aan de andere kant van de weg waar jij woonde.'
'Zoals honderdduizend anderen,' zei Mark.
'Hij zat op het Frölundagymnasium.'
'Zoals honderddui...'
'In jouw parallelklas,' onderbrak Winter hem. 'De driejarige opleiding sociale wetenschappen.'
'Zoals vijfendertig anderen,' zei Mark.
Was dat een glimlach? Winter hoopte van niet. Als hij het weer zag, zou zijn vuist misschien uitschieten en zou hij Mark bij zijn keel pakken en hem net zo lang wurgen tot die verdomde glimlach en die verdomde houding verdwenen waren.
'Het is tweeëntwintig jaar geleden,' zei Mark.
'Je bent goed met jaartallen.'
'Beter dan met namen.'
'Hoe was de naam waarnaar ik vroeg?'
'Robert Hall. Maar ik heb het in de kranten gelezen.'
'Je zei eerder dat je nooit over hem gehoord had.'
'Ik gaf antwoord op een specifieke vraag.'
Oké, oké, dacht Winter.
'Waar ken je hem van?'
'Ik ken hem niet.'
'Waar ken je zijn klasgenoten van?'
'Ik had genoeg aan mijn eigen klasgenoten.'
'Johan Schwartz.'
'Bijvoorbeeld.'
'Jonatan Bersér ging naar de Hvitfeldtskaschool.'
'Inderdaad.'
'Waarom jij niet? Je cijfers waren goed genoeg.'

'Je weet blijkbaar alles,' zei Mark.
'Niet de belangrijke dingen,' zei Winter.
'Wat is belangrijk?'
'Waarom ging je niet met Jonatan mee? Hij was tenslotte je beste vriend.'
'Wie heeft gezegd dat hij mijn beste vriend was?'
'Jullie waren voortdurend bij elkaar.'
'Misschien wel, maar ik was mijn eigen baas.'
'Ja?'
'Wat denk je wel niet?'
'Ik denk dat hij de baas over je speelde,' zei Winter.
'Aha.'
'Maar je wilde die keer niet mee,' zei Winter. 'Het was te veel geworden.'
'Wat was te veel geworden?'
'Te veel overheersing. Je wilde niet meer overheerst worden.'
'Ik heb nooit overheerst willen worden,' zei Mark.
'Nee.'
'Wie wil dat wel?'
'Johan. Robert. Matilda. Waarschijnlijk anderen.'
'Ik snap het niet,' zei Mark.
'Wat niet?'
'Wat je bedoelt. Waar je het over hebt.'
'Je bleef met Jonatan afspreken, ook nadat jullie naar verschillende scholen gegaan waren.'
'Ja, waarom niet?'
'Was je niet bang?'
'Waarvoor moest ik bang zijn?'
'Dat hij de baas over je zou spelen.'
Mark gaf geen antwoord, dat was ook een antwoord, hij kon niets anders dan de waarheid bedenken.
'Bang omdat het tot iets verschrikkelijks zou leiden.'
'Nee, nee.'
'Kon je zien dat het bezig was, Peter?'
'Wat bedoel je?'
'Datgene wat zou gebeuren. Het weerzinwekkende dat zou gebeuren. De afgrond die zich zou openen.'

Mark gaf geen antwoord.

'Dat is wat er gebeurde,' zei Winter. 'Dat is wat er plaatsvond.' Winter boog zich naar voren, maar een paar centimeter bij Mark vandaan. 'Het gebeurde toen. Het gebeurt nog steeds.'

Mark likte aan zijn lippen. 'Hij was niet de enige,' zei hij na een tijdje. 'Jonatan was niet de enige.'

Mårten Lefvander zat achter zijn bureau in het advocatenkantoor toen Ringmar en Hoffner binnengelaten werden. ADVOCATENKANTOOR BOGARD EN MIESSNER stond er in goud en groen in het portiek, Lefvander was misschien nog geen junior partner, hij was in elk geval geen junior meer, maar niet zo oud als Ringmar, jonger dan Winter, ouder dan Hoffner. Hij was drieënveertig.

'We waren toevallig in de buurt,' zei Ringmar.

'Waarom hebben jullie de receptie niet laten bellen?' vroeg hij.

'Moet dat dan?'

'Dat is gebruikelijk.'

'We wisten niet of je al terug was,' zei Ringmar.

Lefvander zag er verward uit. 'Ik ben tien minuten geleden van Landvetter gekomen,' zei hij.

'Wat een timing van ons,' zei Ringmar.

'Waar gaat het over? Gaat het over Gustav?'

Waar zou het anders over moeten gaan? dacht Hoffner. Het fascinerende aan deze baan is de manier waarop de hersenen van de mensen werken. De dingen die ze zeggen, de dingen die ze niet zeggen. Dat is waar het werk om draait. De sociopaten scheiden, een kleine groep links, een grote groep rechts.

'Mogen we gaan zitten?' vroeg Ringmar.

'Ik wilde net naar huis gaan om met Gustav te praten. Naar Amanda's huis dus.'

'Het gaat goed met hem,' zei Hoffner. 'Ik heb een uur geleden met hem gepraat.'

'Was dat nodig? Hij is net uit het ziekenhuis ontslagen.'

'Ik heb hem daar opgehaald,' zei Hoffner.

'Ik heb je ex-vrouw daar achtergelaten,' zei Ringmar.

'Nu begrijp ik er niets meer van,' zei Lefvander.

Hij maakte aanstalten om overeind te komen.

'Ga zitten,' zei Ringmar. 'Wij gaan hier zitten.' Hij liep naar een bank. 'Het komt goed.'

'Ik begrijp het niet,' zei Lefvander.

'Wij ook niet,' zei Hoffner. 'Wie was er naar je op zoek toen Gustav de telefoon opnam?'

'Sorry?'

'Jij was daar, ik was daar,' zei Ringmar. 'Mijn collega was daar, er werd gebeld. Gustav heeft de telefoon gepakt, het was Bersérs mobiele nummer.'

'Ja. Ik weet het.'

'Wie heeft er met dat mobieltje gebeld?'

'Hoe moet ik dat weten? Wat is dat voor vraag?'

'Degene die belde vroeg naar jou,' zei Hoffner.

'Naar mij?'

'Herhaal niet alles wat we zeggen,' zei Ringmar.

'Herhalen?'

Lefvander antwoordde op de automatische piloot, hij hoorde het niet.

'Iemand belde naar je vaste telefoon. Heeft hij ook naar je mobieltje gebeld?'

Lefvander stond op het punt om 'mobieltje' te zeggen, maar hield zich in.

'Nee, wat...'

'Vanaf Jonatans telefoon?'

'Beslist niet.'

'Mogen we je mobieltje meenemen?'

Lefvander zag eruit alsof hij wilde zeggen dat de volgende vraag aan zijn advocaat gesteld moest worden, als hij zijn eigen advocaat niet was. In dat geval konden ze gewoon doorgaan met het verhoor, hier of op het politiebureau.

'Ja, maar...'

'Heb je daar iets op tegen?' vroeg Hoffner.

'Niets. Jullie mogen hem meenemen. Willen jullie hem nu hebben?'

'Na het verhoor,' zei Ringmar.

'Is dit een verhoor?'

'Iemand vroeg naar jou toen Gustav de vaste telefoon opnam. We kunnen niet opsporen waarvandaan, zoals je weet. Daarom vraag ik je opnieuw wie het was.'

'Ik weet het niet! Hoe zou ik dat moeten weten?'

'Gustav werd verschrikkelijk bang,' zei Hoffner.

'Dat zou ik ook geweest zijn!'

Lefvander stond weer op, alsof hij niet gehoorzaamde aan de wet van de zwaartekracht, alsof die geen invloed op hem had. Ringmar zag dat het raam dicht was, Lefvander kon niet wegvliegen.

'De moordenaar was naar je op zoek,' zei Ringmar.

30

'Jonatan was niet alleen,' herhaalde Winter de woorden van Peter Mark. 'Niet alleen bij wat?'

'Bij alles wat er gebeurde,' zei Mark.

'Wat is er dan gebeurd?'

'Als ze iets deden,' zei Mark. 'Waar ze... na afloop voor moesten betalen.'

'Wat deden ze?'

'Dat weet ik niet, ik zweer het.'

'Je hoeft niets te zweren,' zei Winter. 'Maar ik geloof niet dat je het niet weet.'

Mark keek naar de muur naast Winter. Er stond niets op geschreven, niets wat hij kon lezen. Hij moest het zelf bedenken, dacht Winter, of gewoon vertellen wat er was gebeurd, het gemakkelijk maken voor zichzelf.

'Jonatan ontmoette een meisje,' zei Mark met zijn blik nog steeds op de muur, alsof er toch iets stond.

Winter knikte. Natuurlijk, een meisje.

'Dat is wat ik weet,' zei Mark.

'Hoe heette ze?'

'Dat weet ik niet.'

'Zou je haar herkennen?'

'Nee... ik heb haar nooit goed gezien.'

'Wat bedoel je daarmee?'

'Ze reden langs in een auto... één keer. Jonatan groette me niet. Ik zag haar. Dat was de enige keer.'

'Waar was dat?'

'Hoe moet ik dat nu nog weten?'

'Je kunt proberen het je te herinneren.'

Mark gaf geen antwoord, hij bleef naar de muur staren, Winter draaide zich om, draaide zich weer terug.

'Er is daar nooit iets,' zei hij. 'Niemand ziet iets op de muur.'

'Hoe weet je dat?' vroeg Mark. 'Je komt toch niet uit Stockholm?'

De Hötorgshal zou over een uur sluiten, Winter bekeek de belachelijke prijzen voor schaaldieren en kocht een Turkse hamburger om mee naar zijn hotelkamer te nemen. Hij probeerde altijd een Turkse hamburger te kopen als hij in Stockholm was.

Toen hij naar het hotel liep en de academische boekhandel in de Kungsgatan passeerde, zocht hij in de etalage naar Ernst Brunners laatste boek, maar zag het niet. Het was blijkbaar het verkeerde seizoen, hij zou tot de herfst moeten wachten.

Hij liep in zuidelijke richting door de Drottninggatan met de hamburgerzak in zijn hand en sloeg rechts af naar de Bryggargatan. Op de hoek van de Klara Norra Kyrkogatan stapte een vrouw uit de schaduwen en vroeg of hij gezelschap wilde hebben. Ze zag eruit alsof ze over de zeventig was, aanwezig sinds de sloop die was gesponsord door Klara's vrienden, ze had hem aan zien komen en had gedacht dat hij iemand was die gezelschap wilde hebben. Hij schudde zijn hoofd en bleef naar de Vasagatan lopen. Zie ik eruit als een hoerenloper? dacht hij. Is dit wat ik na al die jaren heb bereikt?

Het Nordic Light Hotel schitterde aan de overkant van de straat. Hoe zie ik eruit? dacht hij opnieuw, ik kan niet gewoon naar mijn kamer gaan, hij liep de trappen op naar de Klarabergsgatan en kocht een acht jaar oude Old Pulteney bij de staatsslijter, voornamelijk omdat het lang geleden was dat hij iets van de meest noordelijke distilleerderij op het Britse vasteland had gedronken, en omdat die whisky met zijn zoute aardsheid en geur van de zee een vanzelfsprekende *pre-dinner* malt was, hij kon hem in zijn kamer drinken voordat hij de hamburger at.

Het Scandinavische licht scheen boven Kungsholmen, zijn kamer lag daar voldoende hoog voor. Het was een rode stad, in de verte in het westen. Rood en dood, dacht hij, maar dat was flauwekul. Stockholm leefde en stierf op volle toeren, er was geen tijd voor veel glimlachjes en dat was goed, vooruitkijken en het verleden laten voor wat het was. Het verleden hoorde in het verleden thuis, en dat deed het heden ook, hier gaan ze vooruit, dacht hij terwijl hij whisky dronk uit het beslagen glas dat hij uit de minibar had gepakt, er was klasse op deze plek. Het glas was in plaats van de hamburger gekomen, misschien zou hij die eten als hij honger kreeg, maar hij kreeg zelden honger als hij een maaltijd met whisky begon. De rode warmte zat in zijn binnenste na twee centimeter Old Pulteney, zijn gedachten werden helderder, begonnen te glinsteren, hij werd lichter, een beter mens.

Ze waren een groep geweest, of hoe je dat moest noemen, een groep, minstens vier, misschien meer, dat zou blijken, dat had al moeten blijken.

Hij schonk opnieuw in. Maar een centimeter erbij, dat was niet veel, het was een grote fles, het was nauwelijks te merken dat hij er iets uit had geschonken, dat was het voordeel van grote flessen, je dronk minder dan uit kleine flessen, en dat was goed.

Ze hadden een soort vrijetijdsactiviteit gehad, gericht op iets, iemand, een paar. Vrijwilligers, ze waren vrijwilligers geweest, zoals de meesten op lager sportniveau in Zweden, maar niet bij een club, iets anders, het leek geheim, dat was een van de problemen voor hem, een vrijwillige geheime activiteit.

Ze hadden iets geleid, een sport, voetbal waarschijnlijk, voor jongeren, op vrijwillige basis, hoeveel waren het er geweest, waar waren ze geweest, wie? Er was iets gebeurd, daarna was alles voorbij, ze zagen elkaar nooit meer, ze ontweken elkaar als de pest, ze vluchtten voor elkaar, wie waren er over, wie meer dan de dader, wat was zijn boodschap, was het een boodschap, was het niets? Iedereen was bang, wie was aan de beurt? Iedereen loog, probeerde te ontsnappen, was superieur, minderwaardig, onderdrukt, het was onderdrukking, misbruik, het was meerdere keren gebeurd, het was misbruik, het was voldoende, één was voldoende, jezus, wat is de zon in het westen mooi, de mooiste hemel die ik in jaren heb gezien, de zon daalt in Göteborg aan de kant van mijn keuken, niet het balkon, er is niet veel ruimte tussen het Vasaplein en de Sprängkullsgatan, hier is de hemel groter, alles is groter, ik kan me niet herinneren dat de nasmaak van deze whisky zo langdurig en warm en kalmerend is, het is echt een heerlijke nasmaak, daardoor hoef je niet zoveel te drinken. Een noordelijke manzanilla, dacht hij, hij stond op en liep de paar stappen van de stoel naar het raam. De taxi's onder hem kwamen en gingen, iedereen was op weg naar huis of ging ervandaan. Het voelt alsof ik hier alleen ben, ik denk dat dat goed is, ik moet Angela nu bellen, ik wil met iedereen praten, ze kan niet horen dat ik gedronken heb, dat is onmogelijk, ik kan nog een klein beetje nemen en ze zal toch niets aan mijn stem horen, ik kan net alsof doen, of mezelf zijn, ik ben verdomme mezelf, altijd, dat weet iedereen.

Hij schonk nog een heel klein beetje in, het was niet aan de hoeveelheid in de fles te merken, het was net tovenarij, hij was een tovenaar, hij schonk in tegen de dalende zon en Stockholm werd barnsteenkleurig door het glas, nog mooier op deze stralende meiavond, dit was misschien een fantastische stad om in te wonen, wie was hij om daarover te oordelen, hij hoefde niet meer door de straten te fietsen als hij dat niet wilde, hij kon restaurant Wasahof een kans geven, de schaaldieren kwamen tenslotte helemaal uit de vissershaven van Göteborg, hij kon terugkeren naar Astrid Lindgrens straten en parken en terrassen en proberen te begrijpen wat er gebeurd was en waarom. Hij zou haar boeken voorlezen aan de meisjes als hij in Marbella was, Elsa kon zelf lezen maar ze wilde dat hij voorlas. *De gebroeders Leeuwenhart* was haar favoriet, Lilly was gek op *De kinderen van Bolderburen*, dat was hij ook, en *Mio, mijn Mio*, er zat een zweem van verdriet in alles wat Astrid Lindgren schreef, daarom waren haar boeken zo goed, hij nam een slok en dacht eraan dat de boeken goed waren, ze waren zo goed, ze waren de beste, ze zouden er altijd zijn.

Hij dacht plotseling aan Siv, zijn moeder, het was zo verschrikkelijk snel gegaan, de ene dag dronk ze een martini en de volgende dag was ze weg, ik mis je, dacht hij, dat was waarschijnlijk *Ronja de roversdochter*, hij herinnerde het zich niet goed, hij dacht weer aan Siv, en aan Bengt, hij wilde niet aan zijn vader denken, dat wilde hij nooit meer, maar er was iets, als de kreet van iemand, van hemzelf: denk na, denk na, dat is het enige wat je kunt doen, dat is het enige wat je kan helpen, jezus, natuurlijk niet, dacht hij en hij strekte zich uit naar de fles, hij had nog geen derde van de inhoud gedronken, hij was nog steeds bezig met zijn eerste pre-dinner malt, de hamburger stond koel in de minibar, hij nam alleen een aperitief met Siv, dat zou hij doen zolang als hij leefde. Wat was er in het speelhuisje gebeurd, in zijn kamer? Er was daar niets gebeurd, Bengt was er niet geweest, het waren fantasieën, er was nooit zoiets gebeurd, maar iets was er natuurlijk wel gebeurd, er was geschreeuw geweest, slaag, het had pijn gedaan, dat was voordat hij volwassen werd, hij kon het niet loslaten, kon het nooit loslaten, het groeide en groeide, hij was opgelucht geweest toen Bengt naar Spanje was verhuisd, toen was hij zelf eindelijk een volwassen man, een politieagent, ze hadden elkaar nog één keer gezien, hij herinnerde zich de bougainville achter het ziekenhuisraam, die bloeide daar nu, hij zou het binnenkort zien, als hij klaar was met denken zou hij in een vliegtuig stappen en de bloemen zien bloeien.

De telefoon op het nachtkastje ging over.

Hij zette het glas op het smalle bureau in de kamer, liep naar het bed en pakte de telefoon.

'Ja, met Winter?'

'Hallo, met Dick.'

'Hallo.'

'Wat doe je?'

'Hetzelfde als altijd, denken.'

'Heb je zin om iets te gaan eten?'

'Jammer, ik heb al gegeten.'

'Nu al?'

'Ja.'

'Het klinkt alsof je wijn bij je eten gedronken hebt.'

'Nee, nee, geen druppel. Ik kan niet denken met wijn in mijn hersenen.'

'Oké, het maakt niet uit, morgenavond misschien?'

'Als ik dan nog in de stad ben. Dat hangt een beetje van Mark af.'

'Ik heb met de officier van justitie gepraat. We kunnen hem nog wat langer vasthouden.'

'We moeten morgen maar zien,' zei Winter.

'Denk nu maar goed na,' zei Benson. 'En welterusten voor straks.'

Denk goed na, dacht hij, hij hing op, hoe lang zou dat blijven, een telefoon in de kamer, dat was verleden tijd, nu denken we weer, laten we de gedachten komen, hij ging terug naar de tafel en pakte het glas, er zat nog heel veel whisky in, hij had nauwelijks gedronken van wat er in het glas zat, en als het op was, dan was het op.

De zon was achter de gebouwen van Kungsholmen verdwenen. Stockholm had zich afgekeerd van de zon. Hij wist niets over Kungsholmen, op dit moment kon hij zich niet herinneren dat hij er ooit was geweest. Misschien moest hij zijn schoenen aantrekken en de brug oversteken en door de straten van Kungsholmen lopen. Kuuuuungsholmen, dacht hij, het koningseiland. De enige koning die we in Göteborg hebben is Gustav de Tweede, maar hij was toch nooit een Göteborger geweest?

Winter prikte met een plastic vork in een van de courgetteschijven die bij de Turkse hamburger hoorden, samen met de gehaktschijven en de gevulde druivenbladeren en de ajvar en de ui en al het andere. Hij tilde de schijf op en legde hem weer op het papieren bordje dat hij blijkbaar ook had meegekregen uit de Hötorgshal, hij kon het zich niet herinneren, hoe had hij het gedragen, op zijn hoofd? Ha ha, dat zou raar geweest zijn, ha ha, niet proooofffessionieel, dacht hij, cholesterol smolesterol, dacht hij, nee, nee, dit is gezond, jezus, ik zat zo vol toen ik begon te eten, hoe kon ik zo vol zitten, hij had alleen wat aubergine en een druivenblad en wat brood gegeten, het enige wat hij kon doen was de hamburger in de koelkast leggen en hem tevoorschijn halen als hij klaar was met denken en trek had, hoe laat was het... hij keek op zijn horloge, het leek erop dat het over elven was, hij had nog veel tijd om te werken, het was stil buiten voor zover hij kon horen, de taxi's reden niet meer af en aan, dat zou weer toenemen tijdens het spookuur, alle spoken zouden naar buiten komen, hij dacht aan de vrouw die hij buiten had ontmoet, was dat vanavond? Ze wilde gezelschap hebben, we willen allemaal gezelschap hebben, en een roos met een lange steel, hij keek om zich heen naar bloemen in de kamer, die waren er niet, de volgende keer zou hij daarom vragen, hoe laat was het nu, inderdaad, elf uur, hij was net voor zes uur in zijn kamer gearriveerd en moest een tijdje gedoezeld hebben, of had hij de hele tijd gedacht? Hij zocht naar aantekeningen, maar die waren er niet, geen blocnote ook, de laptop stond open maar niet aan, hij kon zich niet herinneren dat hij hem aangezet had, hij had dorst en liep naar de badkamer en vulde het tandenborstelglas met water, er was nog een glas, toen hij het optilde was het leeg, de fles stond naast de televisie, er zat nog whisky in, waarom zou er geen whisky in zitten?

31

De kamer werd verlicht door het blauwe licht van het computerscherm. Winter keek naar het gezicht van de jongen in de twee films, het gezicht dat langsflitste, dat terugkwam. Hij had geen van de gezichten van de andere kinderen herkend, ze waren er maar één keer bij geweest, in Bersérs tuin. Dit gezicht had hij vaker gezien, op de film die ze in het appartement van Matilda Cors hadden gevonden, het was een andere tuin maar het leek dezelfde periode. De jongen was een jaar of tien. Hij was een van de leden. Alle kinderen die in Bersérs tuin waren geweest, waren ook leden, officieuze leden van iets officieus, een officieuze club. Een club voor wat? Hij kwam en verdween. Iedereen kwam en verdween, en dook daarna op met plastic zakken over hun hoofden, Robert, Jonatan, Matilda, Johan, R, O, I, A. Winter had papier en een pen gevonden, verwisselde de letters op het papier, typte ze op de laptop, knipte en plakte, knipte en plakte. Winter bestudeerde het gezicht weer, een tienjarig gezicht, zou hij dat twintig jaar later herkennen? Ja, er was iets aan de ogen, ze keken niet in de camera, maar er was iets mee. Alsof ze het wéten, dacht hij. Alsof de jongen het al wéét.

Hij kwam overeind, liep naar de badkamer, trok zijn kleren uit, ging onder de douche staan, liet het water eerst lauw en daarna warm en daarna koud worden, kwam eronder vandaan, droogde zich zorgvuldig af, ging terug naar de kamer en haalde een schone onderbroek uit zijn reistas. De whiskyfles stond nog op het bureau. Hij proefde de nasmaak, pakte de fles, schroefde de dop eraf, ging weer naar de badkamer en goot de troep in de wastafel. Dat had hij heel goed gedaan. Hij voelde zich nu helder in zijn hoofd, dat zou zo blijven.

Hij schreef de vier hoofdletters groot op aparte vellen papier, scheurde de bladzijden uit de blocnote, legde ze op de lege tafel:

R O I A
nee
O I R A
nee
A R I O
nee
R I O A
nee
A O I R
nee
A R O I
A R O I
Winter keek naar de combinatie.
A R O I
Hij sprak de letters uit.
Het klonk bekend.
Ze hadden een klank van iets wat hij had gehoord, of gelezen.
Hij legde de letters met meer tussenruimte neer:
A   R   O   I
Sprak wat hij zag snel uit.
Sprak het langzaam uit.
Legde er letters bij.
Hij zei: AMARONE
nee, daar zat geen I in
IMARON
nee, Griekse mythologie, iets met Apollo
M, er moest een M zijn, er was een M nodig,
ARMOI
nee
MAROI
misschien
MARIO
Dat was een naam, volledig, te perfect,
MARONI
Weer Griekse mythologie, nee,
MARCONI
Hij zag

MARCONI
Hij zag
MARCONIPLEIN
Hij had het niet mis
Ik heb het niet mis
Er zijn nog drie letters nodig voor MARCONI
Er zijn nog acht letters nodig voor MARCONIPLEIN
Dat is niet mogelijk
Drie lichamen
Acht lichamen
Zoveel slachtoffers zijn er niet
Dat is onmogelijk

De telefoon op Ringmars nachtkastje ging.

Het was twee uur, maar hij sliep niet, hij nam na het eerste signaal op.

'Marconi,' klonk Winters stem.

'Ja?'

'Het is Marconi, hij schrijft Marconi aan ons, M-A-R-C-O-N-I.'

'Hoe weet je dat, Erik?'

'Ik weet het. Ik heb eraan gewerkt. Ik weet het.'

'Ben je nuchter?'

'Bijna.'

'Je klinkt niet helemaal nuchter.'

'Ik zei "bijna".'

'Marconi,' herhaalde Ringmar.

'Dat past,' zei Winter.

'Waarbij?'

'Bij alles, hoop ik.'

'Moeten we nu optimistisch zijn?'

'Het hoort bij die plek, Marconi Park. Of wat eronder ligt. Het Marconiplein.'

'Een van de moorden is in de buurt gepleegd, maar niet alleen daar. De andere zijn verspreid over de stad, een in Stockholm zelfs.'

'De ijshal,' zei Winter. 'Vroeger was daar iets anders.'

'Ja, het Marconiplein zoals je zei. Een voetbalveld.'

'Het Marconiplein is Marconi Park geworden,' zei Winter.

'Zo kun je het zeggen,' zei Ringmar.
'Daar waren ze. Ik kan het voor me zien.'
'Of misschien is het de whisky. Je weet dat whisky een hallucinogeen is.'
'Ze zijn daar geweest,' herhaalde Winter.
'Wie?'
'De groep.'
'De dode groep?'
'En de anderen.'
Ze waren weer met hun methode bezig. Winter voelde dat zijn nekharen overeind gingen staan.
'Marconi... dan volgen er nog drie moorden,' zei Ringmar.
'Ja, dat was in het begin de bedoeling.'
'Wat bedoel je?'
'Er zitten zeven letters in het woord en misschien heeft hij zeven slachtoffers in gedachten. Daar moeten we van uitgaan. Zeven moorden. Maar ik denk dat dat niet gaat gebeuren.'
'Waarom niet?'
'We weten het nu.'
'En dat houdt hem tegen?'
'Hij denkt dat we het nu weten.'
'Waarom zou hij dat denken?'
'Omdat wíj het zijn. Omdat we kunnen lezen en rekenen.'
'Hoe moeten we de volgende voorkomen?'
'Er is een gezicht,' zei Winter.
'De jongen op de films,' zei Ringmar.
'Hij staat op meer films dan we hebben gezien.'
'Waar zijn die films?'
'We moeten de woningen van alle slachtoffers uitkammen,' zei Winter. 'Dieper graven.'
'Schooljaarboeken?'
'Daar heb ik aan gedacht, maar dat is hetzelfde als in Teheran, toen duizenden mensen probeerden de gezichten van de versnipperde documenten van de Amerikaanse ambassade aan elkaar te lijmen.'
'Kregen ze daar uiteindelijk een gezicht uit?'
'Zo redden we het niet, Bertil. Er is haast bij.'
'Waarom is er haast bij?'

'Hij kan niet meer.'

'Op dit moment is hij rustig,' zei Ringmar.

'Hij wacht op zijn laatste daad, laadt zich daarvoor op. Ik denk dat het de laatste wordt. Hij neemt genoegen met vijf slachtoffers. De boodschap is overgekomen. De plek waar alles begon is geïdentificeerd.'

'Een van de geplande slachtoffers kan al overleden zijn,' zei Ringmar. 'Of is naar het andere eind van de wereld verhuisd. Gevlucht.'

'Absoluut.'

'Is hij nog in Stockholm?'

'Nee. Hij is in Göteborg.'

'Hoe moeten we hem vinden?'

'Ik ga morgen nog een keer met Mark praten. Hij kan meer vertellen.'

'Wat doe ik?'

'Matilda Cors,' zei Winter. 'Praat met haar ouders. Ik denk dat zij Bersér kende.'

'Hoe?'

'Mark zei iets over een meisje dat Bersér had ontmoet. Dat kan Cors zijn.'

'Komt onze man naar de ijshal terug? Naar het Marconiplein?'

'Ja.'

'Zijn daar geen bewakingscamera's?'

'Hij komt terug.'

'Weet je dat hallucinatoir zeker?'

'Nee.'

'Woont hij in de buurt?'

'Hij ziet het plein elke dag vanuit zijn raam. Voor hem is het er nog. Alle doden konden de plaatsen delict vanuit hun raam zien.'

'Aha, symboliek.'

'Een symbolisch feit.'

'Wat is daar gebeurd? Op het plein? Waar waren ze mee bezig?'

'Een soort training.'

'Er waren daar geen clubs die jeugd trainden.'

'Het was geen club.'

'Hoe lang heeft het geduurd?'

'Niet lang.'

'Waarom niet?'
'Een bijdrage aan de samenleving leveren.'
'Dachten ze zo?'
'In zekere zin.'
'Was er nog een andere reden?'
'In het begin niet.'
'Was hij de enige die problemen kreeg?'
'Dat weten we niet.'
'Waar gebeurde het? Als het bijvoorbeeld misbruik was?'
'Niet daar. Niet op het Marconiplein. Maar de nachtmerrie begon er wel. Zonder het Marconiplein zou er niets gebeurd zijn.'
'Maar waar dan?'
'Een reis,' zei Winter. 'Ze maakten een reisje. Een overnachting. Eén overnachting is voldoende, Bertil.'
'Buiten de stad?'
'In de buurt,' zei Winter. 'Een cursuscentrum of een ander gebouw dat je kunt huren. Het staat er waarschijnlijk nog steeds.'
'Een clubgebouw?' vroeg Ringmar.
'Dat ook. Dat kan waarschijnlijk gehuurd worden.'
'In het bos?'
'Ik denk bij het water.'
'Waarom?'
'Kinderen willen zwemmen.'
'Aan zee?'
Winter gaf geen antwoord. Hij probeerde de scène te zien, de slotscène, hij zou daar zijn, het zou daar zijn.
'Ja, aan zee,' zei hij.

0

Hij was er geweest. *Hij was er geweest.* Hij had gedacht dat het nooit zou gebeuren, had gewéten dat het nooit zou gebeuren. Nu durfde hij. Hij had het zelf mogelijk gemaakt.

Het gebouw was verlaten. Zo moest het zijn, iets anders was verschrikkelijk geweest. Het gebouw was kleiner dan in zijn herinnering, maar dat was vaak zo, dat wist hij. De herinnering was echter niet kleiner, die was gedurende de jaren groter en sterker geworden, veel sterker dan hij, en uiteindelijk had de herinnering het overgenomen. Godzijdank. Hij had alles verdrongen, maar nu niet meer. Dit was het jaar 0. Alles begon opnieuw.

Het was verder naar het water dan in zijn herinnering. Hij liep vanaf het gebouw, die keer had hij gerend. Zelfs het water zag er verlaten uit, alsof het vergiftigd was.

Een vliegtuig bulderde in de hemel, hij keek op, zag het vliegtuig opstijgen van Säve en naar het zuidwesten vliegen. Hij herinnerde zich geen vliegtuigen. Misschien was er toen niet zoveel vliegverkeer geweest.

Het water was zwart, als verf, of asfalt. Hij stak zijn handen erin. Het was verschrikkelijk koud. Hij was sindsdien bevroren geweest.

Breng hem hiernaartoe.

Zet muziek aan.

Waar zijn de anderen?

Bij het water, alles is geregeld.

Het was avond geweest. Het was geen ochtend, ze gingen 's avonds zwemmen, het was een warme zomer. Hij begreep het. Hij herinnerde het zich. Hij liep terug naar het gebouw, wilde niet naar binnen, liep eromheen. De ramen waren zwart, het zag eruit alsof het elk moment kon instorten. Waarom was dat?

32

'Waar kwamen ze bij elkaar?' vroeg Winter. Het was negen uur 's ochtends. Hij had een paar uur geslapen, was opgestaan toen Stockholm zich had teruggedraaid naar de zon, die al heel krachtig door het hotelraam scheen, had weer gedoucht, had Arlanda gebeld, twee koppen koffie gedronken en een half broodje met kaas in het restaurant in de lobby gegeten, omringd door congresserende landgenoten die een ergere kater dan hij leken te hebben, de centrumpartij begreep hij, twee vrouwen en twee mannen naast hem roddelden over iemand, hij hoorde de naam niet, het ging over een partijgenoot, een vrouw in een hoge positie, misschien de hoogste. Een van de mannen had naar hem gekeken alsof hij een bekende was. Ze praatten over de christendemocraten, hij wist niets over de christendemocraten, het was alsof je hem zou vragen wat hij over het hemelrijk wist.

Mark had naar hem gekeken toen ze waren gaan zitten, meer dan Winter naar hem had gekeken.

'Moe?' had Mark gevraagd.

'Waar kwamen ze bij elkaar?' herhaalde Winter.

'Wie?'

'Je niet-bestaande vrienden.'

'Als je het zo wilt noemen.'

'Ze verzamelden de kinderen ergens,' zei Winter. 'Waar gebeurde dat?'

'Ik weet niet waar je het over hebt.'

'Ik heb het over het Marconiplein,' zei Winter. 'Daar gebeurde het, nietwaar?'

'Als jij dat zegt.'

'Waarom is het zo verdómd moeilijk om het te vertellen?!'

Het voelde alsof er een adertje in zijn linkeroog barstte toen hij schreeuwde. Mark schrok.

'Bescherm je iemand?' ging Winter kalmer verder.
'Je ruikt naar drank,' zei Mark.
'Dat gaat je geen dónder aan.'
Winter had alle grenzen overschreden, hij dacht dat hij dichtbij was, maar hij was ver weg, van Göteborg, van het Marconiplein, van antwoorden op vragen, van het slachtoffer. De doden waren het slachtoffer niet, hun moordenaar was het slachtoffer, Winter kon alle grenzen overschrijden om dat te weten te komen, de klootzak aan de andere kant van de tafel had lang genoeg gegrijnsd. Maar vandaag zou hij vertrekken als zich niets nieuws voordeed, iets groots.
'Het Marconiplein,' zei Winter.
'Dat is weg,' zei Mark. 'Niemand mist het.'
'Kwam jij daar?'
'Ik voetbal niet. Dat heb ik nooit gedaan.'
'Je kunt er toch geweest zijn.'
'Waarom zou ik? Het was niet bepaald een cultuurmonument.'
'Jonatan was daar.'
'Waarom zou hij daar zijn?'
'Hij werkte met kinderen, of niet soms?'
Mark gaf geen antwoord.
'Dat is toch lofwaardig?'
Er ontsnapte een lach aan Mark. Het klonk onaangenaam. Winter had het niet eerder gehoord.
'Word je door iemand gechanteerd?' vroeg Winter.
Mark schrok. Winter zag dat hij beethad. Dit was groter dan iemand wist, met inbegrip van hemzelf, misschien met inbegrip van iedereen.
'Chantage?' vroeg Mark. 'Wat bedoel je daarmee?'
'Weet je niet wat ik bedoel?'
'Niet in dit verband.'
'Iemand heeft je in de tang. Het is belangrijk om te zwijgen.'
'Waarover zou ik moeten zwijgen?'
'Alles waar ik je naar gevraagd heb.'
'In dat geval lijkt het geen rol gespeeld te hebben,' zei Mark. Hij had zijn gezicht weer in de plooi. 'Er zijn toch mensen gestorven.'
'Speelde het voor jou een rol, Peter?'
'Absoluut niet,' zei Mark.

'Je kunt doodgaan,' zei Winter. 'Je kunt binnenkort doodgaan. Op de dag dat je door die deur naar buiten loopt. Dat is vandaag.'

'Mag ik gaan?'

'Je mag gaan.'

Mark ging staan. Een paar seconden leek hij verward, alsof hij geen plek had om naartoe te gaan.

'Waar ga je naartoe, Peter?'

'Ik ga naar Göteborg terug.'

'Verdwijn onderweg niet,' zei Winter. 'Niet bewust.'

'Probeer je me bang te maken?'

'Het is een waarschuwing.'

'Waar ga jij naartoe?'

'Spanje,' zei Winter. 'Maar jij mag het land niet uit.' Dat bedacht Winter zelf, Mark zou het niet navragen bij de officier van justitie.

Winter praatte met Djanali toen hij met de Arlanda Express onderweg was naar de luchthaven.

'We voelden het toen we daar waren,' zei ze. 'Daar komt hij het meest. De wijk rond de Marconigatan. Marconi Park. De Mandolingatan. Het Frölundaplein.'

'Ik wilde net bellen,' zei hij. 'Ik heb met de commissaris gesproken. We moeten zo veel mogelijk mensen hebben om langs de deuren te gaan.'

'Ik vertrouw de tekening niet,' zei ze. 'We hebben de compositietekening van de man met het zandkleurige haar, maar dat kan een heel verkeerde kant op gaan, dat weet je.'

'Hij lijkt op hem,' zei Winter. 'Het is beter dan niets.'

Hij had een compositietekening van de vrij jonge man die ze in de ijshal hadden gezien laten maken. Djanali had de man ook gezien, maar durfde geen uitspraken te doen.

Hij leek niet op de jongen die hij in de films had gezien. Dat kon ook niet, hoe zou dat in vredesnaam kunnen na twintig jaar, en van een afstand? Hij had meer films bij zich.

'Begin met alle officiële alleenstaanden,' zei Winter. 'De verhuurders hebben alle gegevens, dat weet je. Degene die we zoeken is alleenstaand.'

'Dat denk ik ook.'

'Als dat niet zo is, dan ben ik de verkeerde man voor dit werk,' zei Winter.

'Onmogelijk,' zei ze. 'Wanneer kom je terug?'

'Over twee dagen.'

'Ben je op weg naar Arlanda?'

'Ja, maar ik neem het vliegtuig naar Málaga.'

'Oké.'

'Het is nodig, Aneta.'

'Ik begrijp het, echt waar.'

'Ik ben niet van plan te stoppen met werken als ik daar ben.'

'Nee, nee. Je hoeft het niet uit te leggen, baas.'

'Het is...' Hij wist niet wat hij eraan moest toevoegen. Ze waren er. Hij pakte zijn tas en stapte uit de trein. Hij zou over een dag of een paar dagen van Göteborg naar Spanje gevlogen zijn. Het loopt niet altijd zoals je denkt, dacht hij op de roltrap naar boven. Ik heb een glas in het café nodig, dacht hij, maar één of twee. Ik kan nog denken.

Hij belde vanuit het café. Er heerste een vrolijke sfeer, alsof het vrijdag was. Hij hoorde verschillende talen, dialecten uit Norbotten en Halland, het geneuzel uit Västerås.

'De plannen zijn veranderd,' zei hij toen ze opnam. 'Ik land om zes uur.'

'Kun je een taxi nemen?'

'Natuurlijk. Eten we thuis?'

'Wil je dat?'

'Het liefst wel.'

'Heb je iets nodig?'

'Mijn scheermesje is bot.'

'Ik zal in de badkamer kijken.'

'Kun je vis kopen?'

'De markthal is dicht, maar ik kan naar restaurant Timonal gaan om het te vragen.'

'Dat is eerder gelukt.'

'Ik probeer *rodaballo* te krijgen,' zei ze.

'En wat *boquerones* als ze het kunnen missen,' zei hij.

'Dat is een verrassing,' zei ze.

'Het leven zit vol verrassingen. Ik wist toen ik vanochtend wakker werd niet eens dat ik naar je toe zou gaan.'
'Waardoor heb je die beslissing genomen?'
'Het leven,' zei hij. 'Dat is te kort.'
'Ben je aangeschoten?'
'Nee, ik heb maar één glas gedronken.'
'Drink niet in het vliegtuig. Beloof het.'
'Goed.'
'Elsa merkt het meteen.'
'Ik weet het, ik weet het.'
'We hebben wijn.'
'Ik weet het.'
'Hoe voel je je?'
'Eigenlijk niet zo goed.'
'Ik vind dat je met Christer in de kliniek moet praten. Dat kun je net zo goed nu doen. Morgen.'
'Een psychiater? Die nieuwe vent?'
'Ja.'
'Schrijft hij pillen voor?'
'Niet per se. Maar hij weet het een en ander over depressies.'
'Is dat waar?'
'Ik hoop dat je een grapje maakt, Erik.'
'Ik maak een grapje.'
'Het is fijn om elkaar weer te zien.'
'Nooit meer,' zei hij.
'Elkaar nooit meer zien?'
'Na deze zaak. Nooit meer. Uit elkaar.'
'Je praat een beetje onsamenhangend, vriend.'
Hij was bezig aan zijn derde glas, alleen een beetje nippen. Hij moest nu heel voorzichtig zijn, een oude alcoholist kon een nieuwe worden. Het was belangrijk om aan boord niet te drinken. Slapen, niet drinken. Hij moest slapen. Hij had een businessclassticket gekocht, dat was het enige wat er nog was geweest, hij was er blij om.
'Ik meen het,' zei hij.
'Wanneer moet je weer terug?'
'Ik blijf twee nachten,' zei hij terwijl hij het glas voorzichtig wegschoof.

'Je mag alles vertellen als je hier bent,' zei ze. 'Hoe het gaat.'
'Doorbraak,' zei hij.
'Je praat steeds korter,' zei ze. Hij hoorde de onrust in haar stem. Het was geen grapje.
'Boarding,' zei hij. 'Ik bel als ik geland ben.'

In de taxi naar Marbella voelde hij zich uitgerust, hij had de hele vlucht geslapen en geen druppel gedronken.

De woningcomplexen in aanbouw strekten zich naar de hemel van Torremolinos, als afgedankte schetsen van Dalí, of Gaudí. De Spanjaarden waren door de crisis gestopt met bouwen.

Djanali belde. 'Torsten heeft bericht van het SKL gekregen,' zei ze. 'Het is absoluut hetzelfde merk en dezelfde kleur verf op het jack en de stukken karton. Gustav moet contact met de dader gehad hebben. Of misschien is het nog erger.'

'Hij heeft het niet gedaan, Aneta.'

'We kunnen een rechtstreekse vraag stellen.'

'Laat me daarover nadenken. Ik bel je. Dag.'

Hij vroeg de taxichauffeur om de noordelijke ringweg door Marbella te nemen, stapte uit bij San Francisco en liep naar de Calle Ancha. Het rook naar warme olijfolie en zon en zout, hij was weer thuis, echt thuis.

33

Twee chauffeurs ruzieden over wie er voorrang had in de Calle Ancha, het moest woensdag zijn, de broodauto en de sherryleverancier ruzieden altijd op woensdagochtend om een uur of acht, zo ging het altijd, chaos.

Hij draaide zich om in bed. Angela was er niet. Hij hoorde haar in de keuken met Lilly praten. De vorige avond had hij een hele tijd met haar gepraat, en nog langer met Elsa. Ze hadden bij elkaar gezeten en hij had verhalen over heksen en tovenaars verzonnen, dat werkte voor alle leeftijden. Elsa wilde hem niet loslaten toen hij haar had omhelsd bij het naar bed brengen. Hij had naast haar geslapen. Angela had hem blijkbaar meegenomen naar hun bed. Hij had dingen tegen Angela gezegd, maar kon zich niet herinneren wat. Het waren geen nare dingen, eerder het tegenovergestelde.

'Papa!' riep Lilly toen hij over de mozaïekvloer de keuken in liep.

'Ik ben er nog, meisje,' zei hij. Hij liep naar de keukentafel en tilde haar op. 'Ik ben nog bij je.'

'Wil je een gekookt ei?' vroeg Angela.

'Graag.'

'Papa!' zei Lilly opnieuw, op dezelfde verbaasde toon, alsof hij hier niet echt was.

'Ga je vandaag niet naar je werk, Lilly?' vroeg hij.

'Nee, ik heb vandaag een vrije dag,' giechelde ze.

'Wat een geluk, meisje.'

'Mama is ook vrij!'

'En waar is Elsa?'

'Die heeft een proefwerk,' zei Lilly.

'Dat klinkt lastig.'

'Nee hoor. Dat kan ik ook.'

'Wat is het voor proefwerk?'

Lilly keek naar Angela.

'Aardrijkskunde,' zei Angela.

'Dat kan ik,' zei Lilly.

'Oké,' zei Winter. 'In welk land ligt Marbella?'

'Een makkie. Spanje!'

'Oké, waar ligt Göteborg dan?'

'Een makkie! Zweden!'

'Jij weet alles,' zei Winter terwijl hij de witte, aardewerken beker met koffie aanpakte die Angela hem gaf, wit als het licht buiten, wit als Lilly's ziel, dacht hij.

De zee was vandaag rustig, er kwam geen zevende golf, ze konden stenen keilen alsof het vogels waren die boven het water dansten.

'Drie!' riep Lilly na een mooie worp.

'Jij kunt alles,' zei hij opnieuw.

Het was ook rustig op Playa de Venus, er waren maar een paar tieners aan het zwemmen, enkele ligstoelen waren bezet, het seizoen was nog niet begonnen, de warmte was gearriveerd maar verder niets.

Hij maakte een ongelofelijke worp, hij kon de sprongen van de steen niet tellen, die bleef doorspringen naar de internationale wateren, naar de Afrikaanse kust.

'O jee,' zei Lilly.

'Een record,' zei Angela.

'Een wereldrecord,' zei hij. 'Mijn enige wereldrecord.'

Ze zaten bij Palms, Winter dronk Cruz Campo, Angela een ijskoude manzanilla. Lilly speelde tien meter bij hen vandaan in het zand. De stoelen en tafels stonden voor het café op het strand. Lilly liep tussen haar bouwplaats en de douche heen en weer om water te halen.

'Je klonk verdrietig toen je het over je enige wereldrecord had,' zei ze.

'Was dat zo?'

'Ja.'

'Ik moet waarschijnlijk proberen het te verbreken. Dan heeft het zin.'

'Wat heeft zin, Erik?'

'Het wereldrecord natuurlijk.'

'Je praat eigenlijk over het leven, nietwaar? Jouw leven?'

'Een wereldrecord als metafoor voor het leven, dat is geen slechte metafoor,' zei hij.

'Ik ben serieus,' zei ze.

'Ik kom niet thuis om serieus te zijn.'

'Soms zijn de dingen anders dan je gedacht had.'

'Kunnen we hier niet gewoon zitten en van het leven genieten?' vroeg hij. 'Ik heb niet over het werk gepraat, of wel soms? Dat ga ik ook niet doen. Binnenkort ben ik hier weer weg.'

'Stilte dus?'

'Alsjeblieft...' zei hij, en hij stopte en draaide zich om op de stoel, naar het strand. Lilly kwam terug van de wankele douche. Die hoorde bij de oude wereld, net als Palms; de plek werd al vijfentwintig jaar gerund door een Engels stel, of misschien was het langer dan dat, vanaf de tijd dat hij een tiener was aan de westkust en Angela een kind achter het IJzeren Gordijn. Misschien hield ze daarom nog meer van de zon dan hij, dat was verboden in de voormalige DDR.

'Hoe wordt het straks?' vroeg ze.

'Wat bedoel je?'

'Hierna. In de zomer, in de herfst, na dit. Volgend jaar, enzovoort, enzovoort.'

'Ik weet het niet, Angela.'

'Wat weet je niet?'

'Zet me alsjeblieft niet onder druk.'

'Blijven we hier wonen? Of in Göteborg? Blijven we in het centrum wonen of bouwen we een woning aan zee? Is ons stuk grond aan zee ook een metafoor?'

'Waar is Jamie?' vroeg Winter terwijl hij ging staan. 'Hij moet binnen in slaap gevallen zijn. Ik ga nog een biertje bestellen.'

Hij begon naar de bar te lopen. Ze waren de enige gasten in Palms.

'Blijven we in verschillende richtingen leven?' hoorde hij haar zeggen, of misschien hoorde hij het verkeerd, hij moest het verkeerd gehoord hebben. Hij draaide zich niet om. De bar was leeg, de toonbank vrij van meizon en wind. Waar was Jamie in vredesnaam?

Lilly zat bij de tafel toen hij terugkwam met een nieuw glas bier. 'Ik heb ook dorst,' zei ze.

'Wat wil je hebben?'

'Sinaasappellimonade,' zei ze.

'Oké, maar alleen omdat het woensdag is,' zei hij en Lilly giechelde.

'Angela?'

Ze keek naar de zee, de rustige zee. De hemel erboven was verschrikkelijk blauw. Ze draaide zich naar hem om. 'Ja?'

'Wil jij nog een glas?'

'Nee, nee.'

'Het is na twaalven. *It's noon in Miami.*'

Angela gaf geen antwoord.

'Wat is dat, Miami?' vroeg Lilly.

'Een grapje over een schrijver die nooit alcohol dronk voordat het twaalf uur was. Maar op een dag deed hij dat wel en toen iemand vroeg waarom dat was, omdat hij nooit voor twaalf uur dronk en het nog geen twaalf uur was, zei hij: "It's noon in Miami." Dat betekent dat het twaalf uur is in Miami. Dat is een stad.'

'Aha,' zei Lilly, maar ze leek het niet te snappen. Niemand snapte hem, het minst zijn eigen gezin. Wat een verschrikkelijk verhaal om aan zijn kind te vertellen. Dat was alleen omdat Angela geen antwoord gaf. Waarom antwoordde ze niet? Daarom ben ik niet van Stockholm hiernaartoe gekomen.

'Ik haal de limonade,' zei hij en hij begon terug te lopen naar de bar. Misschien moest hij daar blijven, stoppen met heen en weer rennen. Daar zitten en de zon zien sterven.

'Je drinkt toch geen bier voor twaalf uur, papa?' vroeg Lilly achter hem. 'Dat doet hij toch niet, mama?'

Ze gingen naar Ataranzanas om gegrilde kip en *chimichurri* bij de winkel op de hoek te kopen. Ze liepen over de hangbrug, Santo Cristo del Amor, de liefdevolle Christus. Lilly sliep in haar wandelwagen onder het zonnescherm. Het was de warmste dag van het jaar, een vroege hittegolf, die was samen met hem uit het Noorden gearriveerd. Het was over twaalven. De bonsaibomen zochten schaduw onder de brug.

'Het voelt alsof we in een vrije val beland zijn,' zei ze met een zachte stem. Hij hoorde haar duidelijk in de ijle lucht. Het geruis in zijn oren was opgeslokt geweest door de zee en hij had het gevoel gehad dat hij het op het strand had achtergelaten, maar nu begon de ellende weer. Het kwam door haar woorden, konden ze niet nog even stil zijn, niets zeggen, niets denken, alleen leven.

'Ik begrijp het niet, Angela.'

'Nee.'

'Wat moet ik begrijpen?'

'We praten er straks over.'

'Eerst zeg je iets onbegrijpelijks en daarna wil je er niet over praten?'

'Je begrijpt het toch niet.'

'Ik vraag het gewoon. Leg het me uit.'

'Ik kan niet leven op deze manier, dat is het enige wat ik zeg.'

'Maar dat hoeven we niet! Het is tijdelijk.'

'Jij doet toch wat je wilt,' zei ze. 'Je doet altijd wat je wilt.'

'Ik dacht dat we dit samen deden,' zei hij. Dat dacht hij echt. Hij begreep het niet. 'Niet?'

34

Ringmar stond in de Bellmansgatan, een van de straten waar hij zelden kwam, of het moest zijn om een kortere weg van het Hagapark naar Lai Wa te nemen. Dit was Winterland en hij voelde zich niet op zijn gemak; vrolijke, zelfverzekerde, succesvolle jongeren stroomden uit de ingang van het particuliere gymnasium aan de overkant van de straat. Dat was ook Winterland. Erik had daar op school gezeten, was er zelfs een jazzclub begonnen. Bij mijn diploma-uitreiking kon mijn vader niet komen en luisterde mijn moeder in het gekkenhuis naar de stemmen in haar hoofd, maar het feest bij Ronny thuis was gaaf, ik had een fles cacaolikeur bij me die Ronny's broer had gekocht, het bruine goud. Deze jongeren zouden gillend van Ronny's diplomafeestje weggerend zijn. Niet doen, Bertil, elke tijd heeft zijn eigen gewoonten, jouw tijd is verdwenen.

Hij drukte op de bel bij het naambordje, CORS. 'Hallo, ik ben het, hoofdinspecteur Ringmar.' Hij werd verwacht, de deur ging zoemend open, hij liep de hal in, die donker was na de zon buiten, liep de oude, stenen trappen op, gladgeslepen door een paar eeuwen generatie na generatie hogere stand, Bertil, Bertil, geen klassenhaat nu, je bent altijd professioneel geweest, blijf dat gedurende de tijd die je nog in dit leven hebt, je kunt daarna van de hogere stand worden, een appartement in Winterland, een hoed dragen...

Bengt en Siv wachtten boven op hem, ze begroetten hem beleefd, het was griezelig, hij had Bengt Winter nog nooit ontmoet, maar hij had zichzelf beschouwd als een vriend van Siv Winter, hij was bij haar begrafenis in Marbella geweest, dat was nog maar een paar maanden geleden, alles gebeurde nu twee keer zo snel, het leven was in slow motion gegaan tot alles aan het eind accelereerde, nu dus, een heel leuk grapje, ha ha, Gods gevoel voor humor, wat een grapjas, zelfs leuker dan Lennie Norman, ik heb zijn vader een keer in

Rubinen ontmoet, ik droeg een uniform, wat deed ik daar in vredesnaam, een aardige vent die Charlie, Bengt Cors ziet er aardig uit, Siv ook, ze was de flat alweer in gegaan, nee, het appartement, dat heette hier een appartement, dat hielp hen nu niet, niets hielp, deze-keer-is-er-geen-hulp. Misschien troost hulp, misschien ben ik de trooster, misschien heb ik antwoord op vragen en helpt dat, soms helpt dat niet eens, en ik kom hier niet met antwoorden, ik kom alleen met vragen.

Hij liep achter Cors aan het appartement in. Het rook binnen naar leer en wijnazijn, hij dacht aan wijnazijn, misschien hadden ze een borrel genomen voordat hij kwam, dat zou hij zelf gedaan hebben, wie kan zo'n werkelijkheid volkomen nuchter het hoofd bieden?

Cors zag er echter nuchter uit.

'Moet mijn vrouw erbij zijn?' vroeg hij.

'Niets moet,' zei Ringmar.

'Fijn, dank je.' Cors gebaarde met zijn hand naar een leren fauteuil, versleten leer. 'Ga zitten. Kan ik je iets aanbieden?'

'Nee, bedankt.'

'Vind je het vervelend als ik iets neem?'

'Natuurlijk niet.'

Cors liep naar een tafel tegen de muur. Op de tafel stonden flessen en glazen en karaffen, iets wat je anders alleen in films zag, en dan alleen in bepaalde films, een echte privébar. Ringmar had gedurende bepaalde perioden in zijn leven geprobeerd om op die manier een paar flessen te hebben staan, maar de drank was altijd op voordat hij een verzameling had, er kwam altijd iemand die dorst had, zoals Erik bijvoorbeeld, en één keer was het hele team bij hem geweest... Fredrik, hemel.

Cors schonk barnsteenkleurige drank uit een kristallen karaf. Hij kwam terug met een glas met een dikke bodem, whisky dus, geen ijs, maltwhisky.

'Een slechte gewoonte,' zei Cors terwijl hij het glas hief. 'Ik heb veertig jaar lang elke middag na het werk een glas genomen en ik ben niet van plan om daarmee te stoppen.'

'Dat klinkt als een goede gewoonte,' zei Ringmar. 'Mijn gewoonten zijn slechter.'

'O ja?'

'Bij mij kunnen het twee glazen worden,' zei Ringmar.
'Je ziet er niet uit als een drinker,' zei Cors. 'Dus kan het niet zo erg zijn. Maar neem plaats.'
Ze gingen zitten.
Cors nipte aan de drank, of misschien inhaleerde hij de geur alleen, dacht Ringmar, waarna hij aan Winter dacht.
Cors liet het glas zakken.
'Wat is het voor merk?' vroeg Ringmar.
'Ik... ik ben niet zo'n kenner... het is al die jaren ongeveer hetzelfde geweest...' Cors keek naar de karaf, er stond geen fles naast die het antwoord kon geven. 'Het is waarschijnlijk een Bowmore, dat was het altijd... eenentwintig jaar lang...'
De discrete charme van de hogere stand, dacht Ringmar. 'Mijn collega is een kenner,' zei hij. 'Een grote kenner. Je hebt hem gesproken.'
'Natuurlijk,' zei Cors, alsof het bij de rituelen van zijn leven hoorde. 'Een gecompliceerde man.'
'Wat betekent dat?' vroeg Ringmar. Oké, laten we zo nog een tijdje door blijven gaan, dacht hij. Zijn dochter is in elk geval overal bij, we komen zo meteen op haar, hij wil het op zijn manier doen, wil de tijd nog even in slow motion laten verstrijken.
'Wat gecompliceerd betekent?'
'Ik weet wat het kan betekenen,' zei Ringmar. 'Mijn vraag is wat het in Eriks situatie betekent.'
'Een complexe man,' zei Cors terwijl hij de geur van de whisky weer inhaleerde, Bowmore, verbazingwekkend complex zoals Erik over de eenentwintigjarige variant had gezegd, het gewone snobistische geklets. 'Een gespleten man.' Hij zette het glas op de tafel en keek Ringmar in de ogen. 'Je vraagt je beslist af waar ik het recht vandaan haal om dat te zeggen, maar ik neem aan dat je weet dat ik een psychiater ben, weliswaar gepensioneerd, maar af en toe klus ik nog wat bij, het is beroepsdeformatie.'
'Dat bijklussen?'
'Ha ha.'
'Complex kan ook veelzijdig betekenen, of samengesteld,' zei Ringmar. 'Dat klinkt beter.'
'Je bent een loyale man,' zei Cors.
'Is dat een nadeel?'

'Nee, nee. Ik heb je collega aangeraden om met iemand te gaan praten. Voor zover ik me herinner heb ik hem het telefoonnummer van een collega van me gegeven.'

Veel collega's hier, dacht Ringmar. Allemaal wensen we de mensheid niets dan goeds.

'Waar moest hij met je collega over praten?' vroeg hij.

'Waar wij nu over praten.'

'En dat is?'

'De hel op aarde natuurlijk,' zei Cors. Hij hief zijn glas en nam een slok, het zag er heel zwaar uit, alsof het hem nauwelijks lukte het op te tillen.

Ze zaten op de bank onder de kastanjeboom voor de winkel waar ze de kip hadden gekocht en hadden het eten uitgespreid op een stuk vetvrij papier. Lilly had een stuk brood en een halve kippenpoot gegeten en hing in de wandelwagen. Het was een warme middag. Winter gokte dat het rond de dertig graden was, misschien warmer. Hij had een korte broek aangetrokken voordat ze vertrokken, dat was een goed idee geweest, hij was goed in dat soort dingen, maar minder in andere.

'Vertel hoe ik het moet begrijpen,' zei hij.

'Het is niet allemaal goed omdat je hiernaartoe vliegt.'

'Ik was wanhopig.'

'Maar zeg dat dan, Erik!'

'Ik zei het net. Wanhopig.'

'Dan kun je niet naar Göteborg terug,' zei ze.

'Ik moet wel, Angela.'

'Er zijn anderen op de afdeling!' Ze keek naar Lilly, die naar een vogel op de stoep keek. 'Je bent hiernaartoe gevlucht, dat was een wanhoopsdaad. Meld je ziek en blijf hier.'

'Dat is hetzelfde als zeggen dat ik nooit meer naar mijn baan terugkeer.'

'Dat moet dan maar,' zei ze.

'Op die manier kan ik niet stoppen, Angela. Dat moet je begrijpen. Ik kan het niet. Dat gaat niet.'

'Op welke manier kun je dan wel stoppen? Wil je stoppen? Is het mogelijk voor je om te stoppen? Is het te ver gegaan?'

‘Waar heb je het over?’ zei hij.

‘Ik heb het over veel dingen,’ zei ze. ‘Ik heb het erover dat alles aan jou gecompliceerd is. Aan ons.’

‘Er is niets gecompliceerd aan ons.’

Ze gaf geen antwoord. Er was niets om antwoord op te geven. De spijker op zijn kop, dacht hij, als je een idioot bent. Ik weet waar het om gaat, maar dat kan ik niet zeggen. Waarom kan ik het niet zeggen?

‘Oké, ik kan een praatje maken met Christer. Dat kan ik morgenochtend doen.’

Ze gaf nog steeds geen antwoord. Hij had zijn hand uitgestoken. Zij moest hem nu pakken. Zo hoorde het.

‘Ik blijf een dag langer. Ik weet dat het goed voor me is. Misschien heb ik iets nodig. Het is een begin.’ Wat moest hij nog meer zeggen? Hij moest meer zeggen.

‘Ik moet hem bellen,’ zei ze. ‘Ik weet niet of hij morgen tijd heeft.’

‘Bel hem nu,’ zei hij. ‘Doe het meteen.’

Winter voelde de rusteloosheid binnen in hem als een wind vanuit het niets neerdalen, hij wilde er nú naartoe, naar psychiater Christer Andersson, opstaan en rennen, de hele weg door de stad naar zijn eigen terechtstelling, om iedereen blij te maken, alle knopen te ontwarren.

Een vrouw van in de dertig bleef bij hun bank staan. Ze zag er vitaal en schoon uit, maar er lag een wilde blik in haar ogen.

‘Mag ik wat kip?’ vroeg ze.

‘Je mag de rest hebben,’ zei hij terwijl hij opstond.

35

'Vroeger nam ik het leven zoals het kwam,' zei Cors. 'Nu weet ik het niet meer.'

Ringmar gaf geen antwoord, hij wist niet wat het leven was, hij had zijn verliezen geleden, ze waren groot, maar in zijn korte leven was niemand gestorven, was niemand vermoord.

'Zoveel haat,' zei Cors. 'Denk niet dat ik daar niet over heb nagedacht, er 's nachts van wakker heb gelegen. En gehuild, natuurlijk. Wie haatte mijn meisje zo intens? Waarom? Dat is geen vraag aan jou. Het is een algemene vraag. Ik geloof niet dat ik het antwoord wil weten. Niemand zal het antwoord vinden.'

'Wij gaan dat doen,' zei Ringmar.

'Dat is een routinematig antwoord.'

'Nee. Normaal gesproken zou ik gezegd hebben dat we het antwoord misschien vinden. Deze keer weet ik het zeker.'

'Dat klinkt onaangenaam.'

'We komen dichterbij,' zei Ringmar.

'Wat betekent dat?'

'Het onderzoek spreidt zich uit en krimpt ineen.'

'Interessant. Interessante uitdrukking.'

'We zijn nu dichterbij dan toen je mijn collega hebt gesproken.'

'Hebben jullie haar ex-verloofde weer verhoord?'

'Nee.'

'Waarom niet?'

'Als het moet, dan doen we dat opnieuw.'

'Die man is niet te vertrouwen.'

'Op dit moment bevinden we ons tweeëntwintig jaar terug in de tijd, eenentwintig.'

Cors hield het glas in zijn hand, de beweging was halverwege gestopt, alsof hij de jaren voor zich probeerde te zien, toen hij het leven nam zoals het kwam, toen alles nog mogelijk was, vooral voor zijn dochter.

'We denken dat Matilda toen iemand ontmoet heeft,' zei Ringmar. 'Een jongen van dezelfde leeftijd, die belangrijk is voor hoe het eindigde.'

'Voor hoe het eindigde? Bedoel je de moord?'

'Ja. De moorden.'

'Inderdaad, het zijn er meer.'

Cors zette het glas neer zonder ervan te drinken.

'Wie heeft ze ontmoet?' vroeg Ringmar.

'Je zult wat gedetailleerder moeten zijn.'

'Tweeëntwintig jaar geleden,' zei Ringmar. 'Aan het begin van de jaren negentig. Matilda was ongeveer negentien jaar.'

'Toen woonde ze nog thuis,' zei Cors.

'Heeft ze een jongen aan jullie voorgesteld?'

'Ze kwamen en gingen...' zei Cors. 'We hadden de deur van ons appartement altijd openstaan, er waren hier bijna elke dag jonge mensen, jongens en meisjes, Matilda stelde ze niet aan ons voor, dat zou een eeuwig voorstellen geweest zijn.'

'Had ze een vriend?'

'Ik merk dat je eraan gewend bent om mensen te verhoren,' zei Cors. 'Dat is in principe ook mijn werk, om vragen te stellen.'

'Heeft ze haar vriend aan je voorgesteld?'

'Ik... denk het. Sorry, dat zou ik me moeten herinneren. Ik weet niet zeker of dat zo is. Maar er waren waarschijnlijk een paar... ik heb iets specifiekers nodig om het me duidelijker te herinneren, op zijn minst een jaargetijde.'

'Het voorjaar,' zei Ringmar. 'Het voorjaar en de voorzomer, zoals nu. Laten we 1991 zeggen.'

'Voorjaar 1991? Hmm...'

'Ja?'

'Toen was ze een tijdje weg.'

'Weg?'

'Ja... het was waarschijnlijk het laatste semester op het gymnasium.' Hij maakte een gebaar naar het raam. Ringmar zag de blauwe hemel en het koperen dak en twee schoorstenen. 'Ze hoefde alleen de straat over te steken. Sigrid Rudebeck.'

'Ik weet het.'
'Ja, je collega heeft daar ook op school gezeten.'
'Wat bedoel je ermee dat ze weg was?'
'Ze was ergens mee bezig... een project geloof ik. Ik kan me niet herinneren wat het was. Ik geloof niet dat ze het verteld heeft. Maar het had met een jongen te maken.'
'Hoe weet je dat?'
'Dat vertelde ze.'
'Wat deden ze?'
'Ik zei al dat ik me dat niet kan herinneren.'
'Hoe heette de jongen?' vroeg Ringmar.
'Ik herinner me niet eens hoe hij eruitzag.'
'Hoe vaak heb je hem gezien?'
'Eén keer voor zover ik me kan herinneren.'
'Heeft ze zijn naam gezegd?'
'Dat kan ik me niet herinneren.'
'Als ik een paar namen noem, kun jij ze dan herkennen?' vroeg Ringmar.
'Ik kan het proberen, maar ik herinner het me niet. Is dat geen misleiding?'
'Mårten,' hoorde Ringmar een stem achter zich zeggen. Hij draaide zich om.
Siv Cors stond in de deuropening. 'Hij heette Mårten,' zei ze.

Peter Mark verliet zijn appartement in de Ankargatan in Majorna, liep naar de Såggatan, volgde die in noordelijke richting tot de Amiralitetsgatan, sloeg rechts af, liep honderd meter, sloeg links af de Styrmansgatan in, ging naar Cafe Biscotti op de kruising met de Allmännavägen en ging op het terras zitten. De wind was fris, maar het was niet koud. Hij keek op zijn horloge, hij was vroeg. Een vrouw met een wit schort kwam naar buiten en vroeg wat hij wilde hebben. Hij bestelde een kleine latte. Hij was hier eerder geweest, maar hij dacht niet dat het personeel hem herkende. Hij had geen honger. Hij had het gevoel dat hij nooit meer honger zou hebben, of dorst, of iets anders. Alleen bang, hij was alleen bang. Door wat hij had gedaan. Door wat anderen hadden gedaan. Wat hem te wachten stond.
De serveerster bracht zijn koffie, zette het glas op de tafel en ging

weer naar binnen. Hij was alleen op het terras. Hij controleerde opnieuw hoe laat het was, hij was niet langer te vroeg. Een paar mensen liepen langs terwijl hij daar zat, maar hij wachtte op geen van hen. Hij pakte zijn mobieltje, maar niemand had hem gebeld sinds hij daar zat. Nu nam hij een slok van zijn latte. Die was heet, maar niet te heet. Het was lekker. Hij zette het glas weer neer. Twintig jaar geleden was er geen Zweed geweest die koffie uit een glas dronk. Sindsdien was er veel gebeurd. Over twintig jaar zou hij misschien dood zijn. Of over twintig minuten.

Hij wachtte nog twintig minuten, stond op, ging naar binnen en betaalde, ging weer naar buiten, liep een paar honderd meter door de Karl Johansgatan, sloeg af naar het water, liep door de tunnel onder de snelweg, naar de Fiskhamnen waar het nu stil was, op een paar zeemeeuwen na. De zon daalde achter Bockkranen aan de overkant van het water. Hij zou ernaartoe kunnen zwemmen. Hij had altijd van zwemmen gehouden. Het water was koud, maar hij zou het kunnen proberen. Hij ging op de steiger zitten, hoorde voetstappen achter zich, draaide zich om, er was niets aan de hand, de ander was nog steeds op afstand, onder het Feskar-Brödernas-bord, de ander had niets in zijn handen, voor zover Mark dat kon zien.

De ander was er nu.

'Je bent niet naar Biscotti gekomen,' zei Mark.

'Ik ben hier niet.'

'Nee?'

'Wat heb je gezegd?'

'Ik heb helemaal niets gezegd.'

'Het zal doorgaan.'

'Wat bedoel je?'

'Houd je niet van de domme, Mark.'

'Wat ben je van plan te gaan doen?'

De ander gaf geen antwoord. Hij keek naar Mark. Ik kom hier niet levend vandaan, dacht Mark. Wil ik leven? Ik wilde dat eerst in elk geval. De ander kwam dichterbij, pakte de kraag van zijn overhemd, had de overhand, dat zou hij altijd hebben.

Ze liepen door de Calle Sol naar Bar California terwijl de zon daalde. Winter had gebeld toen ze thuiskwamen van de winkel met gegrilde kip. Daarna was hij een tijdje op bed gaan liggen om uit te rusten, hij had de gordijnen in de wind zien bewegen en was in slaap gevallen en was twee uur later wakker geworden omdat Elsa naast hem lag en hem vasthield, alsof hij haar zoon was.

Bar California begon vol te stromen, voornamelijk met Marbellianen: vrouwen, kinderen, mannen. Izabella bracht hen naar een tafeltje bij de Calle Sol, de rustigste plek, het verst weg van het verkeer op de Severo Ochoa, niet dat Winter zich daar ooit aan had gestoord.

'Kun je een fles Merseguera brengen?' vroeg hij in begrijpelijk Spaans aan Izabella. 'En wat willen de kleine dames drinken?' Hij richtte zich tot zijn dochters, nog steeds in het Spaans.

'Ik ben niet klein,' zei Elsa in het Spaans.

'Ik ook niet,' zei Lilly.

Izabella lachte. 'Ik bedenk wel iets,' zei ze. 'Ik breng de drankjes en brood en sardines en olijven.'

'Bleh,' zei Lilly.

Izabella lachte weer. Ze kenden haar goed, ze was een paar keer Angela's patiënt geweest, ze hadden samen koffiegedronken in de stad. Haar man was werkloos. Winter en hij hadden samen lange wandelingen langs de zee gemaakt.

'Je bent niet groot als je niet van sardines houdt,' zei Elsa tegen haar zusje.

'Ik vind olijven vies, die groene!'

'Ik neem ook zwarte mee,' zei Izabella, waarna ze wegliep.

'Ik houd van Bar California,' zong Lilly.

Iedereen lachte.

'Wat zouden we zonder Bar California zijn?' zei Winter.

'Ik houd van Timonel,' zong Elsa terwijl ze haar zusjes toon imiteerde.

'Wat zouden we zonder Timonel zijn?' zei Winter.

'De twee beste restaurants ter wereld,' zei Elsa.

'Ik denk dat je gelijk hebt, meisje.'

'Zijn er in Göteborg ook restaurants?' vroeg Lilly.

'Jazeker.'

'Moeten we daar naartoe?'

'Wat bedoel je?'

'Ik wil alleen naar restaurants in Marbella.'

'Ik snap het.'

'Ga je naar Göteborg terug, papa?'

'Ik moet wel. Maar niet lang.'

'Waarom?'

Angela deed niet mee aan het gesprek. Dit was tussen hem en de meisjes. Ze zwaaide naar wat vrienden een paar tafels verderop, een Spaans gezin zoals dat van hen, een vader, een moeder, twee meisjes, een van hen was een klasgenootje van Elsa.

'Er is een gemene man die ik moet pakken voordat hij nog meer gemene dingen doet,' zei Winter.

'Wat heeft hij dan gedaan?'

'Daar wil ik niet met je over praten, meisje.'

'Ik ben geen kínd,' zei Lilly.

Het hele gezin barstte in lachen uit. Waar heeft ze dat in vredesnaam vandaan? dacht Winter. Hij hoefde niets meer te zeggen, Izabella bracht twee smoothies, witte wijn, brood, sardines, boquerones en verschillende soorten olijven in een mooie schaal.

'Jullie hebben het leuk samen,' zei ze. 'Ik vind het leuk als jullie het leuk hebben.'

'Het is leuk om hier te zijn,' zei Elsa. 'Dat is altijd leuk.'

'Het is leuk dat papa hier ook is,' zei Izabella terwijl ze naar Winter keek.

'Voor zover ik weet ben ik je vader niet,' zei Winter.

'Ha ha,' zei Lilly.

'Het is nu maar voor een paar dagen, maar binnenkort blijf ik hier voorgoed,' zei hij.

'Aha,' zei Izabella.

'Het klinkt alsof je dat niet gelooft,' zei hij.

'Als jij het zegt, dan is het zo.'

'Misschien ga ik hier als rechercheur werken,' zei hij met een knipoog naar Elsa en Lilly.

'De hemel weet dat we dat nodig hebben,' zei Izabella terwijl ze naar de meisjes keek. 'Jullie papa zou een goede rechercheur bij de politie van Marbella zijn.'

'Hoewel vooral de verkeerspolitie mensen nodig heeft,' zei hij.

'Ja, dat is inderdaad waar,' zei ze. 'Die hebben we namelijk nog niet.'

36

Ze hadden dubbele porties *adobo* gekregen en schalen met *chipirones, gambas pil-pil, almejas* en *pimientos*. Ze hadden geen haast. Een statige dorada in zoutkorst stond in een van de ovens van California. Die zouden ze eten met *judías blancas* en *patatas fritas*. Het leven was goed, de avond was warm, het kon altijd zo zijn, dacht Winter. Zijn eisen waren veranderd gedurende de jaren in Spanje, dat besefte hij nu pas. Hij was drieënvijftig en had er niets van begrepen.

Er zat nog wat wijn in de fles. Dat moest voldoende zijn voor vanavond. Als hij dat wilde, kon hij thuis in bed een kleine Lepanto drinken. Elsa vertelde over school. Lilly vertelde over de crèche. De meisjes aten alles wat op hun bord lag, hij was trots op ze.

Veel later zouden ze *tocino de cielo* als dessert eten, hemels spek, Andalusiës variatie op de flan, weelderiger, als troost voor een mager land aan de andere kant van de bergen. Hij vermoedde de schaduw van de berg boven Las Represas.

Zijn mobieltje vibreerde in het borstzakje van zijn overhemd. Hij keek naar Angela, pakte de telefoon en keek op het display. Bertil.

Hij stond op en liep de Calle Sol in. Het was niet veel meer dan een steeg, ondanks de naam beschermd tegen de zon. Nu bestond de straat voornamelijk uit witte schaduwen.

'Ja?'

'Sorry dat ik je stoor, Erik. Je weet dat ik dat niet zou doen als ik niet het gevoel had dat het nodig was.'

'Het hindert niet, Bertil.'

'Zitten jullie aan tafel?'

'Ja.'

'Zal ik later terugbellen?'

'We zijn net begonnen. Wat is er aan de hand?'

'Mårten Lefvander en Matilda Cors kenden elkaar.'
'Dus toch.'
'Dus toch. Matilda's moeder vertelde het. Dat was in het begin van de jaren negentig.'
'Mooi.'
'Inderdaad. Ik heb Lefvander op zijn werk gebeld. Hij was er niet, heeft gisteren vier vakantiedagen opgenomen. Fredrik en ik zijn naar zijn huis toe gegaan. Lefvander was niet thuis. Zijn auto stond er niet.'
'Hoe weet je dat hij niet thuis was?'
'Wat denk je? Fredrik is naar binnen gegaan.'
'Hoe zag het eruit?'
'Niet abnormaal voor zover wij konden zien. Gewoon een leeg huis. Er stond nog tandpasta in de badkamer.'
'Heb je met Amanda Bersér gepraat?'
'Ja, zij heeft niets gehoord.'
'Misschien is hij op vakantie gegaan.'
'Ik heb het haar gevraagd. Hij gaat één keer per jaar naar het Varbergs-kuuroord om zijn teennagels te laten vijlen. Ik heb ze gebeld, maar hij heeft niet ingecheckt. Of uitgecheckt.'
'En zijn paspoort?'
'Dat lag netjes bij de andere documenten in een bureaulade, zoals dat hoort.'
'Hij heeft nog twee dagen over van zijn vakantie, als het een vakantie is,' zei Winter.
'Wat moeten we doen?' vroeg Ringmar.
'Zoek hem,' zei Winter. 'Verhoor de familie opnieuw. Blijf Cors verhoren.'
'Veel van onze mensen gaan langs de deuren in Frölunda,' zei Ringmar.
'Je zult je beoordelingsvermogen moeten gebruiken, Bertil.'
'Oké, bedankt baas. Ik... ik ga Amanda nog een keer bellen. Smakelijk eten nog.'
'Ik neem overmorgen het vliegtuig en kom om twaalf uur op Landvetter aan.'
'Mooi, wij blijven op onze post, zoals dat heet.'
'Bel als je daar behoefte aan hebt.'

'Natuurlijk.'

Winter stopte het mobieltje in zijn borstzak. Bertil ging 'Amanda' weer bellen. Wat gebeurde er in het lichaam van die oude man?

De volgende ochtend liep hij samen met Elsa de heuvel op naar haar school in San Vicente. Lilly zat in de wandelwagen. Angela was al op haar werk.

Hij bracht Lilly naar de crèche in Salinas, waarna hij Bertil belde. 'Hoe gaat het?'

'Lefvander neemt zijn mobieltje niet op.'

'Staat hij aan?'

'Ja. Maar je weet het nooit met die dingen.'

'Heeft hij niets op zijn werk gezegd?'

'Nee. Niemand heeft het ook gevraagd.'

'Wat zegt Amanda?'

'Bedoel je mevrouw Bersér?'

'Je weet wie ik bedoel, Bertil.'

'Ze is ongerust.'

'Hmm.'

'Dat ben ik ook.'

'Over haar?'

'Doe verdomme normaal, Erik.'

'Hebben jullie iets tegen Gustav gezegd?'

'Nee. Hij heeft het niet gevraagd. Als hij het vraagt zegt ze dat Mårten een paar dagen op vakantie is. Wat hij misschien ook is.'

'En als dat niet zo is?'

'Dan is het verontrustend.'

'Informeer bij zijn familie,' zei Winter. 'Vader, moeder, broers of zussen, als hij die heeft. Scholen, je weet wel.'

'Oké.'

'Hoorde hij twintig jaar geleden bij de groep? Ik wil het graag geloven. We moeten het verband zoeken. Ik ga eraan werken als ik weer thuis ben.'

'Waar ben je nu?'

'Op weg naar huis.'

'Oké.'

'En waar ben jij, Bertil?'

‘Wat?’

‘Waar ben jij op dit moment?’

‘Val dood,’ zei Ringmar, waarna hij de verbinding verbrak.

Een agent in uniform knikte naar hem terwijl hij de *Guardia Civil de Tráfico* in de Calle Juan Breva passeerde. Misschien was het een toekomstige collega. Winter kon het verkeer in de Ricardo Soriano regelen. Daar had hij een paar keer heel veel zin in gehad.

San Francisco was nog stil toen hij ernaar afsloeg. De schaduwen waren nog steeds vaag.

Een oude man zat voor de kerk op de Plaza Santo Cristo op een groot tekenblok te tekenen. Hij droeg een blauw colbert en had een strohoed op zijn hoofd. Naast hem stond een scooter onder de palmbomen. Die was roze, met een geel zadel en een turkooizen voetsteun. De man keek op en groette met zijn potlood in de lucht toen Winter passeerde. Het traliehek van de kerk was dicht. Het leek alsof de man dat tekende.

De vouwstoelen waren uitgeklapt voor zijn woning in de Calle Ancha. Bar Ancha was naar de overkant van de straat verhuisd. Hij keek naar zijn balkon, de geornamenteerde balustrade was bedekt met bloeiende bougainville. Hij keek naar het wit-blauw-gele mozaiek van het balkondak. Erboven lag het terras, dat ze het vorige jaar hadden gebouwd. Dat betekende dat hij de hele antieke wereld van daaraf kon zien. De Middellandse Zee van de Feniciërs.

Op het balkon van de buren, met nog mooiere ornamenten, número 18, stonden achttien potten begonia’s, hij telde ze terwijl hij door de Calle Ancha naar het café liep. Een man zat bij een van de tafels, het was de enige gast, het café was eigenlijk nog niet open, was nog slaapdronken.

De man stond op. Winter wist wie het was, maar hij had Christer Andersson nog nooit ontmoet. De psychiater droeg een chinobroek, een kaki overhemd en leren sandalen zonder sokken, niemand zou geloven dat hij was wie hij was. Winter droeg een korte, kaki broek, een lichtblauw linnen overhemd en slippers, hij zag er ook uit als iemand anders. Dit was een goede plek voor een eerste gesprek, het zou bizar zijn om naar de kliniek te gaan. Alleen al het feit dat hij met een psychiater zou praten was bizar.

Ze stelden zich aan elkaar voor, wat volkomen overbodig was.

'Koffie?' vroeg Andersson.
'Als jij betaalt.'
'Ha ha, natuurlijk.'
Winter ging zitten. Hij had hier onderweg niet zoveel aan gedacht, nadat hij de meisjes had weggebracht, maar nu voelde het... verkeerd. Wat moest hij in vredesnaam zeggen? Moest hij iets zeggen? Dit heette een gesprek, dus moest hij iets zeggen. Het was geen verhoor. Hij hoefde de waarheid niet te spreken, of te doen zoals de meeste mensen die verhoord werden, liegen dat het gedrukt stond. Andersson was het slaperige café in gelopen. Misschien werkte Jesús vandaag, waarschijnlijk wel omdat hij hier al dertig jaar was, of misschien waren het er tweeduizend.
De psychiater kwam terug, ging zitten, keek naar Winter, in elk geval voelde Winter dat zo, keek naar zijn ziel, staarde in zijn ziel.
'Hoe voel je je?' vroeg hij.
'Je draait er in elk geval niet omheen,' zei Winter. 'Dat is mijn tactiek ook.'
'Mooi.'
'Hoe ik me voel? Op dit moment uitstekend.'
'Mooi.'
De koffie werd gebracht, het was Jesús, koffie en water en de verplichte churros. Jesús zei iets, maar Winter hoorde het niet, plotseling was de ruis in zijn oren terug, alsof hij weer aan het verdrinken was.
'Willen jullie nog iets?' hoorde hij Jesús nu vragen.
Andersson keek hem vragend aan.
Winter schudde zijn hoofd.
'Een brandy?' vroeg Andersson.
'Een test,' zei Winter. 'Angela wilde dat je dat vroeg.'
'Je doorziet me nu al.'
'Ik drink nooit voor twaalf uur,' zei Winter.
'*Hell*, it's noon in Miami,' zei Andersson.
'Ik dacht dat ik alleen stond voor wat betreft Hemingway,' zei Winter.
'Hij was de reden dat ik naar de Costa del Sol ben verhuisd,' zei Andersson.
'Is dat waar?'

'Nee.'

Winter lachte. Het was een goed gevoel om te lachen. Het geruis tussen zijn oren zakte tot een draaglijk niveau. Hij moest zichzelf vandaag horen denken, nu, en misschien vanavond.

'Vertel eens hoe je je voelt als je niet lacht,' zei de psychiater. Hij had een open gezicht, hij was jonger dan Winter, alleen Ringmar was ouder. Een open gezicht was misschien goed voor een zielenknijper, net zoals het een goed hulpmiddel voor een psychopaat was.

'Soms niet zo juichend fantastisch vrolijk,' zei Winter.

'Dat klinkt zoals de meesten van ons.'

Winter dronk van zijn koffie, zette het kopje neer, keek naar de churro.

'Misschien is dat dan voldoende?' zei hij.

'Wat bedoel je?' vroeg Andersson.

'Dat ik me voel zoals de meeste mensen.'

'Vind je dat prettig?'

Winter gaf geen antwoord. Het was een persoonlijke vraag, daarom zat hij hier, maar hij hoefde geen antwoord te geven. Hij kon niet gevangengenomen worden. Het was een provocerende vraag, hij kon hem zelf gesteld hebben, ook aan zichzelf. Misschien had hij dat wel gedaan.

'Voel je je vaak depressief?'

'Ik weet niet goed wat dat betekent.'

'Ik denk dat je dat heel goed weet.'

'Angela vindt dat.'

'We praten nu niet over Angela.'

'Ik dacht dat we dat de hele tijd deden.'

'Voel je je geprovoceerd, Erik?'

'Wat denk je?'

'In dat geval bied ik je mijn verontschuldigingen aan.'

'Is dat niet de bedoeling?'

'Dit is geen verhoor.'

'Depressief, ja. Het komt en gaat.'

Andersson dronk zijn koffie, knikte, Winter herkende het.

'Het komt vaker dan het gaat, mag ik wel zeggen,' zei hij. 'De laatste jaren.'

'De laatste twee, drie jaar? Of alleen het laatste jaar?'

‘Ik weet het niet... het komt aansluipen. De zwarte hond die in mijn hielen bijt, tja, dat weet je natuurlijk, Churchill en zo.’

‘Wat voor invloed heeft dat op je?’

‘Ik werk weer. Ondanks deze... toestand, of hoe ik dat moet zeggen. Ik heb twee jaar vrij genomen, zoals je weet. Daarna wilde ik weer aan het werk, het was niet eens een keuze. Ik dacht dat ik een ander was, of dat ik degene was die ik altijd was geweest, of... dat ik er geen aandacht aan moest schenken. Ik ben in januari naar Göteborg teruggegaan.’

Jezus, wat praatte hij veel, het geld dat dit gesprek kostte rolde door de straat, hij wist niet eens wat hij hiervoor betaalde, wat Angela betaalde, hij praatte meer dan hij gedurende zijn hele leven had gedaan.

‘Ik weet niet of ik wel goed bij mijn hoofd ben,’ zei hij. ‘Steeds meer mensen hebben dat de afgelopen tijd tegen me gezegd.’

‘Hoe komt dat?’

‘Angela ook,’ zei hij.

‘Dat verbaast me,’ zei haar collega.

‘Het is begonnen met Michael Bolton,’ zei Winter. ‘Weet je wie Michael Bolton is?’

‘Dat weet iedereen volgens mij.’

‘Hij is heel goed.’

Andersson zei niets, knikte niet eens, pakte zijn waterglas, het was alsof hij niet meer naar Winter durfde te kijken.

‘Ik weet niet veel over popmuziek,’ zei Winter, ‘maar ik weet dat het meeste is geproduceerd om er maar één keer naar te luisteren. Het heeft geen enkele betekenis. Zo is het niet met Michael Bolton. Hij schrijft teksten waar je keer op keer naar kunt luisteren.’

‘Ik begrijp het,’ zei Andersson.

‘Wat begrijp je?’

‘Dat je van Michael Bolton houdt.’

‘En dat is precies waar de anderen zich aan ergeren. Wat vind jij trouwens van Bolton?’

‘Ik... daar heb ik geen mening over.’

‘Aha, dat beschouw ik als een afwijzing.’

‘Oké, het is mijn muziek niet.’

‘Je hebt er niet zorgvuldig genoeg naar geluisterd.’

Andersson nam een hap van zijn churro, wat zou hij anders moeten doen?
'Je neemt me in de maling,' zei hij met een glimlach.
'Absoluut niet.'
'Denk je dat je Michael Bolton bent?'
'Soms, maar... nee. Hoewel ik hem graag zou willen zijn. Hij is weliswaar ouder dan ik, maar hij ziet er goed uit.'
'Bizarre waandenkbeelden,' zei Andersson. 'Meer kan ik er op dit moment niet over zeggen.'
'Geen psychose?'
'Dat zeg jij,' zei Andersson.
'En het gaat eigenlijk alleen om Michael Bolton,' zei Winter.
'Zo is het. Iedere willekeurige andere artiest...' Andersson stopte en maakte een gebaar met zijn hand alsof hij wilde wijzen naar de echt artistieke rijkdom van de artiesten die op hun zolders zaten.
'Is er een remedie?' vroeg Winter.
'Nee.'
'De enige keren dat ik niet gedeprimeerd ben, is als ik naar Bolton luister.'
'Dat is een kortetermijnoplossing.'
'Wat is de langetermijnoplossing?'
Andersson keek naar hem, leek echt naar zijn gezicht te kijken. Misschien zag hij dingen die Winter zelf nog nooit in de spiegel had gezien.
'Heb je weleens antidepressiva geslikt?' vroeg Andersson.
'Tegen Michael Bolton?'
'We laten Michael Bolton met rust.'
'Het antwoord is nee.'
'Nee dat je zo'n geneesmiddel hebt geslikt?'
'Het antwoord is ja.'
'Zullen we het proberen?'
'Het antwoord is ja.'

37

Het gezicht van de jongen was als een foto die je nog nooit had gezien, maar die je meteen herkende, dacht hij toen hij weer naar het gezicht op het computerscherm keek, in de bescherming van het licht achter de houten jaloezieën van de Calle Ancha 14. Hij hoorde stemmen op het terras, vlak voor zijn portiek, maar meer als geroezemoes in de verte. Het klonk als de achtergrond van datgene waar hij nu naar keek, een vaag en herkenbaar gezicht, net als de stemmen, ze waren menselijk, dat hoorde hij. 'Ben je nog steeds een mens?' zei hij tegen het gezicht op het scherm. 'Wie ben je geworden? Jij bent het, of niet soms? Je kon het niet vergeten, en de anderen ook niet.

Hoe moet ik je vinden?

Leidt Mårten Lefvander me naar je toe?'

Hij hoorde de poort beneden opengaan, het vertrouwde geknars en gepiep van de mooie, roestige scharnieren uit de Moorse tijd.

Nu hoorde hij de stemmen van Angela en Lilly op de trap. Het huis bezat een mooie echo. Dat werd in het Noorden allemaal als storend gezien, daar was alleen plaats voor een bepaald stemmenniveau. Hier stroomde alles, zonder begin, zonder eind, dacht hij. En de stem is niet zo eenzaam.

Hij hoorde ze op het terras. Lilly lachte, lachte. Het gezicht op het scherm verdween, hij zette de laptop uit, klapte hem dicht en liep naar boven, waar de anderen waren.

Ringmar kreeg het bericht toen hij op weg was naar de woning van Amanda Bersér: er stond een auto verkeerd geparkeerd op het Guldhedsplein. Het was een BMW, een nieuw model, hij wist niet zeker welke het was. Hij belde Djanali.

'We gaan ernaartoe om te kijken. We zien elkaar daar. Lefvander heeft een BMW.'

Hij vroeg het kenteken van Lefvanders auto op terwijl hij door Toltorpsdalen reed.

Het was druk rond het Sahlgrenska-ziekenhuis. Voetgangers en fietsers waren luchtig gekleed omdat het eerste zomergevoel er was. Ik geloof, ik geloof in de zomer, dacht hij, ik geloof, ik geloof weer in de zon. Het laatste wat we hier in het Noorden kwijtraken is ons geloof in de zomer, als we daar niet in geloven is het voorbij, was het maar nooit voorbij! Hij voelde een onmiddellijke levensvreugde, alsof hij erdoor overvallen werd.

Hij reed in strijd met de verkeersregels dwars over het Wavrinskyplein, gewoon omdat ik het kan, dacht hij, omdat dit mijn leven is!

Aneta was er al.

'Het is Lefvanders auto,' zei ze. 'De achterklep staat op een kier. Niets groots in de kofferbak, voor zover ik kan zien.'

Hij knikte. De auto stond midden in de zon, van alle kanten belicht, dwars over twee vakken voor Tempo geparkeerd. Hij was leeg, schoon en netjes, zoals de indruk was die hij van Lefvander had gekregen: leeg, schoon, netjes, maar hij vond niets. Hij keek door het linkerachterraam naar binnen. Er lag een deken op de achterbank, er kon iets onder de deken liggen, hij was uitgespreid. Hij keek op, iemand kwam aan de overkant van het enorme plein uit de Specialist-kliniek. Hij hoorde stemmen achter zich, draaide zich om, een paar tieners hadden zich voor Afamia Pizzeria verzameld.

Hij wist dat hij de auto niet mocht aanraken, pakte zijn digitale camera en fotografeerde alles vanuit alle hoeken terwijl de zon in zijn ogen schitterde. Er was een reden dat de achterklep openstond.

'Oké, we slepen hem weg,' zei hij toen hij klaar was.

Torsten Öberg trok een paar plastic wegwerphandschoenen aan. Zijn technici waren klaar voor een grondige inspectie in de politiegarage. Torsten opende het linkerachterportier en tilde een hoek van de deken op. Er werd iets zichtbaar, hij tilde de deken verder op, het was een stuk karton, herkenbaar voor alle ingewijden, er stond iets op geschreven, geschilderd, met dezelfde woedende penseelstreken, zwart op wit: de letter M.

Lilly speelde onder de parasol bij de grote potten met bamboe. Angela en Winter zaten onder de andere parasol bij de tafel, allebei met een glas *fino*. Zo meteen zou hij naar beneden gaan om de lunch klaar te maken. Angela had 's ochtends maar een paar uur gewerkt.

'Het is na twaalven,' zei hij terwijl hij zijn glas hief.

'Dat is in het hele gezin bekend,' zei ze.

'Bij Christer Andersson ook.'

'Heb je dat over Hemingway ook aan hém verteld?'

'Hij vertelde het aan míj. We hadden meteen een klik.'

'Ik durfde het niet te vragen. Ja, dat heb je natuurlijk gemerkt.'

'Het was een beleefd gesprek.'

'Was dat alles wat het was?'

'Nee.'

'Dus... wat zeg je ervan?'

'Waarvan?'

'Over hoe je je voelt. Over hoe je je kunt voelen.'

'Ik ga een medicijn proberen. Waarom niet?'

Ze knikte, het was niet meer dan dat, het was niet moeilijk om het te zeggen.

'We hebben ook nog over therapie gepraat,' zei hij. 'Hij lijkt me geen onvervalste pillenvoorschrijver.'

'Nee, nee.'

'Tja... het is alsof ik op dit moment kan kiezen tussen reizen met de X2000 of de paardenkoets om op de plek te komen waar ik naartoe wil.'

'En... waar wil je naartoe?'

'Niet naar het paradijs, daar ben ik al.'

'Zo'n opmerking wordt klef genoemd,' zei ze. 'Maar niet als jij het zegt.'

'Ik ben waarschijnlijk niet zo klef.'

Ze pakte haar glas. Het was beslagen. Zijn hand was koud geworden, paradijskoud.

'Gemoedsrust,' zei hij. 'Daar wil ik naartoe en ik ben er bijna.'

'Dat is mooi.'

'Dat is heel mooi,' zei hij. 'Ga je mee naar Espejo om de medicijnen te halen?'

'Nu?'

'Hoe vroeger hoe beter.'

Toen ze op straat waren wilde Lilly zelf lopen, Ancha, Cruz, Pasaje Valdés naar het Plaza de las Naranjas. Het was niet ver.

Hij ging de Farmacia Espejo in en wachtte op zijn recept voor Venlafaxine 75. Eén per dag, het was niets.

Buiten hingen overal sinaasappels aan de bomen die in een dichte rechthoek rond het plein stonden. De cafés op het plein waren vooral bedoeld voor de angstige toeristen die met andere toeristen onder de oranje parasols wilden zitten, van netjes opgemaakte borden met veilig eten wilden eten, niets wat hen vanaf het bord aanstaarde.

'Ik heb honger, papa,' zei Lilly.

'Wat wil je hebben, meisje?'

'Pizza!'

'Dan zijn we op de juiste plek.'

Elsa was na school bij een vriendin in Peral gebleven en Lilly deed een dutje. Het was stil op straat, iedereen bleef binnen in de vroege middaghitte, ook de honden en de dwaze Engelsen.

Ze hadden de liefde met elkaar bedreven, het voelde alsof het honderd jaar geleden was sinds de laatste keer, toen hij nog een jongeman was. Maar ik ben nog steeds jong, dacht hij, ik kan nog steeds hard en zacht op hetzelfde moment zijn, het is een wonder dat God ons heeft gegeven.

Ze waren wakker, het laken lag op de rode mozaïekvloer, het zweet kleefde als zoutspetters van de zee op hun lichamen. Hij proefde de smaak van haar zout in zijn mond. Jouw zout is zouter dan dat van mij. Hij probeerde helemaal nergens aan te denken, al was het maar een minuut. De kerkklokken luidden zachtjes op de Plaza de la Iglesia, het geluid klonk achter de balkondeuren, stroomde verder naar het westen, helemaal naar Siv en Bengts woning in Nueva Andalucía, die stond leeg, wachtte ergens op, hij wist nog niet goed waarop, hij wilde er niet wonen, Angela ook niet, de kinderen wilden hier zijn, midden in de drukte.

Hij was in gedachten al ergens anders, iets wat niet wilde verdwijnen met het geluid van de klokken, nog verder weg, in het Noorden, maar niet meer dan een paar dagen, het was een sterk voorgevoel, alsof alles heel snel zou gaan als hij terug was in Göteborg, niets ontziend en snel.

Zijn mobieltje begon over het nachtkastje te kruipen.

'Zet die schorpioen uit,' zei Angela.

Hij keek op het display. 'Het is Bertil.'

'Natuurlijk moet je opnemen,' zei ze.

'Ja, Bertil?' zei hij.

'We hebben Lefvanders auto gevonden. Niet zo ver bij zijn woning vandaan, op het Guldhedsplein.'

'En Lefvander?'

'Verdwenen. Maar er lag een letter op de achterbank, net zo een als de andere.'

'De M?' vroeg Winter.

'Inderdaad.'

'Marconi,' zei Winter. 'Het Marconiplein of Marconi Park, dat is tenslotte hetzelfde.'

'Dat kan zijn,' zei Ringmar. 'En de M van Mårten.'

'Misschien hoort dat bij het plan,' zei Winter. 'Dat de dingen precies gebeuren zoals ze gebeuren.'

'Niet lang meer,' zei Ringmar. 'Wat is het plan nu?'

'Norwegian vliegt vanavond naar Göteborg. Ik zal kijken of ik mee kan.'

'Jij kunt altijd mee, Erik.'

Hij kon mee. De schemering daalde over Málaga terwijl het vliegtuig opsteeg. Alles in de cabine kleurde rood door de zonsondergang boven het Atlasgebergte. Hij was nog nooit in Afrika geweest. Daar was nog tijd voor, er was altijd tijd voor alles.

'Een dag meer of minder maakt ook niet uit,' had Angela gezegd.

'Je begrijpt het,' had hij gezegd.

'Ik begrijp het altijd. Ik begrijp te veel.'

'We gaan verder met praten als ik terug ben.'

'Ik heb nog steeds geen ontslag genomen.'

'Ik weet het.'

'Dat laten we nu rusten,' had ze gezegd.

'Ja.'

'Ik wil niet dat er nog een keer iets met je gebeurt, Erik.'

'Ik ook niet.'

'Je mag deze keer niets alleen doen. Alleen eropaf gaan als een held, de zaak alleen oplossen.'

'Ik ben geen held.'

'Je neemt je pillen toch?'

'Pil. Het is er maar één.'

'Bel me als je wegrijdt om alles op te lossen.'

'Je laat het banaal klinken, Angela.'

'Is het niet banaal?'

'Niet voor degenen die erbij betrokken zijn.'

'Jij bent er ook bij betrokken, Erik. Meer dan iemand anders.'

Meer dan iemand anders, dacht hij terwijl het vliegtuig naar een veilige hoogte van tienduizend meter steeg. De banaliteit van het kwaad, dacht hij.

Op Landvetter wachtte een surveillancewagen.

Dertig minuten later stond hij samen met Ringmar voor Lefvanders woning. Het was inmiddels donker, maar niet koud.

'Daar gaan we dan,' zei hij terwijl hij de deur met een loper opende.

Ze liepen langzaam door de donkere woning, de nacht scheen door alle ramen naar binnen.

Ringmar deed het licht aan in de grote kamer die uitkeek op de tuin. Op de salontafel stond een opengeklapte laptop. Er lagen een paar cd's naast.

'Hij keek ergens naar,' zei Ringmar.

'En werd onderbroken,' zei Winter.

'Laten we maar eens kijken wat het is.'

Winter ging op de bank zitten. Het scherm lichtte op, de laptop was niet uitgezet. Lefvander, als hij het was, was midden in een film gestoord. De stilte deed denken aan de andere films die hij had gezien. Hij drukte op play en iemand in de film begon te bewegen, op een grasveld, in een tuin, er waren een paar jongemannen, Winter herkende een van hen, er was een jongen van een jaar of tien, hij herkende hem meteen.

'Is het Lefvander?' zei Ringmar. Ze zaten in Ringmars auto voor de woning. Er was geen levende ziel te zien in de buurt. Het was kouder geworden. 'Is Mårten onze man?'

‘De dader? Nee.’
‘Waarom niet? Dat met die auto en de letter is een groet aan ons.’
‘Ik denk dat hij de moordenaar kent,’ zei Winter. ‘En niet alleen toen, twintig jaar geleden, maar nu ook. Hij wist wat er zou gebeuren. Ze hadden contact. Hij had destijds een relatie met Matilda Cors. Zij maakte deel uit van de groep.’
‘Maar hij wist niet dat hij een slachtoffer zou worden?’
‘Nee, dat hoorde niet bij het plan. Als hij een slachtoffer geworden is.’
‘Werd Lefvander gechanteerd?’
‘Kan. En daarna probeerde hij misschien hetzelfde te doen.’
‘Het laatste wat hij heeft gedaan is de film bekijken,’ zei Ringmar. ‘Hij keek naar de groep op het grasveld. Naar de jongen.’
‘Mårten wist niet dat we zo snel daarna bij hem thuis zouden komen,’ zei Winter.
‘Dat wist niemand.’
‘Hij is naar het Guldhedsplein gegaan.’
‘Hoe kun je een volwassen man uit zijn auto trekken?’
‘Hij ging vrijwillig mee,’ zei Winter.

Ze kwamen in de vergaderkamer bij elkaar.
‘Welkom thuis,’ zei Djanali tegen Winter.
‘Ik wist niet eens dat je weg was,’ zei Halders.
‘Ik ook niet,’ zei Winter.
‘Het kan dus iets met Marconi zijn,’ zei Halders. ‘Ik wist het.’
‘De Marconihal,’ zei Winter. ‘Of eerder het Marconiplein.’
‘Voormalig.’
‘Het is hier begonnen, denk ik.’
‘Ja.’
‘We moeten dat bevestigd krijgen.’
‘Wat?’ vroeg Hoffner.
‘Dat de slachtoffers zich bezighielden met een activiteit op het Marconiplein, een jongerenactiviteit, vrijwilligerswerk, ik weet het niet. Het heeft allemaal met elkaar te maken.’
‘Is er iets op het Marconiplein gebeurd?’
‘Misschien,’ zei Winter, ‘maar het gaat in elk geval om dezelfde groep. Ik denk dat ze ergens naartoe zijn gegaan en dat het daar ge-

beurd is. Maar het is op het Marconiplein begonnen. Alles is op het Marconiplein begonnen. Daarom komt hij daar keer op keer terug.'

'Die theorie moeten we ook bevestigd krijgen,' zei Halders. 'Wat we niet bevestigd hoeven te krijgen is dat er veel harde gevechten met Proletärens IF op het Marconiplein hebben plaatsgevonden.'

'We weten het, Fredrik,' zei Djanali.

'Hoe loopt het langs de deuren gaan?' vroeg Ringmar.

'We hebben het teruggebracht tot een twintigtal appartementen waar niet opengedaan is en die we niet gelokaliseerd hebben. Alleenstaande mannen rond de dertig dus, in de Mandolingatan en de Fagottgatan. Daar komt de Dragspelsgatan nog bij, daar zijn we nog niet klaar. Het is een verdomd grote hoeveelheid flats,' zei Halders.

'En het Marconi Park,' vroeg Winter. 'De nieuwe wijk. Hoe is het daarmee?'

'Daar zijn we nog niet geweest, baas. Dat is te *up market*. We dachten dat we in de achterbuurt moesten beginnen.'

'Waarom?' vroeg Hoffner.

'Je begint altijd in de achterbuurt, vrouwtje. Negen van de tien keer hoef je daar nooit meer weg.'

'Dit is de tiende keer,' zei Winter.

'Als jij het zegt.'

'Je kunt me geen vrouwtje noemen,' zei Hoffner.

'Nee, je bent behoorlijk lang,' zei Halders.

'De dader heeft geld,' zei Ringmar.

'O ja?' zei Halders.

'Dat denken we,' zei Winter. 'Hij heeft Lefvander gechanteerd.'

'Dat is in elk geval een theorie,' zei Ringmar.

'Marconi Park, *here we come*,' zei Halders.

'Daar zijn niet zoveel appartementen.'

'En Heden here we come,' ging Halders verder. 'Heb ik verteld dat Grova BK overmorgen de eerste wedstrijd van het toernooi speelt?'

'Niet tegen ons,' zei Winter.

'18.30, veld vier, het wordt een fantastische sportavond. Het tactische plan neem ik mee naar het veld.'

38

Peter Mark zat tegenover Winter in zijn kantoor. Het raam dat uitkeek op het Fattighuskanaal stond open. Vogels zongen om het hardst.

'We ontmoeten elkaar opnieuw,' zei Mark. 'Jullie zijn toch niet van plan om me weer vast te zetten?'

'Niet langer dan de vorige keer,' zei Winter.

'Ha ha.'

'Ken je Mårten Lefvander?' vroeg Winter.

'Wie?'

'Mårten Lefvander.'

'Wie is dat?'

'Ik ben degene die de vragen stelt.'

Mark zweeg en draaide zich naar het raam en de vogels, alsof hij zich afvroeg welke soorten het waren. Winter kon hem daar niet mee helpen.

'Word je bedreigd?' vroeg Winter.

'Sorry?'

'Word je bedreigd door iemand?'

'Waarom zou ik bedreigd worden?'

'Je weet te veel over wat er in deze zaak is gebeurd. Moet ik je nog een keer uitleggen over welke zaak ik het heb?'

Mark bleef zwijgen, Winter zag dat hij probeerde te bedenken hoe hij aan de situatie kon ontsnappen.

'Er zijn geen tussenoplossingen,' zei Winter. 'Je bent door iemand bedreigd of je bent niet bedreigd. Mårten Lefvander. Die naam is eenvoudiger te onthouden dan Sture Karlsson.'

Mark leek zijn kansen te overdenken. Overdenk je verplichtingen, dacht Winter, en hij dacht vervolgens zelf aan de fietsrace door het nachtelijke Stockholm. Het voelde alsof dat in een andere incarnatie was geweest. Het melkzuur dat als gesmolten lood door zijn lichaam was gepompt, de misselijkheid die in zijn keel naar boven was gekropen toen hij als bezeten over de Strandvägen had getrapt, zijn gevecht, zijn huzarenstukje.

De beloning daarvoor zou hij nu krijgen.

'Waarmee heeft hij je in de tang, Peter?'

'Ik heb niets gedaan,' zei Mark.

'Wat bedoel je?'

'Ik heb niets gedaan,' herhaalde Mark.

'Waar ken je Mårten Lefvander van?'

'Ik ken hem niet.'

'Wanneer heb je hem voor het laatst gezien?'

'Wat is er met hem?' vroeg Mark. 'Waarom vraag je de hele tijd naar Lefvander?'

'Wanneer heb je hem voor het laatst gezien?' herhaalde Winter.

'Is er iets met hem gebeurd?' Er was een nieuw licht in Marks ogen ontvlamd. Winter herkende het. Het was de vlam van de hoop. 'Is hij... is hij...?' Mark onderbrak zichzelf.

'Of hij dood is?' vroeg Winter. 'Misschien wel.'

'Ik heb het niet gedaan!' zei Mark.

Zag hij er blij uit? Hij zag er in elk geval opgelucht uit.

'Zou jij het geweest kunnen zijn?'

'Nee, nee, nee.'

Hij zag er niet vertwijfeld uit.

'Wanneer heb je Mårten Lefvander voor het laatst gezien?'

'Ik kan niet... precies zeggen welke dag dat was.'

'Was dat voor of nadat Jonatan was vermoord?'

Mark zei iets wat Winter niet verstond.

'Wat zei je?'

'Erna,' zei Mark. Hij keek nu naar de tafel, geen oogcontact meer, geen lach.

'Waarom zagen jullie elkaar?'

'Ik... wilde erachter komen wat hij wist.'

'Waarover?'

'Over wat er gebeurd was.'

'Wat wist hij?'

'Niets, zei hij.'

'Was het niet andersom?' vroeg Winter.
'Hoezo andersom?'
'Dat Lefvander contact met jou opnam omdat hij wilde weten wat jij wist.'
Mark gaf geen antwoord.
'Waarom zou hij trouwens iets weten?' vroeg Winter.
Mark mompelde iets.
'Kun je je antwoord herhalen?' vroeg Winter.
'Hij was erbij,' zei Mark.
'Waarbij?'
'Het voetbalteam.'
'Het voetbalteam? Wat voor voetbalteam?'
'Dat was de... activiteit die ze deden. Op het Marconiplein.'
'Wat was dat voor activiteit?'
'De naam zegt het al. Voetbaltraining. Ze gaven de kinderen uit de buurt één keer per week voetbaltraining, of misschien was het twee keer. Dat weet ik niet meer.'
'Wanneer was dat?'
'Lang geleden. Twintig jaar geleden.'
'Hoe lang duurde het?'
'Niet lang. Een paar maanden misschien. Het was in het voorjaar, dat weet ik nog.'
'Waarom stopte het?'
'Dat weet ik niet. Ik zweer dat ik dat niet weet.'
'Waarom begon het?'
'Le... Lefvander,' zei Mark.
'Begon Mårten Lefvander met de activiteit?'
'Ik geloof het wel.'
'Waarom deed hij dat?'
'Hij... er was iemand bij die hij op weg wilde helpen.'
'Op weg wilde helpen?'
'Het was gewoon leuk om te doen... de jeugd trainen. Gewoon leuk om te doen.' Hij zweeg en keek naar Winter. 'En Jonatan wist toen al dat hij gymleraar wilde worden.' Mark barstte in huilen uit.
Winter wachtte een minuut. 'Wie is Lefvanders familielid?'
'Ik weet het niet. Ik zweer het.'
'Je zweert te veel,' zei Winter.

'Het was een van de jongens. Ze waren allemaal een jaar of tien, ik weet niet hoeveel het er waren. Ik heb hem nooit gezien. Ik weet niet wie het was.'

'Hoe weet je dat het een familielid was?'

'Dat zei iemand.'

'Wie dan?'

'Ik weet het niet.'

'Wie waren er nog meer bij?'

'Ik ken er niet meer. Niet meer dan... je weet wel.'

'Hoorde jij bij de groep?'

'Nee, nee.'

'Wilde je erbij horen?'

Mark keek weer naar Winter. Hij had nog steeds glanzende ogen. Het waren echte tranen geweest. 'Ja,' zei hij. 'Maar nu ben ik blij dat dat niet gebeurd is.'

'Hoe geloofwaardig is hij?' zei Ringmar. 'Hij kan een gek zijn. Of nog erger.'

'We treden naar buiten met info over het voetbalteam,' zei Winter. 'Iemand kan meer weten, misschien een ouder van een kind dat erbij was.'

'In Frölunda?'

'Het dondert niet waar!'

'Kalm aan.'

'Ik ben kalm. Ik ben kalmer dan ik in mijn hele leven ben geweest.'

'Heb je nog wel een hartslag?'

Ze stonden voor het politiebureau. Winter voelde de zon op zijn hoofd schijnen. Het was halverwege mei en het regende in Marbella terwijl het vierentwintig graden in Göteborg was, alles was in de war. Hij had vannacht met Angela gepraat toen hij thuiskwam. Hij had gezegd dat hij voelde dat de pillen werkten. 'Je moet niet liegen,' zei ze, maar hij had niet gelogen. Hij had geen whisky gedronken, dokter Andersson had gezegd dat je voorzichtig moest zijn met het combineren van Venlafaxine en Glenfarclas en hij had dat geloofd, ook al was hij niet overtuigd van de kennis van de dokter over Glenfarclas.

'Mijn hartslag schiet omhoog als ik aan Lefvanders stamboom denk,' zei Winter.

'Ik ga nu naar het huis van zijn ex-vrouw,' zei Ringmar.
'Doe voorzichtig,' zei Winter.
'Wat bedoel je daarmee?'
Winter gaf geen antwoord.
'Ik ben een volwassen man,' zei Ringmar.
'Wat wil je daar in vredesnaam mee zeggen?' vroeg Winter.
'Bemoei je met je eigen zaken.'
'Dat probeer ik te doen.'
'Waar gaat die Mark nu naartoe?' vroeg Ringmar.
'Naar huis, denk ik.'
'Moet hij bang zijn?'
'Alleen voor zichzelf,' zei Winter.
'Waarom heeft hij ons dit nu pas verteld?'
'Hij hoopte dat Lefvander vermoord zou worden.'
'Dat is hij misschien ook,' zei Ringmar.
'Dat is te eenvoudig,' zei Winter. 'Het is te vroeg.'
'Dan kunnen we nog steeds een leven redden,' zei Ringmar. 'En we moeten een ernstig gesprek met Gustav hebben. Dat doe ik vanmiddag.'

Amanda Bersér opende de deur voordat Ringmar kon aanbellen.
'Gustav is op school,' zei ze.
'Ik weet het. Ik praat over een paar uur met hem.'
'Waar?'
'Hier, als dat mag.'
'Waarom wil je hem opnieuw verhoren?'
'Dat gaat altijd zo,' zei hij. 'Je kunt niet alles in één keer afhandelen.'
Ze keek om zich heen in de hal, alsof ze keek of ze plaats voor hem had in haar woning. In haar leven.
'Wil je iets drinken?' vroeg ze.
'Nee, dank je.'
'Je klonk gestrest toen je belde.'
'Kunnen we gaan zitten?'
'Wat is er gebeurd?'
'Kunnen we gaan zitten, Amanda?'
Ze liep voor hem uit naar de bank en ze gingen zitten.
'Mårten is verdwenen,' zei Ringmar.

Ze sloeg haar hand voor haar mond.

'Dat heeft te maken met alle andere gebeurtenissen,' zei Ringmar.

'Maar... wie...'

'Wie erachter zit? Dat proberen we uit te zoeken.'

'Mårten,' zei ze. 'Wat heeft hij gedaan?'

'Hij kende Jonatan,' zei Ringmar. 'Van vroeger. Dat heb je me niet verteld.'

'Van vroeger? Ik begrijp het niet.'

'Wat begrijp je niet?'

'Je klinkt boos, Bertil.'

'Sorry, dat is niet de bedoeling.'

'Jonatan en Mårten kenden elkaar van lang geleden... maar ik... het was niet belangrijk, dacht ik.'

'Niet belangrijk?'

'Nee.'

'Weet je hoe ze elkaar kenden?'

'Nee.' Ze boog zich naar voren, alsof ze hem wilde aanraken. 'Ik heb het niet gevraagd... daar praat je niet over met je man. Over je ex-man.'

'Je had er met mij over kunnen praten,' zei Ringmar.

'Wat... wat had ik moeten zeggen?'

Ringmar stond op het punt om zijn hand op die van haar te leggen. Hij hield zich in.

'Ik wil dat je me over Mårtens familie vertelt,' zei hij.

Winter en Halders reden over de Dag Hammarskjöldsleden en sloegen af bij Marconi-motet.

'Signori Marconi,' zei Halders. 'Wie was hij eigenlijk?'

'Een uitvinder,' zei Winter.

'Ja, dat weet ik, hij was een uitvinder. En een radiogek.'

'Ik geloof dat hij de uitvinder van de radio wordt genoemd.'

'Wanneer leefde hij eigenlijk?'

'Ik weet dat hij in Rome gestorven is, ergens in de jaren dertig, voor de oorlog.'

'Je zou ook kunnen geloven dat hij in Järnbrott gestorven is,' zei Halders. 'Alle straten en pleinen daar hebben met radio en uitzendingen te maken. Daar heb je het bordje van het Radioplein bijvoorbeeld. En hier is de Antennegatan zelfs.'

'Hij heeft de Nobelprijs voor de Natuurkunde gekregen,' zei Winter.

'De eerste en enige van Järnbrott,' zei Halders.

'Zijn moeder is afkomstig uit de Ierlandse whiskyfamilie Jameson,' zei Winter.

'Aha, daarom weet je zoveel over die vent.'

Ze reden naar het Frölundaplein. De woningen in de Mandolingatan glansden roodgoud.

'Daar hebben we de Marconihal,' zei Winter en hij sloeg af.

Ze parkeerden voor de ijshal. Er werd volop gewerkt, woningen werden gebouwd, materiaal werd getransporteerd, de lucht was gevuld met stof en het kabaal van pneumatische boren. Winter voelde het warme stof in zijn neusgaten, het gedreun tussen zijn oren. Halders zei iets, maakte een gebaar naar zijn oren, had het blijkbaar over oorbeschermers. Misschien moet ik in mijn volgende incarnatie gebarentaal leren, dacht Winter. Dat. Lijkt. Moeilijk. Te. Begrijpen.

Zijn mobieltje ging. Hij voelde de vibraties in zijn borstzak, maar hoorde hem niet overgaan. Het was Torsten Öberg van de technische recherche.

Öberg zei iets wat Winter niet kon verstaan.

Hij ging terug naar zijn auto, ging zitten en deed het portier dicht.

'We hebben mooie schoenafdrukken in Lefvanders auto gevonden,' herhaalde Öberg.

'Mooi.'

'Het is Lefvander dus niet.'

'Nee, dat begrijp ik.'

'Shomi bekijkt op dit moment Lefvanders harddisk' zei Öberg. 'Hij denkt dat we een deel van de gewiste berichten terug kunnen halen.'

'Dat zou fantastisch zijn.'

'Waar ben je nu?'

'Marconi Park.'

'Gaan jullie ergens naar binnen?'

'Maak je geen zorgen, Torsten.'

'Bel me meteen als jullie naar binnen gaan. Ik sta klaar. Blijf buiten als jullie dat kunnen.'

'Je klinkt opgewonden.'
'Dat is Shomi. Hij praat tegen zichzelf.'
Ze hingen op.
Halders wachtte voor de hal. Ze gingen naar binnen. Het was er koel, de lucht was droog, maar op een prettige manier. Het seizoen was afgelopen, dus was het ijs verdwenen. Er was niemand binnen.
'Had je dat verwacht?' vroeg Halders.
'Ja.'
'Hier is alles voorlopig voorbij.'
'Waarom wordt hij hiernaartoe getrokken?' zei Winter tegen zichzelf.
Halders was op weg naar buiten. 'Misschien observeert hij ons op dit moment,' zei hij toen ze buiten stonden.
'Daar gaat het om,' zei Winter. 'Het observeren, het zien. De slachtoffers keken uit op hun moordplekken.'
'Wat betekent dat?'
'Het heeft te maken met waaraan hij blootgesteld is.'
'Het is dus een onderdeel van zijn wraak?'
Winter gaf geen antwoord. Hij bekeek de omgeving, draaide zich langzaam om, probeerde het landschap te vangen, vast te houden, de gebouwen, de wegen, het beton, het glas, de heftrucks, de vrachtwagens, de bouwvakkers.
'Hij moet het vertellen,' zei Winter. 'Of Lefvander.'
'Lefvander heeft op dit moment een plastic zak over zijn hoofd.'
'Nee. Dan zou het geen zin hebben om hem te ontvoeren.'
'Dat is jouw theorie.'
'Wat is die van jou, Fredrik?'
'Hij wachtte met Lefvander omdat hij wilde dat hij het zou weten voordat hij stierf. Lefvander was de ergste.'
'Dat sluit niet uit wat ik zeg.'
'Niets sluit ooit uit wat jij zegt, Erik.'
'Dat is niet zo belangrijk meer voor me,' zei Winter.
'Natuurlijk. Laten we naar Marconi Park gaan.'
Ze liepen de honderd meter naar de nieuwe woonwijk, gebouw 1 tot gebouw 5, doffe stenen, gebouwen die gebukt gingen onder de excessen van het oude Miljoenenprogramma, 'een veilige oase op loopafstand van groenvoorzieningen, winkelcentra, openbaar ver-

voer en de zee,' had hij op de site van NCC gelezen. Het klonk als het paradijs, beter dan zijn huidige woning aan het Vasaplein. De prijs was zo'n drie miljoen voor een tweekamerflat, hij wist niet of dat goedkoop of duur was.

Er speelden geen kinderen op de speeltoestellen op de binnenplaats. Ze zagen niemand.

'Hij kan ons op dit moment observeren. Hij heeft jou gezien en hij heeft mij gezien.'

'Hij is niet thuis,' zei Winter.

'Hij kan hier wonen,' zei Halders terwijl hij om zich heen keek.

Winter haalde een vel papier uit de binnenzak van zijn colbert. Het was een lijst.

'We beginnen met 1A,' zei hij terwijl hij wees.

Ze hoorden de voordeur opengaan. Ringmar keek naar Amanda Bersér, die vragend terugkeek. Ze hoorden het geluid van een rugzak die op de halvloer werd gegooid.

'Is Gustav al uit school?' vroeg hij.

'Blijkbaar,' zei ze terwijl ze ging staan. 'Is er iets gebeurd?'

Ringmar kwam overeind en liep de hal in. De deur naar het trappenhuis was nog open. Gustav stond in de hal. De jongen zag Ringmar, draaide zich om en stormde het appartement uit, Ringmar hoorde hem de trappen afrennen, een weerzinwekkende echo, hij had zich nog niet bewogen.

'Wat gebeurt er?!'

Hij hoorde haar stem achter zich, maar op dat moment rende hij zelf de trappen af, als een tiener, hoe lang zou het duren, hij had hiervoor een uur moeten stretchen, wie had dit verdomme kunnen voorzien, hij was nu uit het flatgebouw, keek naar links, keek naar rechts, Gustav rende over het parkeerterrein, door de Toltorpsgatan, Ringmar begon weer te rennen, dit is mijn leven, dacht hij, dit is zijn leven.

Ze renden over een schoolplein, gingen verder in oostelijke richting, naar het ziekenhuis, Ringmar rende niet zo ver achter hem, hij zag dat Gustav maar één schoen aanhad, hij moest één schoen in de hal uitgeschopt hebben en de andere nog niet voordat het monster opdook.

De jongen liep mank, hij had zich bezeerd, het knarste onder Ringmars schoenen, glas en grind en allerlei troep, oude hondenpoep zo hard als steen, Ringmar was nu dichterbij, hij kon nog steeds rennen, zijn kuiten spanden maar zijn spieren redden het, Gustav was bijna bij de uitbouw van het ziekenhuis, hinkte nu als een gewonde hond door de Häradsgatan, jezus, het was dáár, het is híér, Jonatan Berséers lichaam had in de schaduw van de warmtecentrale gelegen, tegenover de oude personeelswoningen, wist de jongen dat? Ringmar was de straat overgestoken, Gustav was bij de stenen muur blijven staan, hij kwam er niet overheen, onderdoor, langs. Hij liet zich op zijn knieën vallen. Ringmar zag bloed op zijn rechtersok.

'Raak me niet aan!'

'Ik wil je geen kwaad doen, Gustav.'

'Laat me met rust!'

Ringmar ging op zijn hurken op het smerige asfalt zitten. Hij was vlak bij de jongen, maar raakte hem niet aan. Er zat geen verf op Gustavs jack. Het zag er nieuw uit. Het gebeurt nú, dacht Ringmar, het gebeurt híér. Daarom is hij plotseling zo bang voor me.

'Wie heb je ontmoet toen je voor ons gevlucht was?' vroeg Ringmar zo voorzichtig mogelijk.

Gustav keek naar hem. Er lag nog steeds paniek in zijn ogen, maar het was een ander soort paniek, alsof een nachtmerrie zijn wakkere leven was binnengestormd.

'Hij zei dat hij iedereen zou vermoorden,' zei hij met een eigenaardige stem, alsof hij vanuit een droom vertelde. 'Iedereen moest dood om wat ze met hem hadden gedaan.'

'Wat hadden ze met hem gedaan, Gustav?'

De jongen gaf geen antwoord. Hij had de sok uitgetrokken, keek naar zijn voet, drie tenen bloedden. Hij keek naar de hemel. Hij zou geen antwoord geven op de vraag, nog niet.

'Waar is hij nu?' vroeg Ringmar.

'Dat weet ik niet.'

'Hoe heet hij?'

'Marcus.'

'Marcus. En verder?'

'Dat herinner ik me niet.'

'Ben je bij hem thuis geweest?'

'Nee.'
'Waar waren jullie dan?'
'We hebben rondgereden in zijn auto.'
'Waar dan?'
'Overal.'
'Zijn jullie bij de zee geweest?'
'Ik weet het niet. Misschien. Ik was bang.'
'Ik begrijp dat je bang was,' zei Ringmar. 'Maar je hoeft niet meer bang te zijn.'
Gustav gaf geen antwoord. Hij keek om zich heen, alsof hij alles voor de eerste keer zag, alsof hij niet wist hoe hij hier terechtgekomen was.
'Kun je je herinneren of jullie op een strand geweest zijn?'
'We... ik weet nog dat we over de brug reden.'
'De brug? Welke brug?'
'Dat weet ik niet.'
'De Älvsborgsbrug?'
'Ja... die brug.'
'Waar reden jullie naartoe?'
'Hisingen...'
'Waar op Hisingen?'
'De zee...'
'Welke zee? Welk strand?'
'Ik weet het niet. Ik ben daar nog nooit geweest.'
Gustavs hoofd begon naar de grond te zakken. Hij kon het niet meer verdragen, niet nu, niet hier. Ringmar moest stoppen. Een laatste vraag.
'Wat wilde hij van je, Gustav?'
'Hij zei dat hij me zou redden. Hij zei dat hij de enige was die me kon redden.'

0

Hij had gezien dat de jongen het gebouw verliet en naar de halte liep om op de bus te wachten. De jongen stapte in de auto toen hij het portier aan de passagierskant opende, hij herkende de auto, hij was er niet verbaasd over dat híj degene was die reed.

Ze waren naar de zee gereden. De jongen was uitgeput, alsof hij nooit had geslapen.

Hij had mogen slapen, slapen. Dromen, dromen.

'Het is niets om je voor te schamen,' had hij gezegd toen de jongen wakker was geworden, voordat hij weer in slaap viel. Dat is er met me gebeurd. Ik schaam me er niet voor.

Hij zei niet dat hij zich jarenlang had geschaamd, dat hij had gedacht dat hij slecht was, maar de jongen begreep dat hij nooit slecht was geweest.

'Je mag zo lang blijven als je wilt. Ik heb een radio. We kunnen naar de radio luisteren.'

De jongen had het gevoel gehad dat hij nergens naartoe kon.

Hier dreigde geen gevaar.

Een andere keer zouden ze kunnen voetballen in Ruddalen. 'Dat doen we een andere keer,' had hij gezegd. 'Waarom ben je niet bij een club? Dat had ik graag gewild, maar dat is er nooit van gekomen.'

Hij had de jongen bij het benzinestation uit de auto laten stappen, dat was het beste voor iedereen.

Hij moest zijn plan volgen.

Dat mocht nu niet mislukken.

Het was het laatste wat hij zou doen, daarna zou hij vrij zijn. Dan zou hij slapen, slapen.

39

Mårten Lefvander hoorde de zeemeeuwen krijsen. Hij kon de blauwe hemel door het raam zien vanaf zijn plek op de vloer, waar hij met zijn armen vastgebonden aan zijn benen in een oncomfortabele houding lag.

Toch was hij hier vrijwillig naar binnen gegaan. Marcus was groot en sterk geworden, had hem overmeesterd toen hij zijn rug naar hem toe had gedraaid.

De meeuwen vlogen over de baai alsof de wereld van hen was. Ze hadden het strand voor zichzelf, het zwemseizoen was nog niet begonnen. Hij wilde dat het was begonnen. Dat had hem kunnen redden.

Hij lag op zijn zij en kon zich nauwelijks bewegen. Zijn lichaam begon overal pijn te doen. Ik verdien dit niet, dacht hij. Ik was het niet. Ik heb niets gedaan.

Hij hoorde voetstappen, iemand kwam dichterbij, het was Marcus. Hij zag iets vanuit zijn ooghoeken, wat was het? Het glansde als zilver, alsof de zon erop scheen. Hij deed zijn ogen dicht, ik ben bewusteloos, dacht hij, er gebeurt niets als ik hier niet ben.

'Hoor je me, Mårten?'

Hij gaf geen antwoord, hij was weg, zo ver weg als maar mogelijk was, aan de andere kant van het water, helemaal in Guldleden, Johanneberg, een vrij man.

'Ik weet dat je me hoort,' zei Marcus. 'Ik wil dat je naar me luistert.'

Lefvander deed zijn ogen open.

'Ik ben teruggegaan naar het voetbalveld.'

'Dat...'

'Stil!' onderbrak Marcus hem. 'Luister naar me!'

Lefvander probeerde te luisteren.

'Het was de laatste keer,' zei Marcus. 'Het gebeurt niet meer.'

Lefvander luisterde, luisterde.

'Jij was degene die me daar de eerste keer mee naartoe heeft genomen.' Zijn stem klonk weer kalm. 'Dat was jij.'

Er bewoog iets bij Lefvanders rug.

'En je hebt me ook hier mee naartoe genomen.'

Hij voelde weer iets in zijn rug, maar licht, iets lichts.

'Nu heb ik jou hier mee naartoe genomen.'

'Ik kan... je niet zien,' zei Lefvander.

'Ik ben hier.'

'Marcus, we... we kunnen hier nu mee stoppen. Je kunt niet meer doen.'

Hij kreeg geen antwoord. Dat maakte hem doodsbang. Hij was eerder bang geweest, maar dit was een andere angst, koud als de vloer waarop hij lag. De noordenwind gleed over de vloer. De deur naar het strand stond open.

'Ik heb je met het appartement geholpen,' zei hij. Hij hoorde zelf hoe armzalig het klonk.

'Te laat.'

'Het is nooit te laat, Marcus!'

'Te laat voor alles. Dat is het.'

'Ik kan je nog steeds helpen!'

'Je hebt me nooit geholpen, oom Mårten.'

'Ik kan je helpen!'

'Zoals je me die keer hebt geholpen, toen we hier waren?'

'Ik kon niet... ik wist niet...'

'Toen we híér waren.'

De stem echode in de lege ruimte, overstemde de zeemeeuwen, de wind, de branding.

'Ik ben hier nog één keer terug geweest,' zei Marcus. 'Pasgeleden.'

Marcus Glad. Hij had hetzelfde gezicht als toen, hetzelfde haar, maar hij was veel langer, veel sterker. 'Ik wist niet dat het gebouw er nog stond.'

'Ik ook niet,' zei Lefvander.

'Houd je kop!'

Er glansde weer iets in zijn ooghoeken, Lefvander voelde dat hij al snel in zijn broek zou plassen, of nog erger, maar toch kon hij zijn mond niet houden.

'Ik wist het niet,' zei hij met een zachte stem.
'Wat wist je niet?'
'Wat er gebeurde.'
'Ze zochten me! Ik rende weg! Ze kregen me bij het strand te pakken en zeiden dat ze me zouden verdrinken en me naar boven zouden dragen en me weer te pakken zouden nemen. Ze hebben me verkracht! Allemaal! Jij was er! En daarna moest ik...'
'Ik heb niets gedaan,' zei Lefvander.
'Houd je kop. Degenen die niets hebben gedaan, hebben het ook gedaan.'
'Ik niet...'
'Houd je kop,' onderbrak Marcus hem weer, zijn stem was nu kalmer. 'Iedereen heeft net zoveel schuld. Iedereen krijgt zijn straf.'
Lefvander zei niets.
'Jij krijgt je straf ook,' zei Glad.
Het werd stil in de kamer. Lefvander dacht aan een enorme kerk, een kathedraal.
'Niet iedereen is er meer,' zei hij na een tijdje. 'Zij kunnen niet meer gestraft worden.'
'Wat? Wat bedoel je?'
'Een van hen was al dood toen je... begon.'
'Ja, dat heb ik gedaan,' zei Glad.
'Wat heb je gedaan? Wat bedoel je?'
'Dat is niet belangrijk voor jou,' zei Glad.
'Is dat wat je je herinnert?' vroeg Lefvander. 'Is wat je over die avond vertelt datgene wat je je herinnert?'
Glad gaf geen antwoord.
'Wat herinner je je, Marcus?'
'Dat heb ik uitgelegd. Toen ik je vertelde wat ik zou doen.'
'Je hebt het nooit uitgelegd.'
'Niet zoals jij dat wilt, misschien, maar dat heeft geen zin.'
'Ik wist het niet,' zei Lefvander. 'Ik zweer je dat ik niet wist wat ze met je van plan waren.'
'Iedereen wist het.'
'Nee, Marcus.'
'Iedereen wist wat er gebeurd was. De volgende ochtend.'
'Het spijt me.'

'Nu heb ik het gezegd. Ik wilde het al zo lang zeggen.'
'Het spijt me, Marcus.'
'Het spijt iedereen.'
'Niemand heeft voorzien dat het zo zou lopen.'
'Ze waren het vanaf het begín van plan geweest.'
De stem echode in de grote ruimte, kapot, vernietigd. Levensgevaarlijk, dacht Lefvander.
'Ik niet, Marcus. Dat weet je.'
'Je hebt gezwegen. Je hebt me niet geholpen.' Marcus bewoog achter hem. 'Kijk wat er van me geworden is,' hoorde hij. 'Kijk wat er gebeurd is.'
Het was even stil. Daarna begon Marcus weer te praten. 'We mochten hier gratis slapen als we het gebouw schilderden,' ging hij verder. 'Denk je dat ik me dat niet herinner? We zouden schilderen en zwemmen en voetballen.'
'Schilderen,' zei Lefvander. 'Dat herinner ik me niet.'
'Er kwam niet veel van schilderen terecht, of wel soms? Ik moest later schilderen. Ik besloot om letters te schilderen. Ik wilde de geur van verf ruiken.'
Hij bewoog achter hem, haalde zwaar adem, alsof hij begon te hyperventileren.
'Waar blijven ze? Waar blíjven ze?'
'Wie bedoel je, Marcus?'
'Ik heb het ze laten zien. Waarom komen ze niet?'
'Bedoel je de politie?'
'Je zult hier zijn als ze komen,' zei de jongen. 'Je zult hier op ze wachten.'
Er bewoog weer iets achter hem, hij voelde iets in zijn rug, alsof het touw kapotgesneden werd, alsof hij bevrijd werd, zijn armen en benen weer kon bewegen, naar buiten kon rennen, hiervandaan vluchten, nooit meer terugkomen, het zich nooit meer zou herinneren. Hij voelde het alsof hij wegdreef, alsof hij op een vlot op weg naar de open zee was.
'Terwijl ik alleen wilde zwemmen,' hoorde hij Marcus zeggen, of misschien was het iemand anders, het klonk als een andere stem. 'We kwamen hier om te zwemmen. Ik wilde gewoon zwemmen, dat was het enige wat ik wilde.'

Zwem maar, dacht Lefvander, je kunt deze keer zwemmen, je kunt deze keer doen wat je wilt.

40

Winter en Halders bleven voor Marconi Park nummer 5 staan. Twee kinderen die uit nummer 3 waren gekomen, begonnen te schommelen op de binnenplaats. Een vrouw hield ze in de gaten vanaf een balkon op de tweede verdieping. Ze hield de twee mannen in de schaduw voor het portiek ook in de gaten.

'Oké, vier alleenstaanden voor zover we weten, drie zijn niet thuis, de vierde wist van niets en was te oud,' zei Halders.

'Zoals jij en ik ongeveer,' zei Winter terwijl hij weer op de lijst keek.

'Zoals jij en ik, partner.'

Ze hadden aangebeld bij de drie overige alleenstaande eigenaren van de appartementen, allemaal mannen: Claes Bergtorff, Marcus Glad, Jonas Strömberg.

Winters mobieltje piepte. Hij las de korte sms.

'Kun je Torsten voor me bellen, Fredrik? Ik wil mijn telefoon vrijhouden.'

'Ik sta altijd tot je beschikking, baas,' zei Halders. Hij toetste het nummer van de technisch recherche in en gaf zijn mobieltje aan Winter.

'Ja, Torsten? Heb je iets?'

'Shomi heeft een paar e-mailadressen gevonden,' zei Öberg.

'Oké, ik luister.'

'Waar ben je trouwens?'

'Nog steeds in Marconi Park.'

'De ene is mark14@telia.se, de andere is glad@gmail.com.'

Winter keek weer naar zijn lijst. Marcus Glad, portiek 1A, tweede verdieping, ze hadden voor de deur gestaan, hadden aangebeld, geklopt.

'Heb je daar iets aan?' vroeg Öberg.

'Heel veel, ik moet Shomi persoonlijk bedanken als ik hem zie.'

'Mark is waarschijnlijk die Peter Mark.'
'Dat denk ik ook. En de ander woont hier.'

Ze hadden hun wapens getrokken toen ze het appartement binnengingen, uiterst alert, een kogel in de loop, de haan gespannen. Glanzende wapens, buiten in de zon hadden ze geschitterd als zwart vuur.
Halders maakte een beweging met zijn hoofd, ging naar links, de keuken in, Winter bleef door de korte gang lopen. Rechts was de slaapkamer, het bed was netjes opgemaakt, er stonden een klein bureau en een stoel die dienst leek te doen als nachtkastje. Winter liep door, hij hoorde zijn collega achter zich.
'Zie je de dozen?' vroeg Halders.
Winter zag ze, drie of vier, niet gebruikt. Geen letters. De taartdozen stonden op de parketvloer in de grote kamer voor hem, een bank rechts, een flatscreentelevisie, een tafel, een vloerlamp. Dat was alles. Kranten lagen uitgespreid op de vloer, er zaten zwarte verfvlekken op. De kwast stond in een glazen pot met terpentine, de geur hing in de kamer.
'Hier zijn de letters geschilderd,' zei Halders.
Door het raam kon Winter de Marconihal zien, de tramlijn van en naar het Frölundaplein, de struiken bij het cultureel centrum waar Robert Halls lichaam op hen had liggen wachten.
'Nu moeten we alleen die klootzak nog vinden,' zei Halders.
'Lefvanders auto,' zei Winter.
'Wat?'
'Waarom heeft hij Lefvanders auto achtergelaten? Was het niet gemakkelijker geweest om met zijn auto weg te rijden?'
'We hebben de letter gevonden. Lefvanders letter.'
'Hij wil het ons laten zien. Daar gaat het allemaal om. Hij wacht op ons, Fredrik, hij wacht nog steeds, op dit moment.'
'Wat heeft dat met de auto te maken?'
'Daar ligt iets in waardoor duidelijk wordt waar hij is,' zei Winter.
'Als jij het zegt.'
'We hebben hem tenslotte. Ik ga naar het politiebureau.'
'Ik zet je af. Daarna ga ik een praatje met onze vriend Peter Mark maken. Misschien weet hij het.'
'Goed idee.'

Ze liepen naar de auto. Die was bedekt met pollen en een laag stof. Halders begon te niezen.

'Mijn enige zwakte,' zei hij.

Er lag een Gouden Gids in het dashboardkastje van Lefvanders BMW, dat was alles.

'Hij heeft de rest eruit gehaald,' zei Winter terwijl hij voorzichtig begon te bladeren.

'Dan is dat onze aanwijzing,' zei Torsten Öberg.

'Er moet meer zijn,' zei Winter.

'Achtenzestig kaarten,' zei Öberg. 'Dat is geen aanwijzing, dat is een belediging, opnieuw.'

'Er moet meer zijn,' herhaalde Winter.

Hij sloeg een paar pagina's om, voelde iets onder zijn vingers, bladerde naar de pagina met de overzichtskaart, er was een afbeelding op vastgeplakt, zwart-wit, dun, gekopieerd van een foto. Winter zag een strand, rotsen, een gebouw, in zee was een eiland te zien, er leek een berg stenen op het eiland te liggen, maar dat kon de kopie zijn, het zwart vloeide over in het wit. Het was een waardeloze afbeelding.

'Aha,' zei Öberg.

'Daar is het,' zei Winter.

'Ik begrijp het.'

'Daar is hij op dit moment. Met Lefvander.'

'Een gebouw bij de zee,' zei Öberg. 'Hij maakt het ons niet gemakkelijk.'

Winter keek naar de afbeelding. Waar kon het in vredesnaam zijn? Het zou hem de rest van zijn leven kosten om dat gebouw en dat strand te vinden.

Ringmar was terug van het Jungfruplein. Hij had Gustav naar huis geholpen. De jongen had getrild van het huilen. Het was voorlopig genoeg. Ze moesten hem meer helpen dan hij hen moest helpen. Amanda Bersér had niets kunnen vertellen over Mårten Lefvanders familieleden. Daar was het te laat voor geweest toen Ringmar met haar zoon terugkwam.

'Het is Marcus Glad,' had Winter gezegd. 'Misschien een familielid. Ik heb een foto, die moet je bekijken.'

Ze zaten tegenover elkaar in Winters kantoor. De oude Panasonic op de vloer speelde Coltrane. Alles was zoals vroeger.

Ringmar keek naar de foto, het strand, de zee. Hij keek op. 'Wat een slechte foto.'

'Het is alles wat we hebben,' zei Winter.

'Misschien is het voldoende,' zei Ringmar terwijl hij er weer naar keek. 'Ik denk dat ik weet waar het is.'

'Wat zeg je?'

Ringmar hield het slappe vel papier omhoog en wees naar het eiland. 'Het lijkt op Torholmen. Ik herken de steenformatie, die is in elk geval bekend. Hij is heel speciaal. En het perspectief klopt.'

'Tokholmen?'

'Nee, Torholmen.'

'Waar is dat?'

'Lilleby,' zei Ringmar. 'Het Lilleby-zeebad, daar gingen we altijd naartoe toen Martin en Moa klein waren. Ik ben daar als jongen ook geweest.'

'Ik nog nooit,' zei Winter. Hij stond al op, klaar om te vertrekken.

'Nee, het is niet bedoeld voor de hogere stand.'

Ringmar reed over de Kongahällavägen en nam daarna de Lillebyvägen in noordelijke richting. 'Wat zullen we aantreffen?' vroeg hij.

'Ik weet het niet, Bertil.'

'Lefvander?'

'Waarschijnlijk.'

'Marcus Glad?'

'Als hij dat wil.'

'Waarom zou hij dat niet willen? Hij wilde dat we Torholmen zouden herkennen.'

Winter gaf geen antwoord. Ze reden door de groene, mooie meimaand. Ze zouden al snel weer bij elkaar zijn, dacht hij, mama, papa, de kinderen. Ze zouden zwemmen op hun eigen strand, hun eigen stenen in zee keilen, doen alsof er een huis op het niet-ontgonnen stuk grond stond, dat zouden ze allemaal doen.

Er was een oud cursuscentrum, achter de camping, herinnerde Ringmar zich. Hij wist niet of het nog in gebruik was. 'Voor zover ik weet was het van de Internationale vereniging van geheelonthouders

IOGT, maar het kon door iedereen gehuurd worden, neem ik aan.'
'Dan is het daar,' zei Winter.
'Ik denk niet dat we ernaartoe kunnen sluipen,' zei Ringmar. 'Het is een open plek.'
'We gaan niet sluipen,' zei Winter.
'Nee, maar we moeten voorzichtig zijn, of niet soms?'
'Daarom ben jij erbij, Bertil.'
Ringmar reed door Sävviken. Ze waren er bijna. 'Hoe hebben ze hun geheim zo lang kunnen bewaren?' vroeg hij.
'Gebrek aan empathie, neem ik aan.'
'Dat is een zegen, of niet soms?'
'Soms zou ik willen dat ik dat talent had,' zei Winter.
'Inderdaad. Om aan al het empathische afval dat door je hoofd stroomt te ontsnappen.'
'Mijn volgende incarnatie,' zei Winter.
'Dan wordt het nog erger,' zei Ringmar. 'Je oogst wat je in je vorige incarnatie hebt gezaaid.'
'Mensen die het aan empathie ontbreekt, of er maar heel weinig van hebben, missen ook het vermogen om over zichzelf te oordelen,' zei Winter. 'Een verstandig zelfbeeld is gebouwd op het vermogen om jezelf te zien vanuit het perspectief van iemand anders. En vanuit de overmacht van iemand anders.'
'Zo is het, kerel.'
'Het draait allemaal om empathie,' zei Winter.
'Hoewel het in ons werk vaak om gebrek aan empathie gaat,' zei Ringmar.
'Dan moeten jij en ik voor die empathie zorgen. Het klinkt als een cliché, maar het is waar.'
'Natuurlijk is het waar.'
'Ontbreekt het Marcus Glad aan empathie?' vroeg Winter.
'Dat moeten we hem vragen als het moment daarvoor gekomen is.'
Het moment kwam snel. Ze passeerden het lege parkeerterrein, dat verlaten onder de enorme blauwe hemel lag.
Ringmar reed in westelijke richting over een kronkelende, smalle weg die pasgeleden geasfalteerd leek te zijn. 'Daar is Torholmen,' zei hij terwijl hij naar de zee knikte.
Winter zag de rotsformaties, maar die leken helemaal niet op wat

hij op de foto had gezien. Niets hier leek op wat hij had gezien.
'Weet je zeker dat het hier is?' vroeg hij.
'Nee.'
Voor hen lag het gebouw, het cursuscentrum of wat het was geweest. Winter zag geen bord. Er stond geen auto.
Ze parkeerden en stapten uit. Winter hoorde de zeemeeuwen. De zee was vlakbij, achter een paar rotsen en een strook zand. De zon verdween langzaam uit Lilleby, beetje bij beetje. De schaduwen waren nog steeds kort.
'Hallo!' riep Winter. 'We zijn er!'
Ringmar keek hem aan.
'We worden verwacht, of niet soms?' zei Winter.
'Krijgen we antwoord?'
'Dat moeten we afwachten.'
'Ik ben niet van plan om hier te blijven wachten.'
'Ik ook niet,' zei Winter terwijl hij naar het gebouw begon te lopen. Het leek in de schaduw te liggen, er was geen begroeiing om het tegen de zon te beschermen. Dat was eigenaardig. De ramen waren zwart, alsof ze waren beschilderd met zwarte verf. De rode verf van het gebouw was donker. Het bestond uit twee verdiepingen.
De deur was open.
Ze liepen een grote ruimte in, er was geen hal.
Helemaal achter in de ruimte, naast een raam, lag iemand op zijn zij. Hij leek naar hen te kijken, hen te observeren. Winter had de Sigsauer in zijn hand, maar richtte hem niet op de man die op de vloer lag. Het was Mårten Lefvander.
Ringmar was al bij hem. Hij bukte zich, zocht in zijn hals naar zijn hartslag en keek op.
'Hij is bewusteloos.'
'Ik bel een ambulance,' zei Winter terwijl hij een sneltoets indrukte.
'Ik zie geen verwondingen,' zei Ringmar terwijl hij zich over het lichaam boog, naar de bewusteloze rug. Winter zag Bertil schrikken, terugdeinzen. 'Jezus, Erik.'
Winter liep ernaartoe, hoorde een stem, vertelde waar ze waren, wie hij was, dat er haast bij was, hij stond nu naast Bertil, hij zag het, hij voelde het bloed door zijn lichaam stromen, heen en terug, heen en terug, hij wilde het niet zien. Lefvanders rug was net een krater,

een open vat, Winter zag een stuk van de blootgelegde ruggengraat.

'Wat moeten we nu doen?' vroeg Ringmar.

'We moeten Glad zoeken,' zei Winter.

'Hij is hier niet, Erik.'

'Hij is hier ergens.'

'Bedoel je dat hij ons wil ontmoeten?'

'Ja.'

'Wil hij ons iets aandoen?'

'Niet als dat niet hoeft,' zei Winter.

'Heeft hij empathie?'

'Daar ben ik zeker van. Anders zou hij niet gedaan hebben wat hij gedaan heeft.'

'Ik snap er niets van,' zei Ringmar.

'Ik kan het niet uitleggen,' zei Winter. 'Ik wil het niet uitleggen.' Hij voelde zich boos, het overviel hem als een hagelbui uit een heldere hemel. 'Het is zinloos om het uit te leggen.'

41

De rotsen glansden als witgoud. Het strand was verlaten. De zee was kalm, alsof de winden naar een andere wereld waren verhuisd. Het wateroppervlak was een lege spiegel, een enorm vel zilverpapier dat was gespannen over iets wat ooit had geleefd. De zeemeeuwen waren verdwenen.

Winter draaide zich om. Ringmar stond bij de deur, een veilige schaduw. Hij zal er altijd zijn, dacht Winter. Het licht weerspiegelde in Bertils zonnebril.

Winter draaide zich naar de zee terug.

Op het water bewoog iets.

Iets kleins, als een steen die op het water dreef.

Een voetbal.

Een hoofd.

Het dreef af van Torholmen, naar het open water, twintig meter bij het eiland vandaan, dertig meter. Hij kon het nu door zijn zonnebril zien, alsof het er altijd was geweest.

Ringmar zag het ook. Hij stond nu naast Winter.

'Daar is hij,' zei Ringmar. 'Hij zwemt weg.'

'Ik zie het.'

'Het is een heel eind naar Schotland,' zei Ringmar. 'Of naar Skagen. Ik waarschuw de waterpolitie.'

'Hij is verdronken voordat die hier zijn.'

Ringmar gaf geen antwoord.

'Hoorde je wat ik zei, Bertil?'

'Ik hoorde het.'

Het hoofd bewoog op het water, alsof het eenzaam dreef, zonder lichaam.

'Voel je geen empathie, Bertil?'

'Natuurlijk wel. Die vent is daar het beste af.'

'Hij is helemaal alleen,' zei Winter terwijl hij zijn colbert, broek, schoenen en sokken uittrok.

'Wat ga je in vredesnaam doen, Erik?'

Winter gaf geen antwoord. Hij trok zijn overhemd uit terwijl hij in zijn onderbroek naar het water rende. Die was vandaag tweekleurig, leek op een bermudabroek, op een vol strand zou hij niet opgevallen zijn.

'Erik? Erik!'

Hij hoorde Bertil achter zich schreeuwen, het had geen zin. Schreeuwen hielp zelden. Rennen hielp, handelingen hielpen. Hij voelde zich heel kalm, zo moest het zijn, het was een automatische toestand voor iemand die kalm was.

Het water was vrij koud, maar hij voelde het niet, hij was zo ver mogelijk over de zeebodem gerend en had zich daarna naar voren gegooid en was onder water beland en was bovengekomen en was al aan het zwemmen, tijdens de seconde die hij onder water was geweest had hij gemerkt dat hij zijn bril nog op had, die gaf een ander licht, alsof het een nieuwe wereld was, hij moest het aanbevelen aan duikers als alles achter de rug was, als iedereen klaar was met zwemmen, hij was een goede zwemmer, hij kon zelfs crawlen, hij deed het nu, hij haalde bij elke vierde slag adem, de *Australian crawl*, het kon een filmtitel zijn, een lied, Michael Bolton, de Australische zwemster Dawn Fraser, hij had over Dawn Fraser gelezen, ze was de koningin van de zwembaden toen hij geboren werd, hij had over iedereen gelezen, hij wist alles, ik weet alles, dacht hij, ik kan het hem vertellen als ik bij hem ben, wat er gaat gebeuren, wat we gaan doen, Marcus en ik.

Hij proefde zout in zijn mond, het was ander zout dan van een vrouw, ik zal alles aan Angela vertellen als dit achter de rug is, dacht hij, alles wat ze nooit mocht weten, zij zal vertellen, we zullen over alles praten, álles, zijn ogen brandden, hij was zijn zonnebril kwijt maar dat was niet erg. Hij stopte met zwemmen, watertrappelde om zich te oriënteren, hij was al ver bij het land vandaan, zag voor zich iets bewegen, het was niet ver, het was Marcus' hoofd, wie zou het anders moeten zijn, Winter begon weer te crawlen, ze waren met z'n tweeën in de zee, op weg naar Schotland, Amerika, de Stille Zuidzee, Australië, ze zwommen de wereld over, ik denk dat ik het naar mijn zin zou hebben in Australië, Perth misschien, het Australische Perth, maar het Schotse Perth is ook niet verkeerd, het origineel, zoals het Schotse Dallas, ik moet Steve bellen, het is al zo lang geleden, alles is lang geleden, is dat hoe het wordt, is dat hoe het is, nee nee nee nee nee, nu begint het leven, mijn vader heeft iets met me gedaan, hij heeft me geslagen, het is een trauma, wat heeft hij nog meer gedaan? Het ging door, hij zei iets wat ik nooit ben vergeten maar ik kan het me niet herinneren, het is bij me, elke zwemslag die ik doe, verdomme, hij heeft iets gedaan wat mijn hele leven beïnvloed heeft, wat mijn leven toen al veranderd heeft, ik zal het me uiteindelijk herinneren, dat-is-waar-het-om-gaat, dacht hij in het ritme van zijn zwemslagen, maar niet alleen dat, dat mag niet alles zijn...

Hij onderbrak zijn gedachten, stopte met zwemmen, oriënteerde zich.

Marcus' hoofd dreef tien meter verderop. Hij was gestopt met zwemmen. Het leek alsof hij zijn gezicht naar de hemel had gekeerd, alsof hij probeerde verblind te raken door de zon.

'Marcus? Marcus!'

Winter hoorde zijn woorden met de wind meevliegen, ze konden elke richting op gaan, de woorden klonken leeg en klein en miezerig, als schepen op de wereldzee. Hij zwom weer, schoolslag nu, Marcus dreef op het water, hij bewoog niet, de zee bewoog hem.

'Marcus!'

Het was nog maar een paar meter, Winter kon hem bijna vastpakken.

'Marcus, ik ben het. Erik Winter. Politie.'

Winter kon zijn hoofd zien, maar hij zag zijn gezicht niet, dat was uitgewist door de zon, er was alleen een zwarte cirkel.

'Ik zal je helpen,' zei Winter.

'Kom niet bij me!'

'Ik ben er al,' zei Winter. 'Ik blijf hier. Wij blijven hier.'

'Ik wil niet,' zei Marcus.

'Wat wil je niet?'

'Ik wil niet...' Marcus' woorden vervlogen in de wind.

Winter watertrappelde. Het zag eruit alsof Marcus dreef, zijn armen bewogen niet, alsof hij erop wachtte dat hij door de stroming naar de open zee werd gevoerd. Winter kon het rond zijn benen voelen, als waterslangen die om zijn lichaam kronkelden en hem weg zouden trekken, de slechte krachten. Maar hier en nu leken het nog steeds de goede krachten.

'Hebben jullie Mårten gevonden?' vroeg Marcus. Hij had bewogen, had zijn hoofd bewogen.

'Ja. De ambulance is gewaarschuwd.'

Winter wilde zijn hoofd niet draaien. Misschien was hij er al. Hij had niet naar het land gekeken sinds hij in het water was gesprongen.

'Hij leeft,' zei Marcus, het was een constatering. 'Hij wel.'

'Waarom, Marcus?' Winter was nu dichtbij. Marcus had niet bewogen. Nog een zwemslag en Winter kon zijn hand uitsteken en de man aanraken. Hij zag er heel jong uit. Hij zag er precies zo uit als in de films. Precies. Een jochie van tien jaar. Het suisde in Winters hoofd, alsof er iets met zijn hoofd zou gebeuren, alsof hij nog nooit zoiets had meegemaakt, alsof het leven zoals het tot nu toe was geweest op dit moment eindigde. Dit was zijn laatste uur in uniform. 'Waarom, Marcus?'

'Hij leek geen ruggengraat te hebben,' zei Marcus. 'Ik wilde zien of hij een ruggengraat had.'

'Daar zijn verschillende soorten van,' zei Winter.

'Hij had een van die soorten,' zei Marcus. 'Ik heb het gezien. Daarom stopte ik.'

'Het is goed dat je dat deed,' zei Winter.

'Ik heb het koud,' zei de jongen, hij was maar een jongen, tien jaar, eenzaam in de Noordzee, altijd eenzaam.

'Er komt zo meteen een boot om ons op te pikken,' zei Winter.

Hij was nu heel dichtbij.

'Raak me niet aan!' riep de jongen.

'Ik zal je niet aanraken, Marcus.'

'Raak me niet aan,' herhaalde hij, nu met een zachtere stem.

Winter hoorde een geluid in de wind groeien, alsof ze verder van het land waren dan het leek. Zijn oren bedrogen hem niet. Er kwam een speedboot aan, het was de waterpolitie. Ze waren blijkbaar in de buurt geweest.

'Ik wilde alleen voetballen,' zei Marcus.

'Ik weet het,' zei Winter.

'Dat was het enige wat ik wilde. Ik was goed.'

'Ik geloof je.'

'Het is echt zo. Ik had beroemd kunnen worden. Ik had talent.'

Winter gaf geen antwoord. Wat moest hij antwoorden? Hij wilde zo graag antwoorden.

'Ik heb nooit meer gevoetbald,' zei Marcus.

Winter zei niets. Alles wat hij zou kunnen zeggen was verkeerd.

'Ik ging de hele tijd naar het Marconiplein terug. Ik kon niet stoppen met teruggaan. Ik wilde het niet doen. Ik moest ermee stoppen.'

'Ik begrijp je echt,' zei Winter.

'Maar daarna verdween het Marconiplein. Ze hebben in plaats daarvan die verdomde ijshal gebouwd. Ik dacht dat het me zou helpen om te vergeten, maar het werd juist erger.'

Me helpen om te vergeten, dacht Winter.

'Er was uiteindelijk maar één ding waardoor ik zou stoppen met teruggaan,' zei Marcus.

'Maar dat hielp ook niet,' zei Winter.

'Dat... hielp niet.'

Winter zag de boot, hij rees op uit de zee als een wolk in een lege hemel. Blauw en wit als de hemel en de zee, de kleuren van IFK Göteborg. Marcus zag hem.

'Nee!'

'Dat is de boot waarover ik vertelde,' zei Winter.

'Nee!'

Marcus stak zijn handen in de lucht. Hij begon te zinken toen niets hem meer in evenwicht hield. Zijn hoofd verdween onder water, kwam boven, verdween weer. Winter greep naar zijn armen, kreeg er een te pakken, de linker, probeerde op zijn rug te zwemmen terwijl hij Marcus met zich meetrok, hij probeerde het opnieuw, kreeg hem beter te pakken, voelde dat de jongen hem vastpakte, waar dan ook, Winter had hem nu beter vast, hij bleef naar achteren zwemmen, naar achteren, hij was kalm, hij was in veiligheid, hij wist wat hij deed, hij zou niet naar de bodem getrokken worden, nooit meer, dat was één keer gebeurd en dat was voldoende in een mensenleven, Marcus bewoog niet meer, hij liet zich naar de boot brengen alsof het een oefening reddingszwemmen was, alleen Winter bewoog.

Ze werden uit het water getild en waren binnen een paar seconden aan boord. Winter voelde geen kou. Marcus klappertandde. Winter vroeg een paar dekens. Hij hield de jongen de hele weg naar het centrum vast.

42

Halders legde de tactiek uit: maak meer doelpunten dan de tegenstanders, laat minder ballen door, houd de bal en die klootzakken van tegenstanders tussen jullie en hun doel.

Ringmar stond in het doel, Halders verdedigde samen met Djanali en Torsten Öberg. Winter en Hoffner stonden op het middenveld, Micke Hedlund, die nog maar een maand bij de afdeling was, was de spits. Ze hadden geen invallers, dat was een nadeel.

De tegenstanders waren artsen, ze deden voor het eerst aan het toernooi mee, een eitje voor Grova BK, zoals Halders het uitdrukte, 'kijk naar ze, ze zijn bang, ze hebben al verloren'. Grova BK klonk beter dan Grova FF, had hij besloten, het klonk als het historische Gårda BK.

'We houden het rustig en gezellig, Fredrik,' zei Djanali.

'Wat bedoel je daar verdomme mee?' zei hij.

'Dat weet je heel goed.'

Winter stretchte tegen een boom. Het regende in Heden, en waarschijnlijk in de hele stad. Het was de vorige avond laat begonnen. De zon was nog krachtig geweest toen ze van het politiebureau waren vertrokken. Marcus Glad had daar geslapen. Winter was blij dat hij zijn dromen niet had. De jongen had niet verteld waarom, niet echt, het was een heel lang verhaal, zonder eind.

Winter had 's avonds een paar glazen Glenfarclas gedronken om de chaos in zijn hoofd af te zwakken. Hij was er klaar voor. Het was tijd om die verdomde wedstrijd te spelen.

'Erik? Erik!'

Hij draaide zich om.

'We maken ze in,' zei Halders terwijl hij naar het veld gebaarde, het natte kunstgras glansde groen. Halders liep naar de middenstip, waar de scheidsrechter en de aanvoerder van de tegenstanders al stonden, een orthopeed met doodsverachting.

De scheidsrechter was een oude bekende.

'We houden het rustig.'

'Ik geef geen antwoord op provocaties,' zei Halders.

'Ik ben de scheidsrechter en jij staat nog steeds onder toezicht.'

'Zullen we spelen, of hoe zit dat?'

'Waar gaat dit over?' vroeg de orthopeed.

'Dat gaat je geen donder aan,' zei Halders.

'Fredrik is eigenlijk levenslang geschorst van dit toernooi,' zei de scheidsrechter.

'Dat kan ik me voorstellen,' zei de orthopeed met een glimlach.

'We zien elkaar op het veld. Daarna mag je zonder knieschijven proberen te lopen,' zei Halders.

'*Trashtalk, I like it*,' zei de orthopeed.

Winter kreeg de bal midden op het veld, nadat hij van het dijbeen van een tegenstander was gestuit. Het lukte hem om langs een dikke dokter te dribbelen en hij gaf een voorzet in de richting van het doel. Hedlund ving de bal met de binnenkant van zijn voet, het zag er belachelijk eenvoudig uit, net als alle moeilijke dingen. De bal vloog in het doel. Winter hief zijn armen in een overwinningsgebaar, *veni vidi vici*, hij hoorde Halders brullen, hij hoorde het publiek schreeuwen, hij voelde de roes van succes. Waarom kon het niet altijd zo zijn? Halders was al bij hem, tilde hem naar de hemel, waar hij thuishoorde.

In de pauze stond het 1-1. Grova BK had alle rust nodig die het team kon krijgen. Öberg had gebraakt bij de boom waar Winter had gestretcht. Het was een getergde boom.

'Drink niet te veel water,' zei Halders tegen iedereen die het kon opbrengen om te luisteren.

'Ze zijn goed,' zei Hedlund.

'Ze zijn waardeloos,' zei Halders. 'We pakken ze. Het is afgelopen met ze.'

'We hadden invallers moeten hebben,' zei Djanali.

'Dat is contraproductief gezeur,' zei Halders. 'We krijgen de volgende wedstrijd meer mensen.'

De scheidsrechter floot voor de tweede helft. Ze stelden zich op in het veld. Winter liep nog steeds met zijn hoofd in de wolken na zijn dribbel en voorzet. Hedlund schoot de bal naar hem toe en passeerde een vrouwelijke arts met extreme X-benen. Winter schoot naar Hedlund en bleef zelf naar voren rennen en kreeg de bal terug en schoot en voelde dat hij de bal fantastisch raakte met zijn wreef, hij wist het al voordat de bal zich in de linkerhoek boorde, hier was hij voor geboren, hier had hij zijn leven aan moeten besteden.

Het hele team viel over hem heen, met Halders helemaal bovenop. Hij schreeuwde iets onhoorbaars. Winter voelde zich bijna net zo krankzinnig.

De scheidsrechter floot weer. De dikke dokter liep op een drafje naar het strafschopgebied van Grova en werd onderuitgehaald door Halders, een vanzelfsprekende actie, wat had die vetgemeste klootzak daar te zoeken, Winter was het voor honderd procent met Halders eens, *ad nocendum potentes sumus*, wij hebben het vermogen om te verwonden, niemand pakt dit van ons af.

De scheidsrechter rende naar voren, floot, floot, wees naar de stip, wees naar Halders, haalde een kaart uit zijn borstzak, de rode kaart, in dit toernooi betekende uit het veld sturen dat je niet met de volgende wedstrijd mee mocht doen.

Halders bleef roerloos staan, alsof hij een beroerte had gehad.

De scheidsrechter hief de kaart hoog naar de hemel, zodat alle goden het konden zien.

'Luister...' zei Ringmar, die uit zijn doel was gerend en voor de scheidsrechter was gaan staan. 'Dat is niet eerlijk.'

'Hij gaat eruit,' zei de scheidsrechter. 'Als je protesteert mag jij met hem mee.'

'Je bent niet goed bij je hoofd,' zei Ringmar.

'Rode kaart!' riep de scheidsrechter terwijl hij met de kaart die hij al in zijn hand had voor Ringmars gezicht zwaaide.

'Je hebt er maar één,' zei Ringmar. 'En die heb je al gebruikt.'

'Neem de rode kaarten terug,' zei Winter, die voor de scheidsrechter was gaan staan. Hij keek in de ogen van de scheidsrechter, maar er was vandaag niemand thuis, waarschijnlijk nooit. 'Straf is misschien terecht, maar geen rode kaart.'

'Eruit!' schreeuwde de idioot terwijl hij de kaart voor Winter hield.

Eén kaart, drie slachtoffers. Dat kon zo niet doorgaan. Winter griste de kaart uit zijn handen en scheurde hem in tweeën, vieren, zessen, en liet de stukken als confetti naar de grond dwarrelen. Hoffner en Djanali en Öberg applaudisseerden, wat volgens het reglement een obsceen en kwetsend gebaar was. Daarmee waren ze allemaal formeel van het veld gestuurd, alleen Hedlund was over, maar hij had zich achter de getergde boom verstopt, doodsbang voor de consequenties. De gebeurtenis zou over een uur op de site staan en Grova BK zou twaalf miljoen jaar niet meer aan het voetbaltoernooi mee mogen doen.

De scheidsrechter schuimbekte, hij schuimbekte echt, hapte naar adem. Hij wilde iets zeggen maar wat hij wilde zeggen miste betekenis.

'Oké, dan gaan we,' zei Winter terwijl hij weg begon te lopen. De anderen volgden hem, ook de artsen.

Ze liepen langs Halders.

'Ga je mee, Fredrik?'

Halders gaf geen antwoord. Hij zag er ook uit alsof hij probeerde iets te zeggen.

'De wedstrijd is afgelopen,' zei Winter. 'We hebben met 2-1 gewonnen.'

Het was een mooie ochtend. Winter stapte voor de Västra begraafplaats uit de auto. Hij had pijn in zijn lichaam, maar zijn ziel voelde goed. Gisteren had hij het op het voetbalveld verpest door een koppige actie, maar waarom ook niet. Vanochtend had hij Marcus Glad verhoord. Dat zou vaker gebeuren.

Winter vond de grafsteen na tien minuten. Marcus had een goede routebeschrijving gegeven. Winter las de naam op de grafsteen, die betekende niets meer. Hij haalde het verse mos met zijn voet weg en las de zwarte letter op de steen: N.

Hij liep terug naar de auto terwijl de vogels zongen. Er was nog een C over, die was blijkbaar voor Peter Mark bedoeld geweest, de fietsende leugenaar. Ik heb waarschijnlijk zijn leven gered, dacht Winter terwijl hij in de auto ging zitten en de Mariagatan in reed op het moment dat een fietser met hoge snelheid passeerde. Het was een man, er gebeurde niets omdat Winters reflexen nog steeds uitstekend waren. De man droeg geen helm. Hij kwam naar de auto toe en staarde naar Winter.

'Ben je niet goed bij je hoofd?' zei hij.